Collection «Armand Colin Cinéma»

dirigée par Michel Marie

René Prédal

Le Jeune cinéma français

Armand Colin *CINÉMA*

Dans la même collection :

François ALBÉRA, *L'Avant-Garde au cinéma.*
Vincent AMIEL, *Esthétique du montage.*
Jacques AUMONT, *L'Image.*
Jacques AUMONT, *Les Théories des cinéastes.*
Jacques AUMONT, Alain BERGALA, Michel MARIE, Marc VERNET, *Esthétique du film.*
Jacques AUMONT, Michel MARIE, *L'Analyse des films.*
Jacques AUMONT, Michel MARIE, *Dictionnaire théorique et critique du cinéma.*
Pierre BEYLOT, *Le Récit audiovisuel.*
Jean-Loup BOURGET, *Hollywood. La norme et la marge.*
Noël BURCH, Geneviève SELLIER, *La Drôle de guerre des sexes du cinéma français (1930-1956).*
Francesco CASETTI, *Les Théories du cinéma depuis 1945.*
Dominique CHATEAU, *Cinéma et philosophie.*
Michel CHION, *L'Audio-vision. Image et son au cinéma.*
Michel CHION, *Le Son.*
Laurent CRETON, *Économie du cinéma. Perspectives stratégiques.*
Guy GAUTHIER, *Le Documentaire, un autre cinéma.*
Guy GAUTHIER, *Un Siècle de documentaire français.*
Jean-Pierre ESQUENAZI, *Godard et la société française des années 1960.*
Martine JOLY, *L'Image et les signes. Approche sémiologique de l'image fixe.*
Martine JOLY, *L'Image et son interprétation.*
François JOST, André GAUDREAULT, *Le Récit cinématographique.*
Laurent JULLIER, *L'Analyse de séquences.*
Laurent JULLIER, *Star Wars. Anatomie d'une saga.*
Raphaëlle MOINE, *Les Genres du cinéma.*
Fabrice MONTEBELLO, *Le Cinéma en France.*
Yannick MOUREN, *Le Flash-Back.*
Jacqueline NACACHE, *L'Acteur de cinéma.*
Patrice PAVIS, *L'Analyse des spectacles.*
Vincent PINEL, *Le Vocabulaire technique du cinéma.*
François SOULAGES, *Esthétique de la photographie.*
Francis VANOYE, *Récit écrit, récit filmique.*
Francis VANOYE, *Scénarios modèle, modèles de scénarios.*

ISBN : 2-200-34217-9.

Table des matières

Introduction

Entre la fin de la guerre et la Nouvelle Vague, le nombre de premiers longs métrages tourne annuellement autour d'une dizaine pour une production d'une centaine de films français. Sans que cette production augmente de manière vraiment notable, les années soixante voient par contre tripler le nombre de cinéastes accédant chaque année à la réalisation de leur premier long métrage (il y en aura encore 31 en 1972 sur 112 films produits). Ces chiffres sont évidemment irréguliers avec des pics et des creux résultant des conjonctures passagères : le cinéma est une industrie de prototypes fragiles, très sensible aux enthousiasmes (un gros succès public) comme aux inquiétudes (une progression économique tout à coup moins forte que prévu). Mais globalement la production de premiers longs métrages par rapport à l'ensemble de la production est déjà passée de 9 % en 1954 à 28 % en 1971. Le « jeunisme » n'est évidemment pas la seule cause ; car il faut noter en outre que les premiers films coûtent moins cher et ont donc besoin de moins d'entrées pour se rentabiliser. Surtout l'effet télévision commence à se faire sentir : beaucoup de réalisateurs tournent un premier film au cinéma mais devront se diriger très vite vers la télévision qui, justement, a besoin de davantage de films pour nourrir ses programmes.

De fait, la tendance ne s'inversera plus et se stabilisera entre 25 et 28 % pendant les deux décennies suivantes (tandis que les statistiques s'affolent avec la prise en compte des films pornographiques jusqu'en 1982, date à laquelle leur classement en catégorie X les exclut des chiffres officiels du CNC). Puis la proportion des premiers longs métrages s'emballe, bien au-delà des répercussions attendues par l'augmentation globale de la production : en 1990, 26 premiers films sur 107 produits, soit 25 %. En 1992, 62 premiers longs métrages sur 150, soit 42 % ! Ce n'est plus une Nouvelle Vague mais une déferlante chaque année plus forte que la précédente.

Disons-le tout net, cette inflation paraît excessive, autant en ce qui concerne la production totale que le nombre des premiers longs métrages. La fréquentation (en 2000 : 166 millions d'entrées pour 59 millions de Français, ce qui correspond à deux séances et demie de cinéma par an et par habitant... y compris les nourrissons et les grabataires) n'est pas suffisante pour assurer une distribution efficace à 150 longs métrages d'initiative française. Il s'agit donc de produits finalement destinés en majorité à la télévision : la sortie en salles ne sert qu'à leur garantir l'étiquette « cinéma » (qui constitue un avantage lors de leur passage sur le petit écran) mais conduit à une mise à mort qualitative car rien n'est fait pour que ces films touchent les spectateurs potentiels qui auraient pu les apprécier. Allant deux ou trois fois dans l'année au cinéma, le Français passe ainsi 4 à 5 heures par an à voir des films mais plus de 3 heures par jour devant son poste de télévision ! D'ailleurs, l'aide que le CNC (Centre National du Cinéma) consacre aux programmes audiovisuels a été multipliée par 2,5 entre 1990 et 2000, ce qui n'est pas du tout le cas des subventions au cinéma.

À propos de télévision justement, on aimerait pouvoir comparer les situations TV-Cinéma mais on ne possède pas vraiment les documents statistiques pour le faire : alors que le CNC dénombre les films produits, le CSA comptabilise les heures de programme et leurs taux d'audience. On peut donc seulement remarquer que le COSIP (Compte de Soutien aux Industries de Programmes) a aidé pendant les années quatre-vingt-dix entre 700 et 1 000 heures de fiction par an. Or on sait qu'il aide à peu près la moitié de la production. On réaliserait donc en moyenne 1 700 heures de fictions réparties entre films de 26, à peu près 50 ou 90 minutes, soit l'équivalent de 1 000 téléfilms d'1 heure 30 minutes par an. Mais cela ne permet pas de parallèles pertinents avec le cinéma. Quant à se demander combien de jeunes téléastes tournent chaque année leur premier téléfilm/90 minutes, il est impossible de répondre car il faut compter aussi avec les séries, les 26 minutes et les différentes catégories de fictions appréhendées selon des grilles complexes faisant intervenir le genre télévisuel (plateaux, documentaires, reportages, fictions sous chacune de ses formes…), le statut des réalisateurs et les budgets (séries A, B et autres, si l'on veut absolument trouver quelque rapport avec la grande époque hollywoodienne). Autant dire qu'on ne pourra pas s'engager ici dans ce type de parallèles.

Pour en revenir au contexte cinématographique, le fait que 58 premiers films soient réalisés en 1998, 62 en 1999 et 53 en 2000 apparaît comme aberrant : on ne peut plus depuis longtemps parler de taux de remplacement (les nouveaux cinéastes prenant la place des anciens qui cessent leur activité), ni de capacité de renouvellement car il s'agit de 450 nouveaux cinéastes entre 1990 et 2000 pour 150 films réalisés par an ! De plus, si le pourcentage de premiers films ne cesse de monter, celui des seconds diminue ce qui confirme l'idée de premier long métrage miroir aux alouettes pour des jeunes désireux de faire du cinéma, aidés par les subventions régionales au court métrage puis l'Avance sur Recettes pour le long, mais qui ne pourront jamais devenir professionnels parce qu'il est très difficile de pénétrer sur le marché avec un premier film d'auteur à petit budget. De même que le cinéma alimente le petit écran de ses films, la plupart des réalisateurs d'un premier long métrage deviendront téléastes ou travailleront dans l'audiovisuel, à moins qu'ils ne retournent tout simplement d'où ils viennent. Car la notion de premier long métrage est vaste : quand Bernard-Henri Lévy ou Patrick Sébastien font un film, ils sont comptabilisés dans cette catégorie puis, ensuite, reprennent leur activité d'écrivain ou d'artiste de variétés.

Néanmoins la plus grande part de ces premiers films provient bel et bien de jeunes cinéastes et beaucoup sont intéressants. Une dizaine par an sont même remarquables et c'est cette bonne centaine d'œuvres tournées depuis une décennie, prolongée en outre par les deux ou trois films suivants réalisés par chacun des plus productifs de ces auteurs, qui forment la matière de cet ouvrage se présentant un peu comme une *défense et illustration du jeune cinéma français d'aujourd'hui*. Il ne s'agira donc pas de traiter exhaustivement de l'ensemble du cinéma français des dix ou quinze dernières années, mais bien d'insister sur une nouvelle génération aussi riche que le fut il y a un peu plus de quarante ans celle qui constitua la Nouvelle Vague. En fait, près de 200 jeunes cinéastes sont cités dans cet ouvrage et à peu près 400 titres envisagés depuis 1985.

Nous n'aurions pas pu écrire ce livre en 1975 ou 1985 car les nouveaux cinéastes de qualité révélés pendant les vingt ans suivant la Nouvelle Vague n'étaient pas assez nombreux pour occuper le devant dc l'écran, d'autant plus que ceux apparus en 1958-1965, bien qu'un peu ébranlés par les remises en question post-soixante huitardes, poursuivaient brillamment leur carrière d'auteurs (devenus) consacrés. Mais le PAF (Paysage Audiovisuel Français) a bougé, en particulier sous la pression de cette nouvelle donne constituée par l'arrivée massive de jeunes cinéastes parallèlement à l'effacement progressif de quelques ténors de la Nouvelle Vague. L'événement médiatique est désormais la sortie d'un film de Luc Besson et non plus de Claude Lelouch et c'est *Esther Khan,* d'Arnaud Desplechin qui tient en 2000 le rôle du « dernier » Truffaut dans les années quatre-vingt. Certes, *On connaît la chanson,* d'Alain Resnais, *Merci pour le chocolat,* de Claude Chabrol ou *Conte d'Automne,* d'Éric Rohmer font en ce passage au troisième millénaire qui est aussi le deuxième siècle du cinéma plus d'entrées que n'en eurent en leurs temps *Hiroshima mon amour*, *Les Cousins* ou *Le Signe du lion* dans la mesure où le jeune cinéma français des années quatre-vingt dix n'a pas réduit au silence les cinéastes en place comme la Nouvelle Vague l'avait fait des réalisateurs de la « Qualité Française », dans un contexte d'ailleurs opposé. Désormais en effet, les Français vont de moins en moins au cinéma et, lorsqu'ils y vont, préfèrent la plupart du temps les films américains, le « centre » de la production française s'étant effondré au profit, justement, d'un type de cinéma jadis périphérique. Car le sens du binôme Art-Industrie a changé et le cinéma est plus souvent art qu'industrie alors que c'était le contraire en 1960. Mais le poids de la télévision a transformé la structure profonde du cinéma. Pas forcément en mal d'ailleurs puisque Canal Plus co-produit 80 % des films français et que tous ceux ayant obtenu l'Avance sur Recette trouvent le complément de leur budget auprès de chaînes généralistes hertziennes, processus qui favorise cet appel permanent à de nouveaux cinéastes !

Mais, à part le phénoménal succès du *Fabuleux Destin d'Amélie Poulain* (Jean-Pierre Jeunet, 2001), ce qui semble manquer depuis plus de dix ans, c'est le cinéma grand public de qualité, le Georges Lautner des *Tontons Flingueurs* par exemple réalisé en 1963, année de *La Peau douce,* de François Truffaut et de *Muriel*, d'Alain Resnais. Une part non négligeable des amateurs d'un cinéma à la Lautner ou à la Verneuil n'hésitaient pas alors à aller voir quelques fois aussi les films de Chabrol ou de Demy et, inversement, les cinéphiles ne dédaignaient pas tout à fait le « cinéma de boulevard ». Aujourd'hui par contre, aucun spectateur d'*Obélix contre César* (Claude Zidi, 2000), des *Couloirs du temps,* les *Visiteurs II* (Jean-Marie Poiré, 1998) ou de *Taxi 2* (Cédric Klapisch, 2000) ne se risquerait à rentrer dans une salle qui affiche *L'Ennui* (Cédric Kahn, 1998), *Samia* (Philippe Faucon, 2000) ou *La ville est tranquille* (Robert Guédiguian, 2000) et réciproquement. Seules les programmations à la télévision permettent parfois aux amateurs de cinéma – grâce au magnétoscope plutôt qu'au *prime time* – de jouer à la frontière de leurs goûts dominants. Certes, là encore, les habitués de TF1 et d'Arte ne sont pas les mêmes, mais France 3 et des films comme *La Vie rêvée des anges* (Éric Zonca, 1999) peuvent offrir l'occasion de rencontres fructueuses.

Si les choses sont donc complexes, cet ouvrage se propose de montrer que la situation n'est pas pour autant confuse en dressant d'abord l'état des lieux. Nous considérerons ensuite comment on est arrivé là (à la fois par une maturation artistique et de profondes mutations économiques) et tenterons une étude esthétique du noyau dur de ces productions qui imposent un style, une thématique – on pourrait dire un ton, une couleur – résolument neufs mais dont les marges ont parfois du mal à s'arracher à une tradition tenace comme à se préserver de la mondialisation du flot audiovisuel. Quoi qu'il en soit ces jeunes cinéastes donnent présentement son identité au cinéma français en même temps que son image de marque esthétique. L'aigreur qu'expriment dans les médias un Patrice Leconte ou un Luc Besson n'y changera rien, pas plus que les promotions télévisées d'un Michel Drucker pour un cinéma de captation des sketches poussifs d'amuseurs ringards de music hall. L'art cinématographique n'est pas là, mais se traduit dans la création de ses auteurs, certes jeunes et vieux, mais il se trouve qu'au tournant 2000 comme à l'orée des *sixties*, la pression des jeunes est plus forte et impose l'existence d'un nouveau cinéma. Par habitude, paresse intellectuelle, confort académique ou frilosité esthétique, n'ignorons pas les forces vives du cinéma actuel : ce sont les films qui resteront demain. Ne réitérons donc pas les erreurs de ceux qui, en 1959, préféraient *La Millième fenêtre,* de Robert Menegoz aux *Quatre Cent coups,* de François Truffaut ou *Pantalaskas*, de Paul Paviot aux *Amants*, de Louis Malle. Certes le jeune cinéma français ne draine pas un large public, mais le rôle de l'art n'a jamais été de remplir les caisses de l'industrie. L'art crée à l'avant-garde de la culture (de masse). Il la tire vers le haut, du moins si on veut bien l'aider au lieu d'attaquer ses productions au nom du goût (présumé) moyen d'un spectateur lambda qui n'a de réalité (virtuelle) que dans les instituts de sondage. Or la sociologie des médias constitue une discipline qui peut être passionnante mais n'a rien à voir avec l'histoire esthétique du cinéma. Notre défi est de proposer un essai critique d'histoire au présent. Nous avons personnellement assez souvent œuvré dans le patrimoine (histoire générale du cinéma, études sur les grands auteurs du siècle – Alain Resnais, Jean-Luc Godard…) pour que le lecteur accepte de nous suivre quand nous affirmons que, loin d'être contradictoire, les deux démarches sont étroitement complémentaires, non seulement dans les revues spécialisées mais aussi (surtout ?) dans la recherche universitaire.

Chapitre 1

Un nouveau cinéma français

L'onde de choc de la Nouvelle Vague avait eu de nombreuses répliques si bien que, non seulement les cinéastes révélés en 1962-1964 sont plus ou moins assimilés au mouvement ou en tous cas considérés comme compagnons de route (ainsi Alain Cavalier, *Le Combat dans l'île*, 1962 ou Jean-Marie Straub, *Non réconciliés*, 1964, et René Allio, *La Vieille Dame indigne*, 1964), mais même les auteurs révélés à la fin des années 1960 ont été classés eux aussi dans la postérité directe d'une Nouvelle Vague vite légitimée et volontiers dotée d'une généreuse descendance, certes évidente pour Philippe Garrel (*Anémone*, 1967), Jean Eustache (*Le Père Noël a les yeux bleus*, 1967) ou André Téchiné (*Paulina s'en va*, 1969), Marguerite Duras (*Détruire dit-elle*, 1969) et Maurice Pialat (*L'Enfance nue*, 1967), mais plus contestable en ce qui concerne Claude Lelouch (*Un Homme et une femme*, 1966), Claude Berri (*Le Vieil Homme et l'enfant*, 1966) et à plus forte raison Claude Sautet (*Les Choses de la vie*, 1969). Mais tous ces auteurs sont en quelque sorte de la même génération (artistique) que Jean-Luc Godard, François Truffaut, Claude Chabrol, Alain Resnais, Éric Rohmer, Jacques Rivette, Jacques Demy, Jean Rouch...

Les répercussions au cinéma des mouvements de 1968 provoquent par contre une nette rupture. En effet, parallèlement au cinéma militant et ses collectifs de réalisation, une « génération 70 » se lève, pas forcément contre la Nouvelle Vague mais frayant en tous cas d'autres voies, par exemple politiques (*Z.*, de Constantin Costa-Gavras, 1969 ; *Un Condé,* d'Yves Boisset, 1970) ou psycho-sociales (*L'Horloger de Saint Paul,* de Bertrand Tavernier, 1973 ; *La Meilleure Façon de marcher,* de Claude Miller, 1976 ; *La Communion solennelle,* de René Feret, 1976), tour à tour acides (*Les Valseuses*, 1973, de Bertrand Blier) ou acidulées (*Les Zozos,* de Pascal Thomas, 1972), ne négligeant pas les genres traditionnels du cinéma français (le polar avec Alain Corneau : *Police Python*, 1976 ou la comédie avec Jean-Charles Tacchella : *Cousin cousine*, 1975) à moins que ces cinéastes en pervertissent les cadres (*L'Étrangleur,* de Paul Vecchiali,

1970 ; *La Chair de l'orchidée*, de Patrice Chéreau, 1975), sans oublier les écorchés vifs comme Gérard Blain (*Les Amis*, 1971) ou Jacques Doillon (*Les Doigts dans la tête*, 1974).

Quantitativement ces auteurs des années soixante-dix sont moins nombreux que ceux constituant strictement la Nouvelle Vague ajoutés aux autres nouveaux cinéastes du début de la décennie 1960 (Georges Franju, Jean-Pierre Mocky, Michel Deville...). Ils n'ont pas tous non plus la force novatrice des propositions artistiques de leurs prédécesseurs. Mais ils se joignent à eux pour garantir la valeur du cinéma de la décennie suivante (les années 1980) touché par la perte du public et modifié par l'influence croissante de la télévision. Aussi est-ce un cinéma pluriel, éclaté où la permanence des « anciens » côtoie la maturité des cinéastes des années précédentes avec ses solitaires, son cinéma de recherche, ses néo-classiques, l'apparition, aussi, du film « beur », de la création en régions et du cinéma féministe... Mais sur l'éternelle question de la relève, la créativité paraît se mettre en veille comme si la disparition de François Truffaut en 1984 avait vraiment marqué la seconde mort de la Nouvelle Vague. Certes le divertissement peut être de qualité (*La Vie est un long fleuve tranquille*, Étienne Chatiliez, 1988), mais les révélations médiatiques d'un Jean-Jacques Beineix (*Diva*, 1980) et d'un Luc Besson (*Le Grand bleu*, 1988) n'ont pas grand chose à voir avec une expression artistique. Cinéma d'effets aux formes de clips publicitaires, recyclant thèmes et images mode, ces films n'ont pas la puissance de la seule œuvre vraiment traumatisante de cette période : *De Bruit et de fureur*, 1987, de Jean-Claude Brisseau.

Dans ce contexte moins porteur que celui de 1960-1980, certains premiers films semblent néanmoins tout à coup se tourner délibérément vers le futur. Détachés de l'emprise d'un passé désormais patrimonial et mal à l'aise dans l'isolement autarcique de la création cinématographique des années quatre-vingt, quelques cinéastes retrouvent en effet, en 1985, l'esprit fonceur des précurseurs de la Nouvelle Vague (Jean-Pierre Melville, Alexandre Astruc, Roger Leenhardt, Agnès Varda). Ils n'ont pas forcément été à ce moment distingués à ce titre, mais avec aujourd'hui un recul de quinze ans, il est évident que c'est avec *Passage secret, Désordre* et *Boy Meets Girl* que débute notre histoire. Quels que soient les destins ultérieurs de Laurent Perrin, Olivier Assayas et Leos Carax, ces cinéastes ont été les pionniers de ce qu'il convient aujourd'hui d'appeler le jeune cinéma français dont certains critiques commenceront à percevoir sur le vif l'émergence quatre et cinq ans plus tard avec *Un Monde sans pitié* (Éric Rochant) puis *La Discrète* (Christian Vincent) avant qu'Arnaud Desplechin, Cédric Kahn et Xavier Beauvois n'imposent définitivement l'existence de ce courant en 1992. Cette fois la cause est entendue : un nouveau cinéma existe, chacun a pu le rencontrer et l'identifier.

Une chronologie, des chefs de files et des courants

Une évidence statistique

Le nombre élevé de premiers films réalisés chaque année[1] représente sans doute la plus grande originalité du cinéma français actuel. Aussi Michel Marie a-t-il raison de souligner « une prime à la jeunesse » et à « la première fois et il n'est certainement pas facile de devenir vieux dans le cinéma français, ou tout au moins de développer une carrière au-delà du troisième ou quatrième film »[2]. Par contre, il faut noter qu'à peine un tiers des premiers films ont obtenu une avance sur recettes avant tournage alors que, dans la décennie précédente, ce pourcentage s'établissait régulièrement à 50 %. Certes, la procédure d'avance conserve le rôlc important d'impulsion au renouvellement des auteurs qu'elle tient depuis lcs années soixante et, sans ce système, ce tiers des premiers films bénéficiaires n'auraient pas pu se monter. Mais il faudrait renoncer à l'idée – bien ancrée dans l'opinion – selon laquelle tourner un premier long métrage sans bénéficier préalablement de l'avance sur recettes est impossible. Dorénavant en effet, la multiplication des sources de financement (aide automatique, SOFICA, organismes européens de soutien...) et notamment la grande demande des télévisions (Canal Plus préachète 80 % des films produits, France 2 participe au financement du quart des films ; TF1, France 3 et Arte ont coproduit chacune le sixième des autres longs métrages) assurent souvent aisément l'« encadrement » des montages financiers.

Soulignons enfin que l'arrivée massive des jeunes femmes à la mise en scène amorcée à la fin des années quatre-vingt s'est encore amplifiée depuis la mi-décennie : Noémie Lvovsky, Christine Carrière, Emmanuelle Cuau, Judith Cahen, Laetitia Masson, Claire Simon, Solveig Anspach, Dominique Cabrera, Marie Vermillard, Sandrine Veysset, Hélène Angel sont venues rejoindre les Claire Denis, Patricia Mazuy, Anne Fontaine, Laurence Ferreira-Barbosa, Catherine Corsini, Pascale Ferran et les dizaines d'autres révélées depuis 1990, tellement qu'il n'est plus vraiment pertinent de leur réserver une place à part dans l'analyse. Que les femmes soient souvent dans les meilleurs cinéastes, tant mieux car elles avaient quantitativement un injuste retard historique à rattraper. Mais Manuel Poirier, Arnaud Desplechin, Robert Guédiguian, Xavier Beauvois ou Bruno Dumont sont aussi parmi les très bons tandis que Martine Dugowson ou Marion Vernoux rejoignent le médiocre « nouveau naturel » de leurs aînées Diane Kurys ou Coline Serreau. Quoi qu'il en soit, *En avoir ou pas* (Laetitia

1. Voir ci-dessus p. 1 et suivantes.

2. M. Marie, dans son introduction à *Le jeune cinéma français,* Hors série, coll. « 128 », éd. Nathan Université-Canal +, 1998.

Masson), *Nénette et Boni* (Claire Denis), *Y-aura-t-il de la neige à Noël ?* (Sandrine Veysset) ou *Petits Arrangements avec les morts* (Pascale Ferran) figurent parmi les plus beaux films de ces dernières années.

Années 1960/années 1990

Faire œuvre d'historien du jeune cinéma français de la décennie est plus difficile que de rendre compte de la fin des années cinquante lorsque le noyau dur du renouveau était la Nouvelle Vague au sens étroit d'équipe des anciens critiques des *Cahiers du cinéma* à laquelle la grande presse agrégea rapidement tout ce qu'il y avait de bon et de jeune, dans la mesure où le pôle fort constitué par Truffaut-Chabrol-Godard a joué en effet un rôle moteur d'entraînement pour les autres. Ainsi peut-on parler d'un nouveau cinéma pluriel des années soixante dont la composante principale est la Nouvelle Vague. La formule a plusieurs fois fonctionné à gauche en politique (Léon Blum et le Front Populaire, Lionel Jospin et la Gauche plurielle...), et ce schéma s'applique exactement en 1960 pour un mouvement cinématographique aussi important par ses marges que par son corps. Car un corps sans marge, une garde sans avant et arrière-gardes ne sauraient déclencher seuls un élan. Tout au plus aurait-on alors un groupuscule, une chapelle. Mais grâce à *L'Immortelle* (A. Robbe-Grillet), *La Tête contre les murs* (G. Franju) ou *Lettre de Sibérie* (Ch. Marker) rassemblés (même abusivement) sous la bannière unitaire « Nouvelle Vague », on obtient un phénomène assez conséquent pour provoquer un bouillonnement renversant bien des tendances et renouvelant le contingent des créateurs.

Il ne semble pas que l'on puisse dire la même chose du jeune cinéma français des années quatre-vingt dix. Certes le renouveau est de nature identique, quantitativement même d'ampleur supérieure. D'autre part, tout en respectant les belles fins de parcours des anciens de la Nouvelle Vague, les jeunes révélés depuis dix à quinze ans assurent une très grande part de la qualité artistique de la production nationale. Mais ce cinéma souffre d'un manque de netteté d'image de marque parce qu'il n'a pas de centre fort comparable à la poignée de critiques passant à la réalisation autour de 1960. La cause réside sans doute en grande partie dans l'étalement très large des « révélations » successives qui empêchent de placer de manière évidente certains cinéastes en position de chefs de file comme de tracer des courants individualisés : Olivier Assayas et Leos Carax signent leurs premiers films en même temps (1984-1986) mais le second s'impose aussitôt tandis que le premier met plus longtemps à percer. De toutes manières ils sont encore trop isolés pour marquer le point de départ du mouvement. Alors, Christian Vincent en 1990 ? Arnaud Desplechin en 1992 ?... Mais en 1993 survient Manuel Poirier, en 1994 Noémie Lvovsky et voici déjà dix ans de passé sans pouvoir clore la liste des plus grands ! Entre fin 1958 et le printemps 1962, des *Amants* (L. Malle) à *Cléo de cinq à sept* (A. Varda), tous les cinéastes importants avaient par contre déjà donné leurs premiers longs métrages (et parfois même d'autres) en trois ans et demi à peine, cette concentration étant propice à la reconnaissance comme à l'identification de la Nouvelle Vague.

À défaut d'une lisibilité comparable, le jeune cinéma d'aujourd'hui s'est découvert sous forme de plusieurs strates, d'abord bien marquées puis se transformant en un flux régulier au milieu de la décennie. En 1985, le cinéma d'auteur semble ronronner et vivre sur ses valeurs sûres : le Festival de Venise de l'année précédente distingue Pascale Ogier dans *Les Nuits de la pleine lune*, d'Éric Rohmer, celui de 1985 Gérard Depardieu pour *Police,* de Maurice Pialat tandis qu'Agnès Varda obtient le Lion d'Or pour *Sans toit ni loi*. Ce sera Éric Rohmer l'année suivante pour *Le Rayon vert*. Cannes pour sa part attribue le prix de la mise en scène en 1984 à Bertrand Tavernier (*Un Dimanche à la campagne)*, en 1985 à André Téchiné (*Rendez-vous*) et en 1986, Alain Cavalier obtient le prix du jury pour *Thérèse* tandis que *Tenue de soirée*, de Bertrand Blier est distingué pour l'interprétation de Michel Blanc. En 1984, le prix Louis Delluc va au film atypique de Richard Dembo *La Diagonale du fou* et en 1985 à *L'Effrontée,* de Claude Miller. Si l'on ajoute encore les sorties de *L'Amour à mort* (1984) et de *Mélo* (1986), d'Alain Resnais, il est indiscutable que l'art cinématographique se porte bien mais ne renouvelle guère ses auteurs. La production annuelle tourne autour de 150 films et les spectateurs sont toujours plus nombreux pour les films français (44 %) que pour les produits américains (39 %). Aussi Jack Lang les convie-t-il à la première fête du cinéma qui est surtout celle des bas prix d'entrée.

Pourtant, à la lumière de ce qui va arriver ensuite, il faudrait signaler quelques faits passés inaperçus à l'époque parce que leurs conséquences ne seront pas immédiates mais qui, à moyen terme, vont peser très lourd dans le devenir du cinéma de création. Et d'abord du côté de la télévision : en 1984 sont mis en place des mécanismes de soutien aux industries de programme, c'est-à-dire que le CNC va subventionner les téléfilms selon un système un peu comparable à l'avance sur recettes cinématographique. Dorénavant, le 7e Art n'est plus le seul produit audiovisuel à profiter des aides à la création. En même temps, Canal Plus se met à émettre : c'est la « chaîne du cinéma » qui, d'une part, diffuse un film par jour, à peine 12 mois après sa sortie en salles et, d'autre part, consacre 25 % de son budget aux achats des droits de passage. Ces deux événements constituent le point de départ de l'imbrication étroite du cinéma et de la télévision qui va très vite se développer. Dans un autre domaine (pour ne pas dire inversement), une nouvelle loi consolide le droit d'auteur en 1985, la « Bande à Lumière » réunit les principaux documentaristes français et la FEMIS est créée en remplacement de l'IDHEC : la formation, le court métrage, l'autorité de l'auteur, à savoir trois axes propices à susciter un renouveau.

La houle annonciatrice de 1985 : Leos Carax, Laurent Perrin, Olivier Assayas

De fait, un signe fort fléché « auteurisme et jeune cinéma » est l'attribution du prix Louis Delluc à *Mauvais Sang*, de Leos Carax, en 1986. Mais ce n'est pas vraiment une révélation, plutôt déjà une mise au point propre à mettre un peu d'ordre dans le syndrome médiatique des néo-baroques qui a tout confondu par une promotion sympathique mais brouillonne cherchant à lancer les trois « nouveaux jeunes génies » du cinéma : Luc Besson, Leos Carax et Jean-Jacques Beineix. Les deux premiers ont attiré l'attention par des premiers longs métrages tournés avec très peu d'argent, quasiment en amateurs, à 24 ans en 1983-1984 : *Le Dernier Combat* (entre gore et fantastique), *Boy Meets Girl* (plutôt côté Jean Eustache et Jean-Luc Godard), tandis que Beineix, de dix ans leur aîné, débutait par un plaisant succès commercial *Diva* (1980) qui va tenir un peu le rôle d'*Orfeu negro*, de Marcel Camus, incongrue Palme d'Or du festival de Cannes 1959 face aux authentiques auteurs Nouvelle Vague François Truffaut (*Les Quatre-Cent-Coups*) et Alain Resnais (*Hiroshima mon amour*). En 1986, les choses se sont décantées et les cinéphiles plébiscitent Leos Carax tandis qu'adolescents et grand public font un triomphe à *Subway* (Luc Besson) et *37°2 le matin* (Jean-Jacques Beineix).

Avec *Boy Meets Girl* (1984) et *Mauvais Sang* (1986), Carax est vite considéré comme le Rimbaud des années quatre-vingt côté Philippe Garrel et esthétique pauvre pour le premier film, davantage Godard pour le second réalisé avec les grands moyens des adeptes du « tout image ». Dans les deux cas, les références au cinéma des grands auteurs sous-tendent une sensibilité d'écorché vif qui constitue la véritable nouveauté des œuvres. Le culot de Carax est d'embrasser large, de faire confiance à son regard naïf d'amoureux passionné pour donner cohérence à un patchwork qui met les plus belles trouvailles du 7e Art au service d'une poétique de la beauté tandis que Beineix et Besson privilégient le clinquant de l'audiovisuel publicitaire. Dans tous les cas le rapport au réel est décalé. Mais c'est chez Carax par le filtre de l'esthétique et non le détour par la prouesse technique (image-décor-montage) comme chez les deux autres. Un quart de siècle après la Nouvelle Vague, Carax en retrouve l'esprit de rupture sans recopier la lettre. Images et sentiments de son temps sont travaillés hors de toute dette nostalgique, la puissance de l'imaginaire exaltant l'utopie des personnages en rompant avec les lourdeurs d'un certain réalisme qui tire souvent vers le bas anecdote et morale. Rien n'est vrai mais tout est juste. L'élégie un peu triste de *Boy Meets Girl* se mue en vigueur et révolte dans *Mauvais Sang* travaillé par un explorateur de formes. Belle réussite de défricheur, donc, mais qui va s'épuiser dans ses propres combats contre l'emballement d'un système mégalomaniaque. Il y a de l'Orson Welles dans le destin de Carax fourvoyé dans l'odyssée du tournage des *Amants du Pont Neuf* (1988-1991). Reprenant la même équipe (Carax, les acteurs Denis Lavant et Juliette Binoche, le chef opérateur Jean-Yves Escoffier), les producteurs de *Mauvais Sang* croient pouvoir plus que doubler le budget mais ni eux ni le cinéaste, frappés par le mauvais sort, ne sauront maîtriser les dépenses. Le film s'arrête une première, puis une seconde fois. L'artiste maudit est dénoncé par certains, soutenu par d'autres, mais le montage accouche finalement d'une souris : le regard s'éparpille et les morceaux disparates ne tiennent plus ; les influences refont surface, ni le mythe du couple romantique ni celui du décor emblématique ne s'imposent. Demeurent cependant quelques passages échevelés : la beauté a disparu mais quelques touches de sublime témoignent que l'auteur existe.

Pourtant Carax choisit le silence – 8 ans – pour revenir de manière quelque peu masochiste en écrivain raté par l'entremise de son héros malheureux de *Pola X* (1999). Mais si son personnage est traité de plagiaire par un éditeur potentiel, Carax, lui, ne pille que lui-même en multipliant les auto-références ponctuant la déchéance progressive du fils choyé enfui d'une riche demeure normande pour courir après la matérialisation d'un visage qui hante ses rêves. C'est souvent naïf comme Tintin, grandiloquent comme Abel Gance et artificiel comme Pedro Almodovar, mais parfois aussi fulgurant, superbe et généreux, surtout dans les vingt dernières minutes éblouissantes. Devenu SDF par soif d'absolu, le personnage n'était-il qu'un médiocre romancier ou s'agit-il au contraire de quelque nouveau Van Gogh resté méconnu ? Carax nous tend évidemment le miroir mi-complaisant mi-angoissé de l'autoportrait et cette sincérité sauve bien des scènes du ridicule sans excuser néanmoins les maladresses et l'inspiration un peu courte.

Le parcours de Laurent Perrin n'est pas non plus au niveau des promesses de *Passage secret* (1985) et *Buisson ardent* (1987), peintures délicates d'adolescences fragiles, douces, modestes, un brin mystérieuses, et déjà usées d'un côté, exigeantes et violentes de l'autre à l'image des titres, rendues sensibles par une mise en scène nourrissant la psychologie des personnages d'une vision du monde qui les englobe et les fonde. Dans *Sushi sushi* (1991) puis *30 ans* (2000), le groupe prend un peu le pas sur les individus (déjà plus âgés et recyclés dans le *fast food* ou attachés au devenir d'une troupe de théâtre suivie sur trois décennies dans son quotidien comme dans ses créations). Les scénarios savent être joliment chaotiques au gré de destins croisés, mais il manque un élément fédérateur pour transcender l'éparpillement de la chronique et l'on ne sent pas vraiment la profondeur douloureuse sous la légèreté des comportements comme si l'improvisation manquait et que la lassitude du mûrissement passait cette fois des créatures à leur démiurge.

Le propre des pionniers serait-il alors de frayer la voie mais, une fois qu'elle est ouverte et empruntée par beaucoup d'autres, de se retrouver incapables d'intégrer le mouvement qui les rattrape et a même tendance à les rejeter vers l'isolement ? Sans doute mais ce n'est pas le cas d'Olivier Assayas qui réalise huit longs métrages depuis *Désordre* (1986), peaufinant d'abord un style et un univers très spécifique avant d'ouvrir sa création à d'autres champ d'expériences à partir de la mi-décennie quatre-vingt-dix. Dès son premier long métrage, cet ancien critique des *Cahiers du cinéma* (profil auteurs Nouvelle Vague) et scénariste (en particulier d'André Téchiné, voie du professionnalisme) met à sa main le « film de jeunes » pour le transformer en portrait d'une génération désenchantée, schéma narratif et thématique qui va donner le ton à ses cinq premiers films, même si Assayas sait varier l'intensité de ses histoires, appuyer parfois davantage sur le contexte (*Paris s'éveille*, 1991) ou au contraire resserrer sur la psychologie (*L'Enfant de l'hiver*, 1988), insister sur la solitude (*Une Nouvelle Vie*, 1993) ou saisir les prémices de la constitution possible d'un couple (*L'Eau froide*, 1994). Une terrible angoisse tenaille des jeunes déboussolés traqués par une caméra incisive dans un monde hostile : Assayas donne ainsi l'image de son époque qui, reprise, personnalisée, conjuguée à divers temps et à plusieurs modes, servira de base à un très grand nombre de films du nouveau cinéma pendant plus de dix ans. Mais à cette trilogie annonciatrice, il faudrait ajouter Robert Guédiguian parce que *Dernier Été*, son premier long métrage co-réalisé en 1980 avec Franck Le Wita dans le quartier de l'Estaque à Marseille, porte déjà l'espoir d'un cinéma des régions en tant que ballon d'oxygène du nombrilisme parisien d'un cinéma étouffé par l'étroitesse de son microcosme créatif. *Dernier Été* saisit un moment de rupture où tout un univers que l'on croyait immuable bascule dans la crise tandis que *Rouge Midi* (1984) prend de la hauteur pour présenter de manière symbolique et dans une perspective théâtrale l'intégration en trois générations d'une famille d'origine italienne. Mais les films suivants ne sont quasiment pas vus et la critique oublie Guédiguian. Elle redécouvrira fort heureusement le cinéaste en 1995 et nous en reparlerons.

En même temps que Robert Guédiguian à Marseille, Jean-Pierre Denis tourne en amateur indépendant en Périgord, avec des gens du lieu s'exprimant en langue d'Oc, *Histoire d'Adrien* (1981) qui suit de 1900 à 1920 le destin d'un enfant d'origine rurale devenant cheminot avant d'être renvoyé, par les grandes grèves de l'après-guerre, à un avenir incertain. Après cette ambitieuse fresque d'histoire populaire (paysanne et ouvrière), Jean-Pierre Denis tente l'intimisme (*La Palombière*, 1983) puis revient à la parole collective du passé régional (*Champ d'honneur*, 1987) avant de se taire plus de dix ans. Tous ces films des années quatre-vingt poursuivent une même quête identitaire : un présent bloqué pose la question des origines ; solitaire ou en groupe le jeune héros peine à trouver l'autre à l'image des cinéastes à la recherche d'une manière personnelle de filmer leur temps ; cinéma aspirant à repartir à zéro mais arrivant après une génération qui avait déjà tout réinventé ; donc cinéma incertain, mouvant, conscient de son inaboutissement et dont l'instabilité est pourtant prometteuse. Moment de passage, de soubresauts mettant en circulation des films qui resteront, ce qui n'est pas toujours le cas des cinéastes qui les ont réalisés.

Un renouvellement incessant : la déferlante des années 1990

Éric Rochant, Christian Vincent, François Dupeyron et les autres

En 1989-1990, les films précédents ont convaincu certains professionnels qu'il y a quelque chose à attendre des jeunes réalisateurs. Dynamique producteur de courts métrages, Alain Rocca se lance donc dans le long avec deux de ses poulains du court, Éric Rochant et Christian Vincent. Dans *À Bout de souffle* (1960), Patricia, jeune fille moderne qui veut faire sa place dans la vie, trahissait pour un permis de séjour le révolté Michel Poiccard ; dans *Un Monde sans pitié* (Éric Rochant, 1989), la « bûcheuse » Nathalie apprivoise le « nul » Hippo et si les interprètes Mireille Perrier et Hippolyte Girardot n'ont pas l'aura de Jean Seberg et Jean-Paul Belmondo, ils ont néanmoins assez de présence pour faire d'*Un Monde sans pitié* un film « culte » pendant une demi-décennie comme, deux ans plus tard, *Les Nuits fauves,* de (et avec) Cyril Collard. Mais chez Rochant, ni sida ni paroxysme romantique. Au contraire, la constatation désabusée qu'« aujourd'hui, il n'y a plus que l'amour et c'est pire que tout », pour les « branleurs » (lui) comme les « yuppies » (elle) ! Bref, une fois de plus « Boy meets girl », mais la désinvolture du ton et la saveur des dialogues surlignent plaisamment (et paradoxalement) l'authenticité sociale d'un monde observé avec acuité. Brio aussi des dialogues de *La Discrète* qui adapte l'esprit de Guitry, de Lubitsch et donc de Rohmer à l'univers manipulateur du marivaudage, ici encore entre deux êtres désaccordés et des comédiens de natures opposées : Fabrice Luchini, Judith Henry. Christian Vincent cisèle, cerne, cadre ce que Rochant laisse s'écouler et excelle à dépecer un beau gâchis sentimental. Enrichi par ces deux succès mérités, le producteur aura moins de chance avec ses premiers longs métrages suivants (*Les Arcandiers,* de Manuel Sanchez, 1991 ; *Août,* d'Henri Herré, 1992 ; *La Joie de vivre,* de Roger Guillot, 1994) et les seconds films de Christian Vincent (quatre étudiantes préparant leurs examens dans *Beau fixe*, 1992) et Éric Rochant (détournement d'un car scolaire par un jeune amoureux paumé, *Aux Yeux du monde*, 1991), mais *L'Odeur de la papaye verte* (premier long métrage de Tran Anh Hung, 1993) est un succès critique et *Rien du tout* (Cédric Klapisch, 1992) renfloue les productions Lazennec d'Alain Rocca. De toutes manières, à ce moment, Rocca n'est plus seul. Comme lui, des jeunes produisent des réalisateurs de leur âge : Bruno Pesery, Jean-Luc Ormière, Philippe Martin, Jean-Michel Rey ou Hugues Desmichelle. Quoique plus âgés, d'autres financent aussi les nouveaux cinéastes : Paulo Branco, Martine Marignac, Michèle Ray-Gavras, Maurice Bernart, Jacques Perrin, Bernard Verley…

À vrai dire, les grosses maisons de production s'intéressent également au phénomène « jeune cinéma » et c'est même René Cleitman qui produit en 1988 pour Hachette Première *Drôle d'endroit pour une rencontre*, scénario du court métragiste François Dupeyron écrit avec son épouse Dominique Faysse qui devait interpréter le premier rôle féminin. Mais Cleitman convainc Catherine Deneuve et Gérard Depardieu de jouer leur image dans ce lamento insolite interprété de nuit sur un parking désert d'autoroute. Quant à François Dupeyron, il assume la réalisation et malgré les échos de tournage ou rumeurs malveillantes à son égard, parvient à maîtriser cette situation limite sans échappatoire. Du coup, il met en scène deux ans plus tard son « vrai » premier film (intimiste, sans star system… et cette fois avec Dominique Faysse) : *Un Cœur qui bat* sonde avec sensibilité un bonheur présent miné par l'angoisse. Mais François Dupeyron, Éric Rochant et Christian Vincent ne sont pas vraiment portés par la vague de nouveaux auteurs qu'ils ont suscitée. Ils tentent avec talent un retour prudent aux genres traditionnels (*Les Patriotes*, É. Rochant, 1994, récit d'espionnage dans le Renseignement israélien ; *Anna Oz*, 1996, toujours de Rochant, film fantastique comme *La Machine*, 1995, de F. Dupeyron ; *La Séparation*, 1994, de C. Vincent est l'étude d'un couple bourgeois qui se défait), mais ces habiles récits sont étouffés par la pertinence des nombreux premiers films qui se font chaque année. Éric Rochant est celui qui parvient à tourner le plus régulièrement mais il est le plus décevant : avec la présence d'Hippolyte Girardot, *Vive la République* (1997) tente de retrouver la veine d'*Un monde sans pitié* dans une « comédie politique » sur des chômeurs RMIstes qui veulent fonder un parti politique. Hélas le film s'arrête brusquement à l'instant où il devrait démarrer après un interminable prologue dans l'esprit de Gérard Jugnot et l'idéologie Café du commerce fait le reste, caricature finalement amère de l'esprit utopiste qui aurait pu souffler sur l'aventure. *Total Western* (2000), hésite quant à lui entre violence du sujet et volonté apaisante de la morale à tirer d'une histoire de six loubards blacks-blancs-beurs qui s'attaquent à une bande de gangsters pour devenir les vengeurs de la cité.

Après plusieurs années d'absence du grand écran, François Dupeyron et Christian Vincent se retrouvent mieux. Le premier en préservant un regard personnel mais qui sait voir où il faut : *C'est quoi la vie ?* (1999) démarre fort sur fond de détresse paysanne (les générations, la recherche d'une femme, l'endettement, la vache folle…). La vision est positive et Dupeyron suscite l'émotion : il faut s'accrocher pour réaliser ses rêves pourvu qu'ils soient raisonnables (un toit, un bout de terre, un couple) et le duo père-fils (Éric Caravaca/Jean-Pierre Darroussin) est proprement tellurique. Malheureusement le père se pend et les clichés font retour (le dur travail sur le Causse des Cévennes, la beauté du soleil levant, l'écologie), les deux pièces rapportées du casting (l'improbable apparition d'Isabelle Renaud et le caricatural vieux Jacques Dufilho) accusant alors quelques maladresses. Plus classique, *La Chambre des officiers* (2001) est une émouvante adaptation historique et romanesque qui essaye de concilier le meilleur de *Johnny Got His Gun* (*Johnny s'en va-t-en guerre*, Dalton Trumbo, 1971) et de *The Elephant Man* (David Lynch, 1980) pour conter le calvaire d'une « gueule cassée » qui lutte en huis clos à l'hôpital pendant toute la Grande Guerre pour retrouver sa dignité d'homme autant que la volonté de vivre. La monstruosité est dans le regard des autres, d'où le rôle primordial des femmes, plus encore que du chirurgien en pleine expérimentation et – côté cinéma – des cadrages ou de la rétention d'image pendant plus d'une demi-heure plutôt que de la perfection des maquillages. Christian Vincent de son côté change dans le Nord son rapport au cinéma. Nous le retrouverons donc plus loin, mais disons déjà que du choc ressenti au tournage de *Je ne vois pas ce qu'on me trouve* (1997), film du doute et d'un sentiment de perte de contact avec la réalité, naît l'organisation en novembre 1998 d'un atelier d'écriture mené avec l'écrivain Ricardo Monserrat avec les chômeurs de Roubaix. Le travail dure près d'un an, un roman rédigé collectivement en résulte, *Ne crie pas* publié dans la Série Noire, chez Gallimard. Parallèlement, les deux hommes écrivent le scénario de *Sauve-moi* à partir des rencontres réalisées dans le cadre de cette activité d'écriture et des idées romanesques qui s'y étaient exprimées. Le film sortira donc de cette « expédition dans la réalité » (selon les termes du cinéaste) mais en marquant bien la distance : ce n'est pas une adaptation directe du livre ; les chômeurs n'en sont ni les scénaristes ni les acteurs (sinon pour quelques silhouettes) mais ils constituent la matière vive de cette chronique et ce sont justement eux qui évitent le misérabilisme par leur foi dans une action collective menant le récit hors de tout militantisme politique.

Ce mouvement de retour au social à la fin de la décennie transformera aussi Philippe Le Guay révélé en même temps que Dupeyron, Rochant et Vincent par la confrontation des *Deux Fragonard* (1989), Honoré le peintre et Cyprien l'anatomiste. Quant à Philippe Faucon, cinquième nouveau cinéaste du « groupe 1990 », il fera également une incursion dans ce domaine en 2000 avec *Samia*, aboutissement logique d'un superbe parcours créatif mené dix ans dans un aller-retour permanent cinéma-télévision. *L'Amour* (1989) décrit les comportements sentimentaux d'adolescents parmi les moins pittoresques possibles des quartiers modestes. Ils sont une bonne dizaine mais c'est l'essence même des désirs et des espoirs de la jeunesse qui s'imprime sur l'écran comme chez Pialat. Avec *Sabine* (1992), la caméra se rapproche par contre du portrait en mouvement, collant à la fuite en avant de son héroïne de la maternité à la drogue, la prostitution et la séropositivité. Mais cette noirceur d'une créature démunie devient sous le regard de Faucon une quête bouleversante de la dignité humaine. Ayant ainsi réussi aussi bien le tableau de mœurs du groupe que la vivisection métaphysique, Faucon équilibre avec justesse les descriptions psycho-sociologiques de *Muriel fait le désespoir de ses parents* (1994) et *Mes 17 ans* (1996) : encore des adolescents ; mais Muriel assume ses choix sexuels dans les tonalités délicates de la comédie alors que la chute vers le drame du sida anéantit totalement la gamine jusque là préservée dans sa dix-septième année. Faucon excelle à transmettre chaleureusement le pathétique trivial des jeunesses perdues. Pourtant une petite lueur éclaire le fond du tunnel et le sens du tragique transcende le fait-divers. Le jeune cinéma tranche dans le vif, mais le terrible qui le fascine n'est jamais monté en spectacle

La lame de fond de la mi-décennie : de nouvelles structures d'approche pour une autre cinéphilie

Jusqu'ici l'émergence d'un jeune cinéma a été chaotique : une poignée de films puis une seconde (autour de 1985 et 1990) résonnant de façon inédite ou du moins inhabituelle. Avec Arnaud Desplechin, Cédric Kahn et Xavier Beauvois, le mouvement s'affirme à la fois avec plus d'évidence et de pérennité. Les qualités novatrices de *La Sentinelle* (A. Desplechin), *Bar des rails* (C. Kahn) et *Nord* (X. Beauvois) frappent en effet à leur sortie en 1992 et ces films vont être désormais suivis chaque année par d'autres premières œuvres aux diversités affirmées mais partageant aussi certains caractères communs qui permettront vite de déterminer quelques grands ensembles. Il convient donc de clore avec ces trois noms cette présentation chronologique cinéaste par cinéaste pour adopter dorénavant une approche panoramique, la politique des films relayant alors – pour la pertinence de l'exposé – celle des auteurs.

Art, Essai et Recherche

De toutes manières, le cinéaste ne crée pas seul. Son travail dépend étroitement des structures du cinéma et la Nouvelle Vague n'aurait pu exister sans les ciné-clubs préparant un public potentiel à la recevoir. Un quart de siècle plus tard ce sont les exploitants et distributeurs d'Art et d'Essai qui jouent ce rôle en adaptant leurs programmations aux capacités réceptives de spectateurs conscients que le cinéma ne saurait être uniquement un divertissement. La mention « recherche » distingue les salles s'adressant aux cinéphiles les plus exigeants et une cohésion intelligente lie ceux qui montrent les films (directeurs-animateurs de salles) et ceux qui les ont sélectionnés pour les leur proposer (distributeurs). Des chaînons intermédiaires fondent même leur connivence, notamment l'Association Française des cinémas d'Art et d'Essai (AFCAE) et le groupement National des Cinémas de Recherche. On connaît ainsi des lieux mythiques où tous les cinéastes d'importance sont venus présenter leurs premiers films devant des salles pleines, attentives, conquises : les Utopia en Avignon ou le Café des Images à Hérouville-Saint-Clair, à Paris l'Entrepôt, ou le Cinéma des Cinéastes.

Ces rencontres sont devenues obligatoires à la promotion du jeune cinéma, non seulement sur le plan économique, mais aussi cinéphilique : la confiance que font les amateurs de cinéma à « leur » salle d'Art et Essai est de même nature que celle qui s'établissait jadis avec le ciné-club ; chacun s'y rend dans un esprit de découverte et non attiré par la rumeur médiatique ou la notoriété. La France est le pays où la place faite au jeune cinéma est la plus large parce que s'y trouve un grand nombre de cinémas d'essais et que c'est là où la distribution de ce type de films d'auteurs touche le plus de spectateurs : BAC Films (avec 8 % de part de marché en 1999) et Pyramide (2 %) sont les distributeurs les plus importants, mais il y en a des dizaines d'autres beaucoup plus petits. Cette situation est fondamentale et quasiment unique au monde.

La diffusion a pris en outre, depuis une quinzaine d'années, d'autres formes, à savoir les festivals, rencontres, journées, semaines, rétrospectives, cycles, stages, soit la projection sur quelques jours d'un grand nombre de films, avec compétition ou non, groupés selon l'époque, le lieu, les pays, un thème, un genre, un auteur ou un collaborateur de création, cartes blanches, hommages ou panoramas... mais toujours avec présentations, débats, entretiens, brochures, publications spécifiques, implications des médias locaux, des institutions éducatives, culturelles ou sociales. Bref, un contact collectif, convivial et réflexif avec les films, les créateurs, les critiques et un public qui entretient ainsi son amour du cinéma. Les chiffres alarmistes, les courbes de fréquentation en chute libre, les échecs consternants de films ambitieux, les César à la facilité et la promotion télévisée aux vulgarités n'y feront heureusement rien : tant que se rassembleront des cinéphiles ouverts à ce qu'ils ne connaissent pas encore, le jeune cinéma d'auteur se portera bien – esthétiquement, artistiquement – et pourra exister économiquement car aucun spectacle ne peut se perpétuer exclusivement dans la médiocrité. De même, à quoi bon vilipender les programmes spécifiques de TF1 et ses choix de co-productions cinématographiques puisqu'il suffit de zapper sur Arte dont la création a fait passer en 1993 la Sept du statut de préfiguration à celui de producteur privilégié de la chaîne culturelle ? Certes les salles d'Art et d'Essai, les mini-festivals et Arte ne pèsent pas industriellement très lourd dans le monde audiovisuel face aux multiplex, aux chaînes hertziennes privées ou à des manifestations telles que la présentation des grosses productions américaines à Deauville au moment de la Rentrée cinématographique. Mais la littérature survit bien à l'emballement annuel de l'édition avant chaque prix Goncourt (près de 600 romans français sont sortis à l'automne 2000 !). Les victoires de la culture ne peuvent être quantitatives ; elles résident dans le rapport intime d'une œuvre avec chacun de ses destinataires pris individuellement.

La distribution de moyens métrages

Et pour ce faire, nous venons de le voir, toute initiative est bonne : ainsi des programmes de courts métrages sont dorénavant diffusés dans certaines salles parallèlement au fait que, remplacé depuis longtemps par la publicité dans les grands complexes commerciaux, le court métrage – 400 réalisés chaque année – fait depuis quelques temps sa réapparition en tant que première partie de séance dans le circuit Recherche. De même, des films de longueur atypique (souvent entre 40 et 70 minutes) souvent désignés comme moyens métrages bien que cette dénomination n'ait aucune existence statutaire vis-à-vis du CNC (qui ne connaît que longs ou courts) sont à présent proposés au public – soit seuls, soit couplés à deux -, alors que ces bandes ne circulaient auparavant que dans les réseaux non commerciaux. Par là, le cinéphile peut découvrir de nouveaux auteurs avant leurs premiers longs métrages : *Un Été sans histoire* (Philippe Harel, 1992), *La Vie des morts* (Arnaud Desplechin, 1991), *Carne* (Gaspard Noé, 1992), *Versailles rive gauche* (Bruno Podalydès, 1992), *Corps inflammables* (Jacques Maillot, 1995), plus récemment *Promène-toi donc tout nu !* (Emmanuel Mouret, 1999) ou *Les Vacances* et *La Puce* (Emmanuelle Bercot, 2000), deux essais menés dans des axes divergents mais témoignant d'une belle unicité de regard qui ne résulte pas seulement de la présence dans les deux films de la jeune Isild Le Besco très « air du temps », irritante et attachante adolescente en recherche d'identité. *Les Vacances* développe une angoissante variation sur le dramatique manque d'argent d'une jeune mère célibataire (Catherine Vinatier), *La Puce* filme une « première fois » entre une fille de 14 ans et un homme de près de 40 ans. Ces thèmes convenus sont transformés (dans *Les Vacances* par l'agressivité de la fille, dans *La Puce* par les contre-rythmes, les chemins sans issue et les fausses fins) grâce à un travail sur l'émotion résultant d'un filmage très près des corps.

Arnaud et Jean-Marie Larrieux ont profité deux fois de ce type de diffusion en 1998 puis 2000. Tour à tour insignifiant et ridicule avec son couple de héros peu sympathiques, *Fin d'été* (68 min) met longtemps à s'imposer mais finalement la carte postale se brouille : la Montagne Noire se referme sur les secrets de famille, tandis que l'utopie de ce nudiste post-soixante-huitard régnant sur sa maîtresse, ses filles, ses jeunes en difficulté, son lait de chèvre et ses joints généreusement partagés, tourne au cynisme inquiétant mâtiné de quelque bestialité :

le drame peut alors se jouer devant les touristes conviés au pré-générique et les vieux du village confinés au rôle de chœur... muet. *La Brèche de Roland* (47 minutes) est davantage accueillant par son ton décalé de « comédie d'altitude » aux présupposés éthiques et médiévaux mais à la trame hitchcokienne et à l'humour plein de bon air : des personnages sans envergure s'attaquent à un défi dont la nature ne peut que sortir gagnante ! Quant à *Du Soleil pour les gueux* (Alain Guiraudie, 2001, 55 minutes), c'est un objet cinématographique saugrenu venu d'ailleurs – précisément du Grand Causse du Larzac –, comme quelque conte philosophique de Voltaire qui aurait été tourné par Luc Moullet (effectivement grand amateur du film) : sous le soleil, dans le vent et sur la terre aride, Nathalie Sanchez, coiffeuse au chômage venue de notre monde, devise avec Djema Gaouda Leon, vieux berger d'ounayes à la recherche de son troupeau enfui. De temps en temps, leur chemin qui ne mène nulle part croise la route de Carol Izba, jeune bandit d'escapade, et Pool Oxanosas Daï, grand guerrier de poursuite qui lui court après. La même année, *Ce vieux rêve qui bouge* remplace le Causse par une usine désertée et le ton farfelu par la nostalgie à la fois critique et utopique d'un monde qui disparaît, filmé dans une topographie des déplacements dénonçant le désarroi sous les masques de la rudesse.

Les Quarantièmes Rugissants

L'accession rapide à la réalisation des auteurs de la Nouvelle Vague avait provoqué la « retraite anticipée » d'un grand nombre des metteurs en scène de l'époque. Déstabilisés, les plus grands tournèrent d'abord plus rarement et moins bien puis se turent finalement à l'image des plus commerciaux. Il n'en est pas de même dans les années quatre-vingt dix où les nouveaux cinéastes s'ajoutent (augmentation globale du nombre de films produits) aux « anciens », ou plutôt à ceux qui restent car la mort avait commencé à frapper avant 1990 (G. Franju, J. Eustache, J.-P Melville, J. Doniol-Valcroze, P. Kast, F. Truffaut, J. Demy) et a poursuivi ses ravages dans la dernière décennie (L. Malle, R. Allio, R. Bresson, M. Duras, R. Vadim, C. Sautet, G. Blain, R. Enrico). Toujours très actifs, certains des auteurs sont néanmoins fort âgés : J. Rouch, É. Rohmer, Ch. Marker, A. Resnais et A. Robbe-Grillet ont dépassé 80 ans. Quant à J. Rivette, A. Varda, M. Pialat, Cl. Chabrol, C. Costa-Gavras, A. Cavalier, M. Deville, J.-L. Godard, J.-M. Straub, J.-P.- Mocky, P. Vecchiali, B. Schroeder, ils ont 70 ans ou davantage. Une relève progressive est donc logique. La génération intermédiaire tourne pour sa part autour de la soixantaine – A. Téchiné, B. Tavernier, A. Corneau, J. Doillon, C. Lelouch, R. Depardon, C. Miller –, P. Garrel ou B. Jacquot ayant 54-55 ans. Tous les nouveaux cinéastes connaissent bien les films de ces réalisateurs qui continuent à faire l'actualité du cinéma d'auteurs d'aujourd'hui.

La Nouvelle Vague a quarante ans

La commémoration cinéphilique et critique des 40 ans de la Nouvelle Vague célébrée tout au long de la saison 1997-1998 par de nombreux ouvrages, émissions de télévision et manifestations à tous les coins de l'hexagone, a eu en outre comme conséquence paradoxale de bien montrer qu'en cette fin de décennie les clivages sont désormais étanches entre trois ensembles poursuivant des chemins divergents :

– Devenus consensuels et patrimoniaux, les anciens de la Nouvelle Vague et leurs héritiers directs accusent à la fois leurs différences entre eux et le fossé qui les sépare du reste du cinéma. Loués, fêtés et rencontrant parfois même un public de connaisseurs plus large qu'il y a vingt ans, ils savourent fort justement cette légitime reconnaissance mais ne sortent plus guère de leur Panthéon pour se mesurer à ce qui se tourne présentement hors de leur institution virtuelle.

– Le *show-biz* a complètement envahi le secteur commercial désormais entièrement dépendant des célébrités médiatiques du moment. N'importe qui peut tourner un film pourvu qu'il ait fait un quelconque succès à la télévision dans une émission de variétés en *prime time* car le bastion des « professionnels de la profession » a complètement éclaté.

– Le jeune cinéma d'auteur représente le seul secteur stable dans une profession aux abois. Mais si la qualité est souvent à l'appel et le financement des petits budgets facilité par les aides étatiques et les coproductions TV, le public boude généralement la distribution en salles ce qui ne dynamise guère une production morose de moins en moins entreprenante et subissant résignée sa situation peu valorisante d'éternelle assistée.

Côté anniversaire, tandis que Jean Douchet égrène ses souvenirs (*Nouvelle Vague*, Cinémathèque Française-Hazan) et que, beaucoup plus jeune, Antoine de Baecque situe *La Nouvelle Vague* (Flammarion) dans une perspective historique en tant que phénomène de génération, Michel Marie sous-titre son essai (Nathan) *Une école artistique* et le collectif responsable du H.S. *Cahiers du cinéma* va jusqu'à titrer *Une légende*, il est vrai *en question*. On ne peut mieux signifier le caractère ambigu de cet héritage, longtemps étouffant et aujourd'hui encombrant comme celui d'un modèle trop présent.

De Godard, Resnais, Rohmer, Chabrol à Marker

Aussi Jean-Luc Godard a-t-il occupé dans cette cérémonie de la mémoire la place ambiguë de la statue du commandeur puisqu'il est à la fois objet d'un véritable culte superbement orchestré par la parution du *Jean-Luc Godard par Jean-Luc Godard* et d'autre part auteur lui-même d'*Histoire(s) du cinéma*. Les deux premiers volumes constituent une édition style « Pléiade » de ses écrits menée à bien par le travail remarquable d'Alain Bergala. Seuls François Truffaut, Jean Renoir et Jean Epstein avaient bénéficié au préalable de l'établissement d'une somme comparable, mais c'était après leur mort. Godard, lui, est embaumé vivant. Quant aux quatre tomes des *Histoire(s)*, ils sont coédités de manière fort révélatrice par Gaumont et Gallimard, peut-être parce que l'œuvre n'est ni film ni littérature mais vidéo travaillée comme du cinéma et diffusée sous forme de livres ! Sommet actuel des recherches de l'auteur sur l'image et le montage, elle échappe donc au jeu cinéma-télévision pour s'affirmer avec hauteur dans un ailleurs référentiel en prenant justement le cinéma lui-même comme objet d'étude, d'expérimentations et de création. Par là *Histoire(s) du cinéma* évite le verdict du public pour devenir objet de luxe ciblé « cadeau de Noël » pour l'élite des amateurs d'art. Mais indépendamment de cette opération marketing que tout cinéphile (peu fortuné) regrettera, c'est une réussite magistrale de Godard, toujours jusqu'ici plus ou moins mal à l'aise à la place qui lui était assignée par les autres dans l'histoire du cinéma, qui assume dorénavant lui-même cette situation de juge et parti. Aussi, après une gestation de cinq ans, *Éloge de l'amour* constitue en 2001 une sorte de reprise amorcée par le double de l'auteur (comme l'indique son nom transparent d'Edgar), proche cousin des cinéastes qui traversent nombre de ses films depuis vingt ans. Attaché à la structure en recommencement déjà adoptée dans *Nouvelle Vague* et *Hélas pour moi*, Godard construit un diptyque en forme de mise en abîme ou de jeu de miroir : une première partie dans le Paris d'aujourd'hui mais filmé en noir et blanc et qui semble nous ramener au cinéma muet d'un Louis Feuillade, une seconde sur la côte bretonne d'hier en couleurs numériques réconciliant vidéo-art et fauvisme. Ce flash-back de la modernité constitue en fait la source de tout ce qui se dit au début dans une culture obsessionnelle de la mémoire, de l'Histoire et de l'émouvante nostalgie d'une cinéphilie passée. Ce film apaisé, entre poésie et philosophie, récit complexe et recherche globalisante de personnages et de scénario, n'a pourtant fait événement ni en compétition au festival de Cannes ni à sa sortie en salles.

Comme toujours en position plus humble de metteur en scène, Alain Resnais filme pour sa part *On connaît la chanson* (1997), scénario d'Agnès Jaoui et Jean-Pierre Bacri déjà auteurs au théâtre de *Cuisine et dépendances* puis *Un Air de famille* (transformés en films respectivement par Philippe Muyl et Cédric Klapisch) avant d'écrire l'adaptation des pièces de l'Anglais Alain Ayckbourne *Smoking/No Smoking*. L'intrigue polyphonique croise et tisse autour d'une recherche d'appartement les destins de six protagonistes (interprétés par trois acteurs fétiches de Resnais – Sabine Azéma, Pierre Arditi et André Dussolier – auxquels le cinéaste joint les deux comédiens-scénaristes et le nouveau venu Lambert Wilson). Selon les conventions du Boulevard, tous se retrouveront finalement dans la longue scène de la pendaison de crémaillère où les masques tomberont pour laisser les dépressions de chacun éclater au grand jour. Mais, comme avec *Smoking/No Smoking*, la comédie brillante pleine de mouvements, de rebondissements, rencontres, mensonges et sentiments est littéralement transcendée par l'idée structurale au départ du projet qui donne au film non seulement sa forme mais aussi son sens : à tout bout de champ, les personnages se mettent sans crier gare à entonner quelque refrain du répertoire populaire, de *J'ai la rate qui se dilate,* d'Ouvrard à *Résiste*, de France Gall. C'est parfois à peine une phrase mais reprise toujours de l'enregistrement original du chanteur… et qu'importe alors si c'est un personnage masculin du film qui se retrouve quelques secondes avec la voix de Joséphine Baker ! Secoué dès les premières secondes, le public se laisse ensuite embarquer dans cette pochade éblouissante qui témoigne chez l'auteur d'une belle fidélité à lui-même en même temps que d'un goût toujours plus vif pour la recherche des formes.

Cette constance d'une esthétique et d'une éthique personnelle du cinéma établies il y a près de quarante ans inspire également *Conte d'Automne* (1998) qui élargit pourtant quelque peu la palette d'Éric Rohmer en réservant une place plus grande au décor (de la vallée du Rhône), un rôle déterminant aux personnages masculins et surtout en accordant son attention à la génération de quarantenaires qui, tout en continuant à regarder vers l'avenir, se trouvent lestés du poids d'un véritable passé. D'où un film peut-être plus dense, plus complexe, davantage sensuel aussi dans la mesure où la parole véhicule moins de signification que les attitudes, les sensations… et le soleil sur la peau. Toute cette chair humanise plaisamment les machinations de la marieuse (Marie Rivière) comme les réticences ou abandons de son amie au milieu de ses vignes (Béatrice Romand). Si les interprètes mettent un certain temps à trouver leurs marques, le charme du récit opère assez vite et le mariage constitue un véritable régal avec ses sorties côté cour suivies des retours côté jardin, ses quiproquos, chassés-croisés, retrouvailles et coups fourrés[1]. Quant à *L'Anglaise et le duc* (2001), c'est à la fois un Rohmer de plus (permanence du style comme des thèmes) et un autre Rohmer (confrontation à l'histoire de la Révolution par le biais des nouvelles technologies), le cinéaste tenant le double pari de pratiquer des incrustations vidéo (le cinéma de demain) sur des toiles peintes et des décors (le cinéma d'hier) inspirés des tableaux de l'époque pour parler aujourd'hui de la Terreur à travers les mémoires d'une aristocrate anglaise qualifiée d'« incroyable royaliste » par le duc d'Orléans !

---

1. Si le budget déclaré de *L'Arbre, le maire et la médiathèque* avait été d'un million de francs, celui de *Conte d'Automne* est de 13 (moyenne d'un film français : 26 millions). Mais cela ne signifie pas grand chose car la formule de Rohmer est que le coût du film est ce qu'il rapporte. Ainsi personne n'est payé au départ. Mais dès le film terminé, il est vendu à Canal Plus et acteurs et techniciens se partagent alors le million que rapporte cette diffusion. Il en sera de même à chaque étape de l'exploitation (qui remportera un grand succès).

Accusant les incertitudes du destin de son héroïne, Jacques Rivette filme dans *Secret défense* (1998) Sylvie (Sandrine Bonnaire) complètement terrorisée, se transformant en meurtrière pour empêcher son frère de perpétrer l'assassinat. Mais elle se trompe de victime et sera elle-même tuée sans doute par erreur. Si tous ces actes commis par délégation sous l'emprise d'un fatum implacable se placent sous le parrainage maléfique d'*Electre* (un nœud familial, le meurtre du père qui a vendu sa fille, la mère et l'autre, une sœur et son frère...), le film accumule malheureusement de nombreux temps morts et le système Rivette tourne cette fois à vide. Au contraire, *Va savoir* (2001) est sans doute le meilleur film de son auteur depuis *Céline et Julie vont en bateau* (1974) : Si Camille et Hugo interprètent le soir sur scène à Paris – mais en Italien – *Come tu me vuoi*, de Pirandello, chacun poursuit dans la journée des manœuvres fort différentes (il recherche un manuscrit inédit de Goldoni et elle revoit son compagnon quitté trois ans auparavant), la jeune femme composant visiblement davantage dans la vie quotidienne qu'au théâtre : irrésolue, soliloquant toute seule et en représentation avec les autres, elle donne au film son rythme indolent et alangui, mais la nouvelle compagne de son ancien amant n'est-elle pas pour sa part une fidèle du feng-shui, art d'aménager l'espace pour favoriser la communication comme une sorte de scénographie du réel ! Tous les protagonistes se retrouvent en tous cas dans un final délicieusement loufoque à l'intérieur du théâtre où l'intrigue se dénoue dans la liesse générale.

Claude Chabrol, pour sa part, mise avec désinvolture sur son habileté de conteur pour palier l'insuffisance des intrigues policières de ses 50 et 51e films. Sur le mode plaisant et léger, *Rien ne va plus* (1998) s'abandonne donc au charme de son duo d'acteurs – Michel Serrault et Isabelle Huppert – qui joue sur le fait que l'on ne saura jamais la nature exacte des rapports de ce couple de petits escrocs, cette fois dépassés par un coup d'une grande ampleur. *Au cœur du mensonge* (1999) est inversement un « à la manière de » Georges Simenon filmé avec trop de sérieux, vus les clichés qui l'encombrent ; le faux coupable sympathique est en effet innocenté : c'est évidemment le notable du coin qui a violé la petite fille dans le bois tandis que le vilain animateur de télévision – auto pastiché par un De Caunes ravi de l'aubaine – est peut-être bel et bien mort d'une crise cardiaque. Dans un rôle en creux, Sandrine Bonnaire s'ennuie un peu en suivant quelques rebondissements poussifs enregistrés sans humour. Beaucoup plus abouti, *Merci pour le chocolat* (2000) reprend le final de *La Femme infidèle* il y a plus de trente ans en refermant le monde feutré de la Haute Bourgeoisie, sur un crime dans le film de 1969, ici seulement sur une tentative qui restera d'ailleurs impunie : « Il faut sauver les apparences. Il n'y a que ça qui compte » disait d'ailleurs Mika (Isabelle Huppert) un peu avant. Au pays des traditions chocolatières, Chabrol titille la question identitaire : enfant adoptée (Mika), permutation possible à la naissance, donneur anonyme de sperme et filiation d'autant plus évidente que fausse… Intrigue policière faiblarde aussi, dont fort heureusement Chabrol ne s'embarrasse guère. C'est lourd pour les protagonistes mais fascinant pour le spectateur superbement manœuvré par un metteur en scène passé maître dans l'édification d'une atmosphère inquiétante : un sur-jeu du personnage de l'araignée se combine en effet à une réalisation féline, insinuante autant que sinueuse, suspendue sur le vide de paysages grandioses mouillés et crépusculaires. C'est filmé sur le fil du rasoir, jouissif, tout dans la forme (les fameuses apparences) et l'inconscient de personnages paralysés, inactifs mais obsessionnels et *border line*. Un régal pour amateurs. Michel Deville poursuit également sa route bien balisée par quarante ans de variations légères sur un ton très personnel. Son habileté pointilliste lui permet de brosser dans *La Maladie de Sachs* (1999) un portrait impressionniste, certes un peu statique quand on se souvient du puzzle du *Dossier 51* (1978) où chaque pièce faisait avancer le récit, mais nimbé du signe doux amer d'une déprime que le médecin partage avec ses patients et qui englue un peu l'ensemble dans une sympathie molle et grisounette qui ne manque pas de charme.

Longtemps proche de la Nouvelle Vague, Jean-Pierre Mocky marque le pas depuis dix ans. En fait le « ton » Mocky demeure, ainsi que le « Mocky Circus » de plus en plus grotesque et enrichi de nouvelles silhouettes (ainsi le vieux Garcimore de « L'île aux enfants » dans *Alliance cherche doigt*, 1997), mais le cinéaste a perdu son goût iconoclaste, libertaire et frondeur. Bref, il n'y a plus de cibles à ses traits : au lieu des sujets politiques et sociaux d'hier, Mocky ne visite que les vieilles carcasses du Vaudeville (les agences matrimoniales dans *Alliance cherche doigt),* du régionalisme style Émile Couzinet (*Robin des mers*, 1998) ou du polar mollasson (*Noir comme le souvenir*, 1995). Pourtant Mocky sait faire encore de beaux mouvements d'appareil (dans *Noir comme le souvenir*, mais sans la force de *Litan*) ou donner du rythme à une sympathique révolte enfantine (dans *Robin des mers*, mais avec de grosses farces triviales).

À l'opposé de cette carrière à la dérive, Chris Marker complexifie sa maîtrise des formes audiovisuelles, que le support soit le CD-Rom ou le film 35 mm au milieu duquel trône l'écran d'ordinateur. Dans *Level Five* (1997) en effet, l'auteur choisit le chemin le plus sophistiqué de la technique moderne pour cacher sa gêne de parler à la première personne : en fait, cette décomposition de l'idée par la machine affine la réflexion de l'auteur comme si le Japon, l'ordinateur et la présence de la jeune femme servaient de filtres successifs à sa pensée décantée au cours des nombreux retours en arrière, découpages et reprises qui tracent les spirales d'une certaine morale de l'homme à l'orée du XXIe siècle. La vision d'auteur se mesure aux nouvelles technologies pour parler aux spectateurs avec le vecteur du temps : il y a longtemps c'était l'essai (*Lettre de Sibérie*), hier le direct analysé à la table de montage (*Le Fond de l'air est rouge*) et maintenant le virtuel ou autres images de synthèse. Marker est donc le seul à investir systématiquement les domaines expressifs de demain si bien que, s'il n'a jamais fait partie du groupe de la Nouvelle Vague, il se retrouve plus proche de l'audiovisuel d'aujourd'hui que ceux qui ont transformé le cinéma dans les années soixante et qui poursuivent actuellement des chemins solitaires.

La génération intermédiaire (Téchiné, Jacquot, Doillon, Chéreau, Breillat)

Elle aussi confrontée au problème de la durée, la génération des Téchiné, Garrel, Jacquot ou Doillon se confond peu à peu à celle des fondateurs de la Nouvelle Vague à laquelle les médias et critiques les assimilent volontiers : ce sont les « auteurs » maîtres de chapelles cinéphiliques plus qu'habitués des succès publics mais dont la farouche individualité fait paradoxalement l'unité, même si la carrière malaisée d'un Claude Miller (le passage constant du *gore* sanglant au suspense psychologique dans *Classe de neige*, 1998, beau film d'atmosphère où les cauchemars et fantasmes d'un jeune garçon se révèlent finalement encore au-dessous de l'horrible réalité) coexiste avec la fonction d'écho sonore de son époque qu'assume avec aplomb le cinéma au premier degré d'un Bertrand Tavernier. Filmé dans un Nord sinistré chargé de condenser toute la misère du monde, *Ça commence aujourd'hui* (1999) est un film aussi juste que possible centré sur l'instituteur, figure d'Épinal de la fin du siècle dernier à laquelle Philippe Torreton confère humanité et conviction. C'est lui qui agrège le côté sociologique un peu raide à des revendications professionnelles davantage nuancées. Quant aux enfants, superbes de naturel, ils portent l'émotion à son comble.

À l'opposé de ce discours édifiant qui traite de poésie comme de racisme ou d'alcoolisme, Philippe Garrel pose un regard de poète sur les êtres et non sur le décor ou sur les sujets. Chaque scène du *Vent de la nuit* (1999) a été enregistrée en une seule prise. Tournage chronologique et usage du CinémaScope ajoutent à cette pureté du filmage auquel le montage ne viendra rien changer tandis que la tache rouge de la Porche présente dans une bonne moitié des images évoque *Pierrot le fou*. Mais Garrel vide les plans autour de deux ou trois corps en mouvement lent ; peu de circulation, de passants, de comparses ; la vie est à l'intérieur des personnages (Catherine Deneuve, Xavier Beauvois, Daniel Duval, Jacques Lasalle... Trois metteurs en scène et une actrice mythique !). L'essentiel est tourné de nuit et la solitude des êtres totale : elle fera une tentative de suicide, Serge – qui a tout programmé depuis le début – se tuera à la fin. Le jeune Paul (géniale composition de Beauvois, un peu veule mais aussi fragile que les autres) aura seulement servi de relais à une histoire d'une autre génération qui le fascine et, en même temps, le tient à distance.

Avec *Les Voleurs* (1996), André Téchiné hache la trame policière de son scénario dans une narration doublement ouverte (par les retours en arrière mais aussi les changements de voix off multipliant les points de vue), pour se raccrocher aux personnages issus de la saga familiale et provinciale qu'il affectionne au cœur de laquelle s'exaspèrent déviances homosexuelles, relations entre frères et rapports de générations. Toujours avec retenue, le cinéaste reste à la surface des choses et des êtres dans une tristesse grise. Malgré un symbolisme un peu lourd [les bains fréquents de Martin hanté par son parricide] et un flash-back explicatif trop brutal qui déstabilise un temps la narration, *Alice et Martin* (1998) offre pour sa part une belle quintessence du cinéma de Téchiné dont la beauté de la mise en scène sert à suggérer le sens, où la fluidité des passages d'un plan à l'autre composent un récit générateur d'une émotion intense. La fragilité des êtres, leurs heurts et leurs douleurs sont conjugués à tous les temps. Le cinéma impose sa réalité aux personnages comme à l'anecdote donnant un film qui résiste mal à l'analyse rationnelle mais triomphe sur le plan esthétique et celui de l'affect : aucun tic, aucune figure de style, mais un regard pénétrant et chaleureux à la fois, avec toujours cette vision homosexuelle (le Sud-Ouest du rugby et des corps suants, puissants et dénudés) que Téchiné assume de plus en plus. En tournant *Loin* (2001) à Tanger en vidéo numérique, Téchiné découvre un peu la face cachée de la série C. Deneuve – D. Auteuil puisqu'il franchit cette fois le pas vers cet ailleurs nourri de l'imaginaire que chacun de ses personnages porte toujours en lui, le trio central – Saïd l'Arabe, Sarah la Juive et Serge sorti tout droit du Sud-Ouest des *Roseaux sauvages* – cherchant à nouveau leur place dans un mouvement d'espoirs et de misères.

Benoît Jacquot trouve lui aussi son style dans des paradoxes scénaristiques ou de mise en scène qui donnent à ses films les plus réussis un élégant mouvement dialectique. Ainsi *La Fille seule* (1995) devient étrange à force de naturalisme (deux séquences à peine, filmées pratiquement en temps réel : la première se joue entre l'hôtel Concorde Saint Lazare et un bistrot du coin tôt dans la matinée ; la seconde, très courte, en forme d'épilogue au Jardin du Luxembourg). Les raisons de l'héroïne resteront obscures, mais l'intérêt vient des longues marches saisies en travelling dans d'interminables couloirs constamment interrompues par de petites anecdotes liées au service en chambres des déjeuners. Après Judith Godrèche (*La Désenchantée*) et Virginie Ledoyen *(La Fille seule*) filmées en solo, c'est Sandrine Kiberlain que Jacquot suit de près dans *Le Septième Ciel* (1997) mais cette fois en duo avec un personnage masculin (Vincent Lindon) qui met longtemps à prendre place dans ce mariage au quotidien d'une banalité un peu plate où le mari, la femme et le thérapeute se rencontrent autour du divan du psychanalyste. En fait le désir du cinéaste reste de même nature : c'est la jeune femme qui mène le jeu et le film avec son charme mystérieux, sa façon de vivre au début comme au ralenti, dans un état cotonneux qui déréalise cette œuvre légère au sujet grave.

Jacquot n'avait peut-être pas besoin d'adapter Yukio Mishima pour raconter, après bien d'autres, l'histoire d'une bourgeoise riche, intelligente et cultivée (une fois encore Isabelle Huppert, parfaite comme toujours) tombant sous l'emprise sexuelle d'un jeune prostitué d'humble origine : certes *L'École de la chair* (1998) est convaincant, mais n'échappe pas au ton compassé du cinéma commercial haut de gamme. Si le milieu reste le même dans *Pas de scandale* (1999), le portrait d'un PDG au sortir de prison est par contre troublant : le personnage résiste à un récit mené à contre-courant où chaque nouvel intervenant s'impose d'abord dans un désordre épidémique avant de se situer par rapport aux autres. Tous conservent leur opacité et, loin de se normaliser, les relations glissent vers un ailleurs sans repère où les êtres flottent en apesanteur dans le silence : est-ce une position de défense ou au contraire d'abandon ? Le cinéaste demeure en tous cas ouvert à des expressions marginales qu'il parvient à investir d'une forte marque personnelle. En faisant jouer *La Fausse Suivante* (2000), de Marivaux dans un petit théâtre vide et sombre par des acteurs de cinéma (Isabelle Huppert, Sandrine Kiberlain, Mathieu Amalric, Pierre Arditi) éclairés d'une simple lanterne qu'ils portent à tour de rôle et filmés presque exclusivement en gros plans de visages, le réalisateur concentre son travail sur la manière de dire un texte subtil que chacun utilise pour manipuler les autres. Quant à l'emphase et l'excès de l'opéra, ils sont démultipliés dans *Tosca* (2001, d'après G. Puccini) où la cantatrice Angela Ghenghiu surjoue avec fougue… le rôle d'une chanteuse emportée par la passion !

La critique s'est, dans son ensemble, fort légèrement débarrassée de *Trop (peu) d'amour* (1999), de Jacques Doillon en taxant le film d'exercice de style parce que ces intellectuels snobs retranchés dans le décor « branché » d'un vieux fort de Franche-Comté sentaient par trop l'autobiographie (Paul est un cinéaste de chapelle) et que la cellule « familiale » (le père, sa fille et sa jeune compagne) pliait sous le choc de l'étrangère (une groupie de 17 ans) mais finalement restait soudée. Il y a pourtant quelques beaux moments comme celui de la scène écrite par la jeune scénariste qui l'interprète elle-même avec la « belle-mère », face à la fille qui filme au caméscope et au père cinéaste qui les regarde. Celui-ci compte bien faire œuvre de tous ces conflits de sentiments mêlant vie et action dans ce faux huis-clos de la forteresse ouvrant directement sur le ciel. De même, on avait déjà vu les personnages s'affronter à deux, trois ou quatre dans une chambre d'hôtel et le couloir attenant (*La Pirate*, *La Tentation d'Isabelle* ou *Un Homme à la mer*), mais c'est pourtant le jeu du trio central de *Carrément à l'Ouest* (2001) qui demeure toujours séduisant par son incroyable travail d'ethnolinguistique loufoque – entre réalisme et artificialité – que le débit survolté d'Alex rend encore plus improbable. Par contre, les personnages ne sont pas assez solides et les tensions n'ont pas d'enjeux assez graves pour qu'on s'attache aux atermoiements de ce jeune dealer pris entre deux filles dont il n'arrive pas à savoir ce qu'elles lui veulent.

Mais bien sûr *Ponette* (1997) et *Petits Frères* (1999) sont d'une autre trempe, d'abord parce que les films qui en décousent avec la mort sont rares à la différence de ceux qui la donnent à voir, c'est-à-dire la montent en spectacle. Or Ponette (superbe Victoire Thivisol, 4 ans, prix d'interprétation à Venise) refuse le travail de deuil que son entourage tend à lui imposer et veut revoir sa mère morte comme avant l'accident. Elle y croit si fermement qu'en effet sa maman reviendra, mais pour lui dire d'accepter de vivre et « d'apprendre à être contente ». Obstinée comme les plus belles héroïnes de Doillon, Ponette étonne par ce côté inébranlable. Ni la fuite du père ni les civilités de circonstances ni les réponses religieuses, ni l'amour des adultes et l'amitié des autres enfants n'y feront rien : gagnante contre la logique du monde, elle reverra sa mère. De leur côté, les *Petits Frères* (1999) forment un groupe de blacks-beurs de 12-13 ans dans une cité de la Porte de Pantin. L'irruption d'une petite « étrangère » de trois rues plus loin avec Kim sa chienne Pitbull provoque une prise de fiction dans la réalité documentaire du quotidien pré-adolescent. Entre la pédophilie du beau-père et l'assassinat de Kim lors d'un combat de chiens organisé par les grands frères exploiteurs, la petite communauté tente de survivre de jeux en vols à répétitions, de tendresse en trahisons, à travers rires et douleurs pour aboutir au beau « mariage » final de Talia et d'Iliès dans un rite patchwork concrétisé par les rêves des uns (la robe blanche arrachée à une vitrine) et les opportunités des autres (l'âne emprunté à un camp de gitans).

L'état des lieux de notre société fin de siècle est ainsi dressé avec davantage d'acuité par les artistes que par les réalisateurs sociologues soucieux d'évidences visibles et comptables. D'autant plus que ce cinéma d'auteur des cinquantenaires (et au-delà) réserve toujours quelques surprises savoureuses, comme *Alors voilà* (1999), premier long métrage de Michel Piccoli, présentant une étrange famille qui aime boire, manger, rire et fantasmer entre violence et tendresse, émotion et dérision. Ces « gens ordinaires qui ont des délires faramineux,/.../ incompréhensibles même pour eux-mêmes » forment une « troupe de bohémiens »[1] vivant dans une maison bigarrée formée d'un dédale de couloirs, de portes et de petites pièces presque toujours saisies entre chien et loup. Cette vision à la fois exaltante et étouffante du groupe familial est prise dans un récit très serré entremêlant un grand nombre de micro-séquences dont ne subsiste au montage que quelques bribes d'images ou de paroles brassées dans un judicieux travail polyphonique dont ne se détache finalement que le regard du personnage libertaire incarné par Maurice Garrel. Poursuivant la biopsie de sa génération (17 ans en 1968), Romain Goupil quitte pour sa part le tragique de *Mourir à trente ans* (1982) puis de *Lettre pour L.* (1994) pour conjurer sur le mode ludi-

1. Selon M. Piccoli, dossier de presse.

que dans *À mort la mort* (1999) l'intolérable logique mortuaire qui s'abat à l'orée de la cinquantaine sur le dernier carré de ceux qui voulaient changer le monde trente ans auparavant. Interprétant lui-même un fringant boulimique du sexe par ailleurs père-copain et éditeur engagé quand l'exercice de son hédonisme et de sa logorrhée d'ancien militant rongé par le doute lui laissent un peu de temps, le cinéaste joue de l'ambiguïté de cette interprétation tour à tour décalée et narcissique en multipliant changements de ton, dérives narratives et inserts imaginaires qui rythment le retour fatal des enterrements.

Le cinéma qui détourne depuis plusieurs années de la scène Patrice Chéreau fasciné par le mouvement, le montage et le rythme convulsif des images est lui aussi souvent mortifère : *Ceux qui m'aiment prendront le train* (1998) se construit en trois temps, l'effervescence brouillonne du voyage, la pause pendant laquelle tout s'arrête dans le plus grand cimetière de France, à Limoges, puis l'éclatement des haines groupusculaires dans la vieille demeure du mort. Mais Chéreau déplace les conventions : le mort n'était qu'un vieux sans vergogne, la grande « famille » compte plus d'homosexuels que de parents et la vie, le sexe, l'argent font vite oublier la grandeur de la mort au profit des mesquineries plus ou moins sordides de la vie. En outre, Chéreau tempère son noir tableau de beaucoup d'humour, d'audaces et d'une étonnante bande musicale plutôt anglo-saxonne qui donnent à cette plongée dans la chair et le stupre la distance d'un moralisme ironique. Le brio d'un filmage haletant emporte en outre le spectateur dans un vertige plein de fougue auquel la personnalité du frère jumeau du disparu viendra donner sa vraie dimension : le vieux grincheux atrabilaire va se trouver contre toute attente attiré à la fois par la gamine plutôt mal léchée désignée comme héritière alors qu'elle n'est même pas sa nièce et par Viviane, le transsexuel sympathique honte de la famille… Seule la mise en scène fédère ce microcosme de personnages dont la violence cache mal l'angoisse, saisis en déséquilibre, comme au passage, par une caméra virevoltante qui les survole et les quitte pour mieux les retrouver et les clouer à leur destin souvent réductible aux clichés de leur dérisoire vérité.

Intimité (2001) se resserre sur un couple qui ne semble lié que par le sexe. Pourtant l'homme voudra en savoir davantage et leur relation ne résistera pas à cette ouverture vers les sentiments, le psychologisme et les autres. Un Londres dur, frénétique, gagné par la vitesse, ne laisse aux êtres à la dérive que le paroxysme de l'amour physique décrit par une caméra trépidante appuyée d'un montage spasmodique. Puis le regard de Chéreau s'élargit, donnant d'abord existence à la femme, ensuite au mari. La quête et la traque s'inversent et l'opacité glauque du silence fait place à une tentative de communication par les mots. La sincérité du cinéaste peut alors se dégager des artifices techniques et faire le constat amer que le passage du sexe à l'amour n'a pas eu lieu.

Un aspect mode, un style dans le vent, des personnages possédés par un spleen existentiel exposé avec plus d'esthétisme que de cœur empêchent encore Patrice Chéreau de retrouver au cinéma en tant qu'auteur un statut comparable à celui qu'il avait atteint au théâtre. Mais son défi impose le respect comme celui de Constantin Costa-Gavras et de Barbet Schroeder quittant la France pour une carrière américaine. Ce dernier réussit d'ailleurs en 2000 un courageux retour sur les lieux de son enfance aux côtés de son personnage, romancier Colombien, filmé assez près du documentaire dans l'univers fou des tueurs adolescents de Medellin : *La Vierge des tueurs* est un film terrible où le nihilisme malsain du vieil homosexuel fait cause commune avec le point de vue d'un jeune assassin-cible contemplant les feux d'artifice qui célèbrent les victoires du Cartel des trafiquants.

La provocation d'une Catherine Breillat est évidemment d'une autre nature, celle d'une vision très crue du sexe et du désir féminins. Si *Parfait Amour !* (1996) constitue la chronique charnelle d'un couple impossible filmée pourrait-on presque dire avec pudeur tant l'intolérable réside ailleurs que dans ce que l'on voit, *Romance* (1998) se vautre par contre dans l'obscénité présentée comme un désir de pureté de la femme ! Tels sont en tous cas les propos de la cinéaste, redoutable théoricienne, romancière habile mais réalisatrice médiocre (filmage sans invention qui rabaisse toujours les trouvailles littéraires des scénarios) et roublarde (redistribuant les clichés sadomasochistes des vieux sex-shops d'arrière-cour). Sa force réside dans la violence de ses sujets : lorsque Catherine Breillat affronte le fait-divers crapuleux en s'effaçant devant sa noire atrocité, elle touche juste (*Parfait Amour !*). Mais quand elle illustre ses propres fantasmes, elle dérape dans l'exposé pompeux et vaticinateur (*Romance*). Elle voudrait signifier que la suite lamentable de perversions répétitives subie par sa gracile jeune héroïne constitue une épreuve initiatique qui va lui permettre d'accéder à quelque vérité intérieure mais, outre le caractère pour le moins discutable de ce « message », son inscription cinématographique ne sait pas trouver les images pour le dire.Sur le mode mineur *À ma sœur !* (2001) juxtapose la chronique longuette des rapports de sororité et l'histoire d'une « première » fois adolescente avec un horrible massacre sur un parking d'autoroute : témoin des émois de l'aînée faisant l'amour sous ses yeux dans leur chambre, la petite boulotte assistera à l'assassinat de sa sœur et de sa mère et sera violée dans le bois voisin par le meurtrier. Une fois encore Catherine Breillat filme dans le vif son sujet unique : le sexe. Phobique et foutraque, son cinéma force l'attention due aux folies obsessionnelles les plus hard.

Le nouveau cinéma des années quatre-vingt-dix arrive donc dans un espace déjà occupé. Pour se faire place il devra, parallèlement à ses propositions personnelles, régler ses comptes avec l'héritage de ces générations précédentes. Certains ne retiendront que l'idée d'un cinéma comme art légitime à développer hors des logiques industrielles, c'est-à-dire comme œuvres d'auteurs et non simple spectacle de divertissement dépendant du secteur économique. C'est déjà beaucoup, mais ces cinéastes choisiront alors parfois des sujets tournant autour d'un travail de deuil, métaphore de leur propre rapport au cinéma des anciens dont ils veulent se détacher : *La Vie des morts* (Arnaud Desplechin, 1991), *Petits Arrangements avec les morts* (Pascale Ferran, 1994), *Sous le sable* (François Ozon, 2001) ou *De l'Histoire ancienne* (Orso Miret, 2001) ne parlent pas de cinéma, mais explorent cette thématique de la filiation, de la dépendance, de l'attachement au passé, des rapports familiaux au-delà des pertes, du temps et des disparitions. Ces questions de liens à couper pour faire sa vie, même dans le respect du legs de ce passé, lestent ces œuvres de tout un hors champ riche d'humanité qui inscrit le présent de chacun dans un lignage commun.

Nous avons vu que d'autres rapports sont plus directs (Rochant-Godard ou Vincent-Rohmer). Les recours à des acteurs emblématiques d'une époque peuvent aussi fonctionner comme clins d'œil ou signes d'allégeance (Bulle Ogier dans *Circuit Carole*, d'Emmanuelle Cuau, 1995, *Nord*, 1991 et *N'Oublie pas que tu vas mourir*, 1995, de Xavier Beauvois ; Michel Subor dans *Beau Travail,* de Claire Denis, 2000 ; Bernadette Lafont et Françoise Lebrun dans *Un Possible Amour,* de Christophe Lamotte ; Lazlo Szabo dans *La Sentinelle*, 1992 et *Esther Kahn,* 2000, d'Arnaud Desplechin ; B. Ogier, B. Lafont et Jean-Pierre Léaud dans *Personne ne m'aime*, 1993, de Marion Vernoux…). Chacun vient avec son image Nouvelle Vague comme pour passer le relais aux jeunes comédiens découverts dans les premiers films des années quatre-vingt-dix (Emmanuel Salinger, Marianne Denicourt ou Emmanuelle Devos). Ainsi, tout en n'étant les descendants directs de personne (ni pères, ni maîtres), les nouveaux cinéastes ne renient pas un évident air de famille.

Une critique favorable mais une mauvaise image de marque

Un des paradoxes de la réception du jeune cinéma français est que l'addition de nombreuses critiques de films favorables aboutit à un jugement négatif, les synthèses sévères sur l'ensemble faisant en effet oublier les analyses souvent positives accueillant les premiers longs métrages ! Comment donc avec tant de bons films peut-on avoir un si mauvais cinéma ?

Les défaitistes

Indiscutablement le nouveau cinéma n'a pas bonne presse et il suffit pour s'en convaincre de se pencher sur des articles publiés la même année dans deux journaux aussi opposés que faire se peut : *Le Monde diplomatique* (« Crime, pornographie et mépris du peuple : des films français fascinés par le sordide », Carlos Pardo, février 2000) et *VSD* (en couverture : « La débâcle du cinéma français : neuf français sur dix préfèrent les films américains » ; à l'intérieur : « Quand Hollywood sonne le glas du cinéma français », Marc Dolisi, Armand Launay et Pénélope Grimaldi, 7 septembre 2000).

En pleine page du *Monde diplomatique*, un certain Carlos Pardo, totalement inconnu mais qualifié en note de « journaliste et cinéaste », ressasse les arguments de ceux qui parlent du cinéma français à partir d'à peine quelques titres (précisément *Seul contre tous,* de Gaspard Noé, *Sombre*, de Philippe Grandrieux prénommé Patrick par C. Pardo, *La Vie de Jésus* et *L'Humanité*, de Bruno Dumont, *Assassins*, de Mathieu Kassovitz, *La Vie rêvée des anges*, d'Éric Zonca, *Les Amants criminels*, de François Ozon et *Romance*, de Catherine Breillat) et de la mise en exergue de détails purement scénaristiques détachés de leur contexte pour composer un florilège scandaleux. Jamais une analyse du film en lui-même et par contre occultation systématique des processus de communication esthétique. C'est le procédé classique de toute censure : nier la dimension artistique de l'œuvre pourtant essentielle à l'effet produit sur le spectateur pour isoler quelques fragments constitutifs en en déformant le sens : la métaphysique de Dumont est ainsi qualifiée de pornographie et Zonca prêcherait la servitude ! Un tel discours réducteur est évidemment inadmissible car jamais deux à trois exemples ne constituent un savoir et ne permettront des généralisations dictées en fait par des *a priori* nourris d'ordre moral et d'une haine systématique pour la culture, l'intelligence et toute volonté d'expression artistique.

Le dossier de *VSD* annoncé au sommaire et en éditorial comme une révélation fracassante se réduit en fait à cinq pages dont plus de trois de photographies… exclusivement de films américains car le prétexte de cette hargne est de promouvoir le festival du cinéma américain de Deauville. Mais la sélection n'étant pas cette année là particulièrement attirante (les trois « locomotives sont *Hollow Man* de Paul Verhoeven, *Apparences*, de Robert Zemeckis et *Space Cowboys*, de Clint Eastwood), *VSD.* justifie sa publicité au cinéma américain en suggérant que, de toutes manières, c'est quand même mieux que le nullissime cinéma français ! *VSD.* offre donc un condensé de ce que reflètent tabloïdes et presse people. Le premier article manie l'humour en inventant le scénario type du film français d'aujourd'hui pour conclure : « Les cinéastes semblent tous issus de l'école néo-sinistre. L'une des rares réussites de l'année *Taxi 2*, frôle le degré zéro de l'intelligence ». Le deuxième texte en reste lui aussi aux remarques vagues : « Le cinéma français se fiche du public… qui le lui rend bien. Les raisons d'une faillite : auteurs en panne et système de financement qui privilégie les téléspectateurs aux spectateurs ». Toujours l'effet d'annonce : un bon titre suivi d'une ou deux idées alléchantes… et rien derrière car les journalistes n'ont certainement vu aucun des films qu'ils dénoncent : sur les 27 films sortis à l'été 2000, *Les Destinées sentimentales* (O. Assayas) est un des rares à s'en tirer honorablement avec 436 144 entrées face aux échecs de *Total Western* (É. Rochant) ou *Amazone* (Ph. de Broca) aux 80 000 spectateurs. Mais ce dernier film avec J.-P. Belmondo n'appartient pas au jeune cinéma et a coûté 65 millions ! Par contre *Harry, un ami qui vous veut du bien* (second long métrage de Dominik Moll) est la bonne surprise de la saison, mais avec seulement 750 000 entrées contre 4,5 millions pour l'américain *Gladiator* (depuis plus longtemps à l'affiche). L'été 2001... il est vrai, *Le Fabuleux Destin d'Amélie Poulain* (Jean-Pierre Jeunet) sorti au printemps poursuivra sa fulgurante carrière jusqu'à totaliser 7,5 millions d'entrées à l'automne. Nous en reparlerons !

D'ailleurs, à l'encontre du défaitisme éditorial, l'écrivain Patrick Besson consacre sa chronique de cinéma un peu plus loin dans le même numéro de *VSD* à une défense enthousiaste de *Aïe* (Sophie Fillières). Il a tout à fait raison et l'on ferait la même remarque avec *Le Monde* où Jean-Michel Frodon soutient assez régulièrement, film à film, les réalisations du jeune cinéma. De fait, les nouveaux auteurs ne sauraient se plaindre de la critique qui, des *Cahiers du cinéma* à *Positif*, ne leur ménage pas les louanges. Sans ces papiers publiés au moment de la sortie (et non plus un mois après comme jadis), la majorité de ces réalisations n'auraient aucune chance de connaître une carrière honorable et leurs auteurs de tourner un second film. Mais la critique n'a plus aujourd'hui de rôle vraiment dynamique. Elle ne propose rien, ne témoignant que peu d'intérêt sur l'ensemble : visiblement, le jeune cinéma français ne représente pas pour elle un combat, une cause à promouvoir, une idée de cinéma à défendre ; il constitue le lot de l'actualité, pas celui des bilans, des études de fond, des chantiers de réflexion, encore moins des numéros spéciaux. Si bien que la grande presse, ne voyant jamais un dossier de revue spécialisée analyser la réalité d'un nouveau cinéma, a plutôt tendance à en nier l'existence inversement, par exemple, à l'engouement pour le cinéma asiatique ou la pérennité de la production américaine. Prête à dénoncer (le « scandale » de *L'Humanité*, de Bruno Dumont couronné de plusieurs prix à Cannes en 1999 mais détesté par les médias), elle ne se sent pas investie à défendre un courant que ne revendique ouvertement aucune chapelle cinéphilique.

Les maîtres à penser de la cinéphilie

Des cinéastes, qui n'appartiennent ni au patrimoine ni à la dernière vague et pratiquent un cinéma aux codes classiques propres à ne pas effaroucher le grand public, se plaignent pourtant régulièrement d'une véritable dictature de quelques publications dont les jugements péremptoires seraient capables de décider en deux mots de la carrière d'un film. Notamment, aucune œuvre d'auteur ne pourrait surmonter des critiques négatives dans les *Cahiers du cinéma*, *Le Monde*, *Les Inrockuptibles* et *Télérama* (auxquels on ajoute parfois *Libération*). Il est vrai que les « papiers » de ces journaux fournissent la base des documents publicitaires de tous les cinémas d'*Art et d'Essai*, mais les ciné-clubs des années soixante ne s'appuyaient eux aussi que sur trois ou quatre organes de presse (*Les Cahiers* déjà, *Le Nouvel Observateur*, *Cinéma*, *L'Express* ou *Le Point*). On a donc seulement renouvelé les titres, ce qui prouve en passant que le « culturellement correct » change souvent de voix. La polémique provient du fait que les journaux incriminés n'aiment guère les films que tournent depuis dix ans Patrice Leconte ou Bertrand Tavernier et que ceux-ci ne comprennent pas pourquoi on leur préfère aujourd'hui Dumont ou Desplechin. Dès lors chaque parti accuse l'autre d'attenter à sa liberté (de créer pour les uns, de juger pour les autres). Ayant délimité notre camp par le choix du sujet de ce livre, nous pourrons nous dispenser d'alimenter la querelle d'autant plus qu'elle nous paraît disproportionnée par rapport à l'influence réelle de la critique. En ce qui concerne les derniers films de Patrice Leconte, ce ne sont pas les critiques qui ont fait un succès de *La Fille sur le pont* (1999) et un fiasco de *La Veuve de Saint-Pierre* (2000) d'autant plus que la régularité de sa production prouve bien que les échecs publics n'affectent nullement la confiance que lui accordent les producteurs. Inversement, que de premiers films fragiles loués par la critique ne rencontrent pas le public ! Si quelques rédacteurs sont sévères avec certains films (qui vivent de recettes davantage que d'inspiration) et pleins d'indulgence pour d'autres (qui risquent des propositions nouvelles), c'est parce que le consensus mou généralisé et l'absence de vigueur combattante que nous déplorions ci-dessus compte heureusement quelques trop rares exceptions.

Chapitre 2

Les enfants de la FEMIS, de la télévision et du fonds de soutien

S'il fallait caractériser par quelques traits la jeune génération des cinéastes français de la dernière décennie, sans doute retiendrait-on les termes d'intimisme et de spiritualité (en pensant à Xavier Beauvois, Cédric Kahn, Bruno Dumont, Jean-Paul Civeyrac, Philippe Faucon ou Éric Zonca, avec leurs « paumés » galérant à la recherche d'un peu d'amour et d'identité dans une société dure, fermée, indifférente, voire même hostile à leur mal-être comme à leur malheur), ou ceux de féminité et féminisme d'un cinéma conjugué au féminin aussi bien par ses superbes portraits de femmes (Emma/Karine Viard luttant contre le cancer dans *Haut les cœurs !*, de Solveig Anspach, 1999 ou Alice/Sandrine Kiberlain triomphant du chômage et de la solitude dans *En avoir ou pas*, de Laëtitia Masson, 1995) que par des regards ardents sur l'exploitation économico-sexuelle (*Y-aura-t-il de la neige à Noël* ?, de Sandrine Veysset, 1996), la fragilité des hommes (*Qui plume la lune ?*, de Christine Carrière, 2000) et l'agressivité douloureuse de l'adolescence (*Les Vacances*, d'Emmanuelle Bercot, 1999). De fait, nous approfondirons ces aspects fondamentaux dans nos troisième et quatrième chapitres.

Mais il paraît plus logique de commencer l'analyse autrement, par le début en somme, c'est-à-dire par les conditions qui président à la création, en étudiant l'influence des modes de production sur l'esthétique des films d'auteurs. En effet, par rapport à la situation de 1960, le passage par l'école, à savoir la FEMIS (ou les formations de cinéma des Universités) a remplacé la cinéphilie dans le domaine des références aux films, au panthéon d'auteurs et à l'histoire du cinéma. En place des modèles du cinéma américain, c'est d'autre part la télévision qui offre ses centaines de films mais aussi son rapport au réel, à la parole et aux plateaux. Enfin depuis quarante ans, il faut convaincre avant tout la commission d'avance sur recette pour obtenir les aides obligatoires alors que les premiers films de la Nouvelle Vague ont été financés sur les fonds propres de la production c'est-à-dire en essayant de plaire au public. Hors de tout jugement de valeur, ces faits indubitables changent radicalement la donne et redéfinissent la nature même d'un nouveau cinéma affirmant ambitieusement son essence « auteuriste » tout en composant avec l'idée que les films toucheront surtout leurs spectateurs en fin tardive de soirée sur le petit écran des chaînes coproductrices.

L'extrême diversité des situations est d'ailleurs frappante : tous les cinéastes n'ont pas les mêmes parcours et à l'intérieur du cadre réglementaire, les montages financiers de chaque film sont différents. Dès lors des questions surgissent :

– Pascale Ferran, Arnaud Desplechin et Noémie Lvovsky sont d'anciens élèves de la FEMIS, Sandrine Veysset est autodidacte, Anne Fontaine a été danseuse et actrice, d'autres ont fait « cinéma » à l'Université et beaucoup ont d'abord réalisé des courts métrages… Font-ils, en passant au long métrage, les mêmes types de films ? Dans quelles mesures les filières empruntées pour devenir cinéaste conditionnent-elles l'œuvre ultérieure des réalisateurs ?

– Philippe Faucon et Laurent Cantet ont réalisé des téléfilms… mais que l'on peut voir en salles : Cédric Kahn, Éric Zonca ou Dominique Cabréra tournent alternativement au cinéma et à la télévision ; Xavier Beauvois ou Gaspard Noé n'ont jamais travaillé pour le petit écran. Comment un jeune cinéaste vit-il cette imbrication statutaire cinéma-télévision depuis le modèle emblématique de la série Arte *Tous les garçons et les filles…* (1993-1994) dont trois films sur neuf donnèrent lieu à une sortie d'une version longue en salles, avec pour l'un d'eux les Césars 1995 du meilleur film (*Les Roseaux sauvages*) et du meilleur réalisateur (André Téchiné) ?

D'où vient l'argent du jeune cinéma français ? Tout film résulte aujourd'hui d'un montage financier complexe : fonds de soutien, avance sur recettes, SOFICA, préachats et coproductions de chaînes de télévision (Canal Plus, TF1, F2, F3, M6, Arte), à valoir distributeur, droits vidéo, apports étrangers… Comment l'expression personnelle d'un artiste trouve-t-elle ses « bonnes sources » de financement ? Car si tout le monde peut évaluer le poids des contraintes d'une participation de TF1, le respect de l'image de marque d'Arte n'est pas plus négligeable que celui des attentes plus ou moins informulées de Canal Plus. En outre l'initiative d'un projet de film revient encore aujourd'hui généralement au cinéma à travers le couple auteur-producteur. Mais cet avantage tourne-t-il toujours en faveur de la liberté de création ?

Ces interrogations sont susceptibles d'éclairer les pistes de lecture de chaque film mais ne sauraient recevoir des réponses valables pour tout et tous. Car en fait le contexte peut jouer à la fois pour et contre la jeune création et si l'on constate qu'il est moins difficile qu'il y a vingt ans de parvenir à tourner aujourd'hui son premier long métrage, reste à savoir de quel type de film il s'agit et quelles perspectives il ouvre pour son auteur. Structure, nature, les deux sont indissociables et tout se joue dans leurs rapports réciproques.

Promotions et réseaux

La « famille » et « l'esprit » FEMIS

L'École Nationale Supérieure des Métiers de l'Image et du Son (la FEMIS) n'est pas l'ENA mais le phénomène « promotion » y est un peu comparable. Il est vrai que connaissances, connivences et collaborations croisées aux œuvres des uns et des autres caractérisaient aussi les débuts dans la réalisation des anciens critiques des *Cahiers du cinéma* et de *Arts*. Ainsi à l'IDHEC – qui ferme ses portes en 1985 pour laisser la place à la FEMIS – Pascale Ferran organise déjà un groupe avec Arnaud Desplechin, Éric Rochant, Pierre Trividic. Ils tournent donc à l'école de 1980 à 1983 beaucoup de choses ensemble et lorsque Desplechin écrit *La Sentinelle* en 1992, on retrouve à l'adaptation Pascale Ferran (future réalisatrice en 1994 de *Petits Arrangements avec les morts*), Noémie Lvovsky (autre élève de la FEMIS en 1985 qui signera *Oublie-moi* en 1995) et Emmanuel Salinger (coscénariste et acteur de plusieurs premiers films des années quatre-vingt-dix). Ces affinités ont été favorisées par la réalisation des « exercices » d'École. En outre, ces anciens élèves ont fréquenté les mêmes films analysés par les mêmes enseignants, chercheurs, critiques et professionnels, tous théoriciens ou praticiens d'un cinéma d'auteur aux critères davantage artistiques que techniques, spectaculaires ou commerciaux. Certes les élèves de la FEMIS apprennent matériellement leur métier, mais ils sont surtout incités à créer, à s'exprimer, à exercer leur regard : c'est une école d'artistes plus que de professionnels, préparés à former le club très fermé des auteurs-réalisateurs et non à devenir les metteurs en scène des idées des autres ou les artisans des films de genre initiés par la télévision. Mais une fois terminée l'école où chacun se prend volontiers pour le génie du lendemain, le chemin est dur pour pénétrer une profession qui résiste sur ses bases traditionnelles et corporatistes.

En fait ils s'en sortiront par le haut avec l'aide au court métrage (accordée par le CNC) moins difficile à obtenir pour eux qu'un poste d'assistant sur un film haut de gamme ou un travail de co-scénariste auprès de réalisateurs en place qui ne ressentent que peu de sympathie pour ces jeunes ambitieux ne pensant – fort légitimement – qu'à les remplacer ! En moyenne il leur faudra dix ans pour accéder au long métrage, ce qui – à 25 ans – est très long ! C'est là que les amitiés forgées à l'École sont déterminantes : exactement comme ils l'avaient fait à l'IDHEC-FEMIS les condisciples échangent les postes : celui qui a obtenu l'aide au court métrage coscénarise avec un plus jeune remarqué à l'école ; d'autres assurent photo, son ou régie. Certains peuvent aussi s'associer sur un pied d'égalité : ils écrivent ensemble puis l'un réalise ; ce sera l'autre pour le scénario suivant. Certes rien n'est jamais tout à fait neuf (Claude Miller et

Luc Béraud l'avaient déjà fait dans les années soixante-dix) et cela ne réussit pas à tous les coups (Pascale Ferran et Pierre Trividic sont en panne), mais ces relations ne sont pas seulement de travail ; c'est là aussi que les tempéraments se trempent, les styles se forgent et les thématiques s'enrichissent par discussions autour d'idées de films, de projets à rédiger, de situations et de personnages à travailler sur son propre scénario ou celui des autres.

Évidemment beaucoup lâchent en route, séduits par des opportunités côté télévision, publicité ou audiovisuel. Mais les plus déterminés s'accrochent et les réseaux s'élargissent, surtout par la circulation des acteurs qu'il a fallu choisir hors du sérail FEMIS et qui eux, justement, sont amenés à connaître des cinéastes venus d'ailleurs ou parfois d'une autre génération. Peu à peu des portes s'entrouvrent. Ainsi Valeria Bruni-Tedeschi tourne avec Noémie Lvovsky, mais aussi chez Leos Carax, Xavier Beauvois ou Laurence Ferreira-Barbosa qui n'ont pas fait la FEMIS. Quant à Pascale Ferran, elle a co-écrit le premier long métrage de Jean-Pierre Limosin (*Gardien de la nuit*, 1986) et le second de Philippe Venault (*Blancs cassés*, 1988), tous deux ses aînés de plus de dix ans, tandis que Noémie Lvovsky écrit à 30 ans aussi bien avec Desplechin qui a son âge qu'avec Philippe Garrel qui a près de 20 ans de plus. Les génériques témoignent du maillage serré de tous ces films d'un jeune cinéma dont les auteurs se connaissent, s'apprécient et entretiennent le même type de rapports au cinéma.

Arnaud Desplechin

D'entrée Arnaud Desplechin impose dans ses films cette idée de clan, de famille, de tribu, peut-être davantage encore que celle de génération, car si les jeunes constituent le centre du groupe dans *La Vie des morts* (1991) et *La Sentinelle* (1992), les 40-50 ans sont loin d'être absents et jouent même un rôle déterminant. Ce qui nourrit les scénarios et la mise en scène, c'est justement le rapport de l'individu au groupe étudié sous le coup d'une onde de choc provoquée par quelque chose généralement hors de la sphère quotidienne de la jeunesse : la mort, l'histoire, la politique. Mais dans *La Vie des morts*, ce n'est pas un enterrement car le jeune homme est dans le coma et dans *La Sentinelle* le passé se matérialise de manière incongrue par une tête réduite dont l'étudiant en médecine légale veut à tous prix percer le mystère. Chaque fois Desplechin évite le grand sujet, biaise avec les thématiques existentielles comme avec les récits orchestraux pour rester dans l'incertitude identitaire. À Jacques Doillon et Patrice Chéreau, il emprunte une direction d'acteurs nerveuse, survoltée parfois jusqu'à l'excès, mais il ne surligne pas en collant aux personnages ou par un montage haché. Au contraire, le plan moyen constitue la norme et s'ouvre plus généralement au plan d'ensemble qu'il ne se réduit au gros plan. Pourtant Desplechin tourne au milieu des protagonistes mais fragmente l'espace pour créer du sens en tranchant dans le vif, escamotant les uns, insistant sur d'autres que l'on n'attendait pas, pour briser aussitôt et retourner ailleurs. Certains personnages se ressemblent au point que le spectateur peut les confondre ; d'autres au contraire ne cesseront de s'opposer. Ainsi les caractères se dessinent par le mouvement davantage que par les propos. Mais il vient un moment où toute cette agitation retombe ; la mort, l'angoisse ou la menace de la folie rattrapent chacun et le trouble s'installe : plus de fuite désordonnée en avant mais l'immobilité pour regarder les choses en face et subir quelque rituel liturgique au cours duquel l'émotion fait retour. C'est la beauté esthétique comme chemin de la connaissance frayé par un travail magistral de mise en scène.

Chaque nouveau film constitue un défi et, en 1996, Desplechin ne veut plus s'appuyer sur l'originalité du propos – relevée par toute la critique dans ses deux premiers films – mais convaincre par son seul talent de cinéaste en se colletant aux conventions du cinéma national. *Comment je me suis disputé... (ma vie sexuelle)* aborde donc l'intimisme autarcique et les amertumes sentimentales de la trentaine dans le genre « premier film : des couples qui divorcent, qui se retrouvent et se remarient /.../ Ce qui m'amusait, c'était de prendre le matériau le plus déprécié par la critique actuelle, le film « franco-français » situé entre Saint-Michel et le Luxembourg... et d'en jouer à ma manière »[1]. Le résultat est à la fois raisonneur et sensuel, intellectuel et pourtant filmé au ras des corps. D'une drôlerie irrésistible, le film fouille avec perversité un fond de grisaille dépressive, l'auto-ironie savoureuse du protagoniste principal brassant avec justesse et légèreté drame et dérision autour d'une vision cérébrale de la sexualité bousculée par la vérité des cœurs.

Esther Kahn (2000) est à ce jour l'œuvre majeure d'Arnaud Desplechin, un film tendu, d'une grande violence intérieure sur un sujet magnifique : la passion du théâtre d'une jeune fille peu douée et de son maître Nathan, vieux cabot raté, dans le Londres sombre de la fin du XIXe siècle. Abandonnant le tableau de groupe, Desplechin s'attache à un personnage rétif, un peu autiste dans ce film « en costumes » et en Anglais adapté d'une nouvelle d'un écrivain peu connu, Arthur Symons. Il le fait avec un culot et une liberté extrêmes (parfois des plans fixes, mais des séquences de troubles sont tournées caméra à l'épaule en mouvements incessants courts et rapides), recentrant le regard sur les images d'une souffrance intense qui transcende une absence évidente de talent pour déboucher sur le triomphe de l'apprentie comédienne dans *Hedda Gabler*, d'Ibsen. Là l'instinct un peu animal d'Esther, son insensibilité apparente et ses réactions mécaniques se muent soudainement – bouche en sang et peine au cœur – en émotion pure et vérité de l'âme. Plusieurs scènes sont prodigieuses : la première

1. A. Desplechin, *Télérama* , n° 2422, 15 juin 1996.

entrée sur scène d'Esther en boniche ; Nathan lui montrant comment marcher en exprimant des sentiments différents à chaque pas ; son effroyable colère contre elle-même l'amenant à se cogner et se défigurer ; le final avec sa douleur physique et psychique inconcevable. Devant jouer mal tout en suggérant dans le personnage les potentialités d'une actrice de génie, l'américaine Summer Phoenix propose tout un parcours initiatique : Esther s'extrait peu à peu du milieu juif de l'East End dont elle est issue, du théâtre yiddish qu'elle découvre tout d'abord et de son statut brimé de fille puis de femme, le tout sans révolte mais avec acharnement, sans hargne mais avec flamme, depuis le silence d'une enfant renfermée jusqu'aux dialogues émancipateurs du théâtre. Il y a quelque chose de *L'Enfant sauvage*, de François Truffaut dans ce voyage de l'inclination à la connaissance, de l'expression par accès de violence à la formulation par les mots et le sens. Desplechin est l'accoucheur inspiré de l'enfantement d'une actrice transportée à la fois de haine (pour son amant qui l'a trahie) et d'amour. Le cinéaste filme le théâtre entre les coulisses et le plateau ; ce n'est pas l'envers du décor mais le contact, le passage étroit entre la vie et sa représentation saisis en une série de plans vifs, décadrés, instables mais intensément vivants, de détails, gestes avortés, déplacements interrompus comme les discordances de l'orchestre avant que le chef ne lève sa baguette. Esther est traînée sur scène comme Jeanne au bûcher. Elle y souffrira une atroce agonie mais pour déboucher sur une nouvelle naissance, celle d'une beauté terrible qui blesse et fait mal.

Noémie Lvovsky

Il serait facile d'opposer *La Vie des morts* (MM, 1991), d'Arnaud Desplechin à *Dis-moi oui, dis-mois non* (CM, 1990), de Noémie Lvovsky, confrontation à la mort d'un côté, libertinage de l'autre et tout ce qui en découle : gravité « contre » légèreté, lenteur réflexive et vitesse de surface, sombre-clair, maîtrise formelle-expérimentation d'école… En fait on pourrait aussi bien souligner au-delà de ces contrastes de sujets, de ton et de style, ce qui permet inversement de retrouver dans les deux films un même rapport au réel : vivacité des interprètes, contre-rythmes, composition polyphonique à partir d'un groupe hétérogène, renversement des réactions, brouillage des liens, refus du psychologisme, de la dramaturgie, du dialogue-discours, chaos… qu'importe finalement tragédie ou comédie, lamento ou allegro, *La Vie des morts* et *Dis-moi oui, dis-moi non* ont en commun de ressembler fortement à leurs auteurs respectifs et d'être directement programmatiques de leur œuvre à venir. *Oublie-moi* (1995), premier long métrage de Noémie Lvovsky, offre ainsi la version grise du rose *Comment je me suis disputé…* : Nathalie (Valéria Bruni-Tedeschi) met en crise la déprime trentenaire de Paul (Mathieu Amalric) et la vérité de l'un comme de l'autre marquera fortement les deux interprètes auxquels plusieurs films ultérieurs donneront l'occasion de retrouver des personnages assez proches[1]. Sans travail ni maison ni stabilité sentimentale, Nathalie semble avoir déjà tout vécu – solitude, échecs, trahisons – et erre à la dérive, en demande pathétique de quelque chose ou de quelqu'un. Déstabilisé par un montage heurté parfois insistant puis brutalement elliptique, le spectateur ressent physiquement l'impasse, s'irrite devant l'héroïne multipliant les initiatives malheureuses et se voit fermer les voies de l'empathie sans risque si souvent grandes ouvertes chez les réalisateurs-psychologues.

Puis Noémie Lvovsky s'embarque dans une aventure audacieuse de trois ans aboutissant à un téléfilm – *Petites*, 1998 – puis un long métrage cinéma – *La Vie ne me fait pas peur,* 1999 – qui s'emboîtent plus qu'ils ne se succèdent. Plongeant dans l'époque de sa propre adolescence au milieu des années 1970, elle se lance à la poursuite haletante de quatre gamines « speedées » de 12/13 ans (l'âge de l'auteur à cette date) au temps des deux Patrick, le Juvet d'« Où sont les femmes ? » et le Dewaere d'*F. comme Fairbanks*. Les scènes s'entrechoquent dans un précipité de rires et de larmes qui soudent une fois le groupe autour d'une bonne blague pour l'éclater aussitôt après sur l'épineuse recherche des garçons. La réalisatrice épingle un détail, suggère une idée, amorce une émotion, coupant toujours avant que la scène n'atteigne sa plénitude pour courir derrière les quatre copines en furies, de la maison au collège, des surboums où Stella la petite rousse s'éclate dans une véritable rage de la danse aux cafés où Émilie et Marion draguent tant qu'elles peuvent, puis à la rue où Inès poursuit ses fantasmes. Fiction chorégraphiée avec élégance, *Petites* respire néanmoins la vivacité d'un documentaire réalisé au plus près de personnages en gestation qui inventent l'intrigue au fur et à mesure de l'avance saccadée de l'action. Les craintes et les espoirs se bousculent sur le chemin de l'acquisition tous azimuts des savoirs les plus hétéroclites dans ce film d'apprentissage loufoque mené comme un concours de majorettes rythmé par un feu d'artifice de formes et de couleurs. Tour à tour dure et généreuse, la caméra est chevillée au plus près des corps mais laisse pourtant une place à l'imaginaire, transmettant l'extraordinaire vitalité de ce petit groupe soudé affrontant avec fougue les obstacles qui brident leur jeunesse.Les interprètes sont prodigieuses et les conditions de réalisation permettent de cerner d'assez près le processus créatif ayant abouti à cette performance. Le choix des quatre jeunes filles de quinze ans résulte de six mois de recherche à la porte des établissements scolaires, des cours de théâtre, des discothèques et autres lieux de réunions d'adolescents. Un premier tournage de plusieurs semaines a lieu en été : les filles ne se connaissent pas et n'avaient jamais fait de cinéma. Elles vont interpréter des copines de col-

1. En ce qui concerne Valéria Bruni-Tedeschi, Laurence Ferreira-Barbosa avait déjà fait d'elle une écorchée vive malade d'incommunicabilité dans *Les Gens normaux n'ont rien d'exceptionnel*, 1993.

lège – classe de 4e – et cette inexpérience conduit Noémie Lvovsky à jouer sur leur spontanéité dans un style reportage, un peu comme s'il s'agissait de direct au premier degré. Pourtant c'est un film très écrit avec des situations et des dialogues précis, et les interprètes doivent rajeunir un peu car elles sont déjà plus âgées que leurs rôles.

Tournage terminé, elles retournent en classe chacune de leur côté, mais savent qu'elles devront jouer la suite l'été suivant. Pendant ce temps, Noémie Lvovsky monte cette première partie et en tire un long métrage de 90 minutes qu'Arte diffuse à l'été 1998 sous le titre de *Petites*. Mais à ce moment, elle est déjà en train de réaliser le second volet censé se dérouler trois ans plus tard et conduire les personnages depuis les vacances entre 1re et classe terminale jusqu'à leur vingtième année, c'est-à-dire au-delà du Bac. Cette fois ses interprètes sont devenues de vraies comédiennes : de fait elles ont plus de 16 ans et peuvent être rétribuées comme des professionnelles. Leur rapport au métier est par conséquent différent ; elles se sont préparées et doivent cette fois un peu se vieillir car elles n'ont pas encore l'âge de leurs personnages. Aussi Noémie Lvovsky les dirige-t-elle davantage comme pour des rôles de composition au lieu de les saisir sur le vif, d'autant qu'une véritable réflexion sur le jeu, la représentation et l'imaginaire s'instaure dans le récit lui-même. En effet, alors que dans *Petites* les séquences où on les voit se déguiser ou se maquiller en vieilles dames sont vécues sur le mode ludique de l'enfance, les jeunes filles approfondissent dans cette seconde partie leur rapport au réel : pendant que trois d'entre elles veulent arrêter de se raconter des histoires et partent en Italie bien décidées à y connaître leurs vraies premières aventures amoureuses, la quatrième Émilie, prend au contraire des cours de théâtre pour assumer consciemment les vies par procuration qu'offre le métier d'actrice. Dès lors la cinéaste change aussi de style car il ne suffit plus d'enregistrer la vie mais il faut composer le portrait de groupe des jeunes filles gagnées sur la durée par la complexité de l'existence. Elle réunit alors les deux volets pour un film intitulé *La Vie ne me fait pas peur* composé d'abord d'un condensé en 50 minutes des 90 de *Petites* puis, après un carton « trois ans plus tard », par l'heure tirée du second tournage.

Mais la force du film vient de la cohérence du projet : ce n'est pas un reportage sur quatre élèves de quatrième auquel auraient été ajoutées quelques séquences tournées les années suivantes pour voir ce qu'elles étaient devenues en Première et après leur Baccalauréat, mais bien un ensemble ambitieux jouant sur l'évolution des adolescentes suivies de la sortie de l'enfance à l'entrée de l'âge adulte. La difficulté résidait dans la quasi impossibilité de vieillir peu à peu les interprètes durant ces six ans où l'esprit et les corps des filles subissent des transformations très profondes. D'où l'idée de cette coupure diégétique de trois années, mais, pour les apprenties comédiennes, l'interruption n'aura duré que les neuf mois d'une année scolaire. La présence de chacune reste d'autant plus éblouissante qu'elles traduisent d'abord ces mutations quasi biologiques par un laisser-aller offrant leur image à peine maquillée à une caméra friande de sur le vif pour ensuite composer des rôles de pure fiction qu'il convient pourtant de continuer à donner comme s'il s'agissait de direct. Ce passage concerté d'un type de jeu à un autre mené parallèlement au vécu d'un formidable changement de leur quotidien de filles de 16/17 ans fait de ce film une exploration passionnante de la réalité de ce que l'on a coutume d'appeler présence de l'acteur et surtout des moyens mis en œuvre pour y parvenir. La fascination du spectateur résulte en effet de la conjonction, non seulement du naturel et du travail des actrices – Magali Woch, Ingrid Molinier, Julie-Marie Parmentier et Camille Roussellet –, mais aussi des prises de vues d'Agnès Godard, de la co-écriture de Florence Seyvos et de la direction de Noémie Lvovsky. Depuis, Julie-Marie Parmentier a interprété de manière impressionnante les rôles très difficiles de la plus jeune des sœurs Papin avec Sylvie Testud (*Les Blessures assassines*, Jean-Pierre Denis, 2000) et de la fille droguée de Michèle (Ariane Ascaride) dans *La Ville est tranquille* (Robert Guédiguian, 2001), le jeune cinéma constituant en effet la pépinière d'une nouvelle génération d'acteurs, comme cela avait été le cas de la Nouvelle Vague.

Le courant choral : un thème et un style

Individu, couple, groupe, société

Arnaud Desplechin s'est, le premier, fait le peintre des jeunes intellectuels pas encore entrés dans la stabilité sentimentale et professionnelle dont les valses hésitations entre l'esprit et le cœur, amour et amitiés permettent une radiographie assez juste d'un micro-milieu en fait très révélateur des mouvements de toute une société. À sa suite, le « film de groupe » a pris une grande place dans le cinéma de la fin des années quatre-vingt-dix avec ses héros et acteurs récurrents (Mathieu Amalric/Jeanne Balibar) et un éventail de styles pouvant aller de la comédie au drame mais jouant surtout du registre très riche de l'entre deux, la comédie dramatique. En fait, non seulement de jeunes cinéastes débutent dans ce créneau mais certains de leurs aînés – Olivier Assayas, Jean-Claude Biette – y viennent à leur tour en modifiant quelque peu leur écriture pour s'adapter à ce genre qui n'est pas sans évoquer l'unanimisme de Jules Romain (*La Vie unanime* en 1908 pour le nom et surtout *Les Hommes de bonne volonté* pour le style) mais sans l'idée – sous-jacente chez le romancier – d'une « conscience collective », d'une « âme de la foule » urbaine. Ce serait plutôt aujourd'hui au cinéma le portrait d'une génération, le goût des destins entremêlés et du montage aléatoire, le retour au ton *Entrée des artistes* (Marc Allégret, 1938) et *Rendez-vous de juillet* (Jacques Becker, 1949), c'est-à-dire à la vision d'un ensemble d'individus dégagés du regard d'un juge moralisateur car saisis à la manière d'un chroniqueur délicat qui décrit actions et réactions résultant des rencontres et des rapports de chacun. Le courant choral constitue une tendance majeure du cinéma nouveau, d'autant plus que c'est un élément à la fois thématique et formel, cet aspect touffu, désaccordé, inachevé (des fictions comme des tempéraments) caractérisant toute la culture et la société des 30/40 ans. Art de l'instant présent, du quotidien, d'existences d'une grande banalité, c'est un cinéma de l'empreinte, en creux, et par-là susceptible de convenir à bien des modes d'expression différents.

Ainsi *Romaine* (1997) qu'interprète elle-même la réalisatrice Agnès Obadia est une godiche lancée dans trois aventures qui constituent en fait trois courts métrages (*Romaine et les garçons*, *Romaine et les filles, Romaine et Romaine*) réunis un peu artificiellement en triptyque. Seul le troisième acquiert quelque consistance grâce à Eva Ionesco en représentante en soutien-gorges et Laurence Cote en serveuse survoltée, mais le bâclage général de la réalisation n'arrange rien ! Passant du (ou de la) célibataire trentenaire à un groupe de cinq, *Les Randonneurs* (1996), de Philippe Harel semble revenu pendant une heures aux pires aventures de Michel Blanc, Josiane Balasko et autres Gérard Jugnot. C'est que tout est attendu de la part d'acteurs qui rejouent en bémol ce qui les a révélés chez d'autres (Géraldine Pailhas avec Pialat ou Doillon, Karin Viard avec Tanner ou Spinoza, Benoît Poelvoorde en psycho-killer belge...). Mais les irritations des personnages aux relations embrouillées se frottant les uns contre les autres au fil des kilomètres de marche à travers la montagne corse finissent heureusement par produire des étincelles génératrices de quelques bonnes scènes. Ce qui reste inquiétant est que le réalisateur Philippe Harel se réserve le rôle du plus minable d'entre tous et y réussit parfaitement ! Avec *L'Âge des possibles* (1995), Pascale Ferran choisit une tranche d'âge plus jeune et trouve une formulation cinématographique très pertinente aux interrogations, peurs et attentes des 20/25 ans. Débutant par la juxtaposition de dix instantanés bien étanches, la cinéaste intervient en voix *off* au bout de quarante minutes pour interrompre ces amorces d'anecdotes et donner au film une autre direction : il s'agit d'extirper l'angoisse que chacun porte en lui afin de libérer l'élan de vie ! De fait, le film se poursuit aussitôt mais les personnages renoncent au témoignage défaitiste pour s'engager dans une fiction active. Certes ce bel acte de foi en soi-même n'est pas pour tous la clé du bonheur, mais il y a désormais des projets, des espérances, bref un avenir : la nature du récit a changé, et avec elle le cours de l'existence ; au lieu du constat-vérité du réel, l'imaginaire prend les commandes du cinéma qui invente des intrigues, un univers, des personnages et la vie qui va avec.

Jacques Maillot et Michel Spinoza, tous deux venus du portrait individuel ou de couple (les courts métrages du premier) et du récit linéaire débouchant droit dans le mur (*Emmène-moi*, 1995, du second, voyage au bout de la nuit d'amants maudits qui ne peuvent ni vivre ensemble ni se séparer, personnages avançant dans le couloir étroit d'un destin inexorable), ont eux aussi choisi la forme polyphonique en 1999-2000. *La Parenthèse enchantée* (M. Spinoza) plonge dans les *seventies* sans parvenir à articuler vraiment l'Histoire et l'anecdote, c'est-à-dire les thèmes et le sujet, les concepts et les sentiments ; or c'est justement là que réside l'idée même du film, son moteur, sa raison d'être ; d'où une gêne et une certaine déception. Pourtant le tableau est fort attachant par sa mélancolie douce amère : en somme les deux couples et l'« amie » qui joue le révélateur ne sont pas de taille face aux grandes avancées de la décennie ; incapables de situer leur réflexion au-dessus de la ceinture, ils verront féminisme et libération sexuelle saccager leur vie sentimentale et leur existence tout court. Finalement la fille libérée (interprétée par Clotilde Coureau) et le papillonneur (Vincent Elbaz) auront raté le grand amour, gâchant leurs vies et celles des trois autres (excellents Karin Viard, Géraldine Pailhas et Roschdy Zem). Tous sont pourtant passés tout près de quelque chose de fort et ont vécu « une époque formidable » (la Loi Weil) pour parler comme le titre d'un film de Gérard Jugnot. Ce sont ces « presque », ces troubles, ces bonheurs et ces peines qui rendent l'ensemble sympathique et juste.

Les portraits d'une génération

Les 2 heures 30 de *Nos Vies heureuses* (J. Maillot) brossent pour leur part au présent la fresque d'une crise de société et des détresses psychologiques individuelles qui en découlent : la photographe égocentrique finit par réussir professionnellement mais meurt, la séparée ne supporte pas le coup, la suicidaire ne survit que grâce à une aventure pleine d'embûches avec un Marocain en situation illégale. En position de moraliste susceptible de tirer la philosophie de tous ces destins empêchés, le catholique militant lâchera finalement tout pour filer au Brésil ! Ce nouvel état des lieux des trentenaires retrouve le constat déjà dressé par Desplechin mais Maillot n'amalgame pas l'ensemble avec fluidité, préférant les heurts de collages secs et de tournants brusques, quoique certains passages retrouvent l'esprit de Claude Sautet et de ses grandes réunions collectives (*Vincent, François, Paul et les autres*, 1974). Maillot traite un peu trop chaque séquence sur le ton emblématique des grandes questions du temps (les sans-papiers, le racisme, l'homosexualité, l'avortement et, bien sûr, tous les problèmes de couple). Conférer au destin tragique de Cécile un rôle fédérateur aurait probablement donné plus de profondeur à la vision et aurait évité la cascade de fausses fins. Mais ce microcosme d'individus rompus reste chaleureux et les avatars quotidiens n'empêchent pas une certaine foi dans l'existence.

Après la cohérente rigueur de son début de carrière[1] Olivier Assayas pratique en 1996-2000 une remise en question créatrice assez radicale qui lui fait rencontrer le « genre » choral dans sa recherche de voies nouvelles marquant une rupture avec sa première manière. Entre la parenthèse aérienne d'Irma Vep et la saga familiale en costumes des Destinées sentimentales[2], Fin août, début septembre est en position de balancier dans la mesure où faire le point sur sa génération revient forcément à y chercher ses propres marques. Tourné en un mois avec un tout petit budget, Irma Vep se sert du cliché le plus usé (l'histoire du tournage d'un film) pour égratigner une certaine absurdité de la crise du cinéma français actuel mais sans pleurnicherie et avec dynamisme (caméra constamment en mouvement, saisissant avec le brio du reportage le passage d'un panier repas comme les chamailleries d'une équipe au bord de la crise de nerfs !). Mais le dernier tiers vient tout à coup densifier cette légèreté et ces improvisations parfois mal maîtrisées (longue et sinistre scène de repas du soir chez Bulle Ogier). Le réalisateur (émouvant J.-P. Léaud) ayant abandonné son film en plein tournage, la star chinoise Maggie – interprète de Musidora dans le remake des Vampires, de Feuillade – décide en effet de vivre son rôle en vraie grandeur en volant un collier dans son hôtel tandis que Vidal transforme ses rushes sans âme (style téléfilm sans moyens) en superbe essai Underground. Dès lors les petites intrigues de la script acariâtre ou de l'habilleuse homosexuelle sont renvoyées au néant du premier degré d'un récit qui fonctionne mieux au niveau des fantasmes de l'imaginaire et d'une réflexion en abîme sur le cinéma et ses mystères.

Dans *Fin août, début septembre*, Assayas essaye de prévenir le reproche majeur qu'il sent que la critique va peut être lui faire. C'est la scène où Gabriel (Mathieu Amalric) émet quelques réserves sur l'œuvre de son ami disparu Adrien (François Cluzet) : lui trouve qu'il est trop resté dans son petit carré dont ses quatre romans ne sont jamais sortis… mais bien sûr deux nouveaux jeunes intervenants se récrient ! Il s'agit exactement de la même gêne que l'on ressent devant ce film, réalisé à partir de tous les clichés du nouveau cinéma français des années quatre-vingt-dix : même milieu de presque quadragénaires intellectuels fatigués désargentés, quittant des partenaires qu'ils ne cessent d'aimer pour de nouveaux compagnons qu'ils ne parviennent pas à aimer ! Ce sont tous des créatures du monde de Desplechin et bien sûr de son clan (acteurs, rôles, caractères), Mathieu Amalric rejouant pour la dixième fois son éternel indécis sympathique. Alors qu'Assayas allait dans ses films antérieurs jusqu'au bout de ses personnages tragiques, il en multiplie cette fois le nombre et ne dépasse pas pour chacun l'image attendue. Reprenant à *Ceux qui m'aiment prendront le*

1. Voir ci-dessus, p. 14.

2. Que nous étudierons dans notre dernier chapitre, p. 161-163.

train (1998), de Patrice Chéreau son point de départ scénaristique de la mort de celui dont l'aura (qui ne passe pas l'écran) fédère le groupe des ex et futurs amis, il lui emprunte aussi la caméra « parkinsonnienne » qui ne parvient pas à donner au film la respiration palpitante sans doute recherchée. Bien sûr on est touché par la défaillance de ces êtres qui reculent la rentrée dans le rang d'une maturité sans fantaisie, mais Assayas laisse par contre passer de mauvaises scènes comme celle de Virginie Ledoyen tombée dans une caricature de navet pornographique des années 1970. Pourtant – effet de mode ? – *Fin août, début septembre* fut bien reçu alors que Desplechin choisissait déjà à ce moment un autre motif l'incitant à prospecter des pistes narratives nouvelles !

Notons que le film de groupe n'est pas sans parenté avec la saga (amples histoires familiales) ou surtout le sitcom (rassemblement hétéroclite de collègues de bureau, de voisins d'immeuble ou de copains de classe), genres télévisuels par excellence dilués sur le petit écran en interminables épisodes alors que le cinéma ramasse le tout en un seul bloc pour en retenir l'essence. Hervé Le Roux est sans doute l'auteur qui a décliné le genre le plus systématiquement, d'ailleurs avec des réussites diverses : *On appelle ça... le printemps* (2001) est une comédie non seulement inconstante mais tout à fait inconsistante tandis que *Grand Bonheur* (1993) égrène avec vivacité la chronique d'une bande de copains qui se défait. Si l'on chahute souvent, le désenchantement gagne ces étudiants en cinéma pris entre le plaisir d'un présent aux projets vagues et les désillusions pointant déjà au générique de fin. Mais c'est en adaptant les règles du « portrait de groupe » à la peinture d'une classe sociale saisie dans le genre documentaire à un moment crucial de son évolution que Leroux touche au plus juste. Il y a il est vrai à la base une belle idée de cinéma puisque le cinéaste part de *La Reprise du travail aux usines Wonder*, célèbre film de mai 68 enregistré à chaud par deux étudiants de l'IDHEC, pour filmer sa recherche de tous les protagonistes du plan séquence des événements, et notamment de la fille qui ne veut pas rentrer. Avec ses 3 heures 10, *Reprise* donne à chacun le temps de se replonger près de trente ans en arrière sans jamais perdre de vue le fil rouge de l'identification de plus en plus improbable de cette fille symbole de toutes les déceptions de la classe ouvrière flouée par les accords de Grenelle. Le Roux analyse le document de 1968 en interrogeant les délégués CGT et CFTC, d'autres OS de l'atelier charbon, le jeune gauchiste de service, les agents de maîtrise, les petits chefs et même une religieuse ouvrière... Chacun retrouve sa place dans le psychodrame, évoque les conditions de travail, l'atmosphère de l'usine et déborde jusqu'en 1984 où Bernard Tapie viendra liquider l'entreprise en mettant tout le monde à la porte. En même temps, tous composent aussi leur propre portrait dans la durée (hier, aujourd'hui et sur trois décennies). Le Roux réalise un film d'une grande force, revenant obsessionnellement à l'image primitive pour rebondir dans le vécu de chacun autour de ce point aveugle, cette figure mythique désespérément absente qui fonde la démarche du cinéaste.

Télévision et Cinéma : les enchaînés

Les coproductions ciné-télé

C'est sous ce titre hitchcockien que *Télérama* fait en 2000 le point sur les rapports cinéma-télévision[1] réglementés depuis 1972 où pour la première fois sont imposées aux chaînes des contraintes à la diffusion de films à la télévision (jours sans et nombre global annuel plafonné), une préférence nationale ainsi que l'obligation d'investir dans des coproductions cinématographiques (en priorité parmi les projets ayant reçu l'avance sur recettes). Depuis, la législation n'a pas cessé de subir des ajustements, mais toujours dans le même sens. Ainsi, Canal Plus lancé en 1984 se voit accorder de programmer davantage de films que les autres chaînes, moins de temps après leur sortie et à de meilleurs horaires, mais en contrepartie la chaîne cryptée doit consacrer 20 % de son chiffre d'affaires aux coproductions cinéma dont la moitié aux films français.

Aujourd'hui, les chaînes de télévision sont les principaux financeurs des films d'initiative française et leur contribution progresse régulièrement depuis dix ans : en 2000, sur 145 films produits, 115 ont fait l'objet d'un investissement de Canal Plus, parmi lesquels 100 ont bénéficié en outre d'un apport d'une chaîne en clair. Dans leur ensemble, les seules chaînes hertziennes apportent 40 % des investissements dans les films français. Cela signifie qu'en 2000, 550 à 600 scénarios – dont 6 sur 10 sont des comédies – ont été proposés au service coproduction de TF1 parce que c'est TF1 qui met le plus d'argent (en moyenne 250 millions par film contre 150 pour F2 et 100 pour F3). Les décideurs de TF1 choisissent évidemment ceux qu'ils pensent être les meilleurs et les plus commerciaux (de fait, depuis 1994, le nombre moyen d'entrées en salles des films coproduits par TF1 tourne autour du million) ; F2, F3 et M6 prennent dans ce qui reste. Ainsi l'« esprit TF1 » domine la plus grande part du cinéma français. Mais à l'opposé, la « politique Arte » table sur le jeune cinéma d'auteur à forte connotation artistique. Les autres chaînes font ce qu'elles peuvent entre les deux mais se calent de préférence sur le « populaire » style TF1, à savoir gros budgets, ton « franchouillard » et casting attendu. Mais la qualité n'étant pas courante dans ce créneau, F2 et F3 se trouvent amenés à coproduire aussi sans enthousiasme des « films d'auteur » dont beaucoup se révèleront des échecs publics. Ils seront donc programmés après 23 heures, voire pas du tout !

1. Aurélien Ferenczi, « Télé et ciné, les enchaînés : Menacé par la déferlante des films américains, le cinéma français a été maintenu à flot par le financement du petit écran. Pourtant, les limites du système semblent aujourd'hui atteintes : une production sous perfusion ne risque-t-elle pas de perdre à la fois son autonomie et son public ? », *Télérama*, n° 2614, 16 février 2000.

Participation des chaînes de télévision en clair au financement des films agréés en 2000

	Films	Total des apports (MF)	Pré-achats (MF)	Co-production (MF)	Apport moyen par film (MF)
TF1	20	234,6	188,5	46,1	11,7
France 2	33	156,9	95,2	61,8	4,8
France 3	16	86	4,9	37	5,4
M6	9	36,9	25,2	11,7	4,1
LA SEPT	22	46,4	19,5	26,9	2,1

Participation annuelle des télévisions en clair

	Co-production (MF)	Pré-achats (MF)	Total des apports (MF)	Part dans le devis des films agréés (%)	Part dans le devis des films concernés (%)
1991	166,9	217,6	384,5	10,2	–
1992	165,4	226,8	392,2	10,7	–
1993	142,3	223,1	365,4	11,7	–
1994	153,7	200,6	354,3	12,3	17,9
1995	200,3	249,3	449,6	12,5	19,8
1996	210,8	276,2	487,0	14,8	20,9
1997	230,0	312,9	542,9	11,7	18,6
1998	256,6	384,8	641,4	13,0	18,9
1999	200,1	356,8	556,9	12,3	17,9
2000	183,4	377,3	560,7	10,6	14,0

Retour du téléfilm

Heureusement pour les producteurs cinéma, les quota obligent la télévision à diffuser 60 % de films européens dont au moins 40 % de français. Or le cinéma européen étant exsangue, cela se traduit par 50 % de films français. TF1 + F2 + F3 + M6 diffusant 400 films par an, il faut donc trouver 200 films français alors que, malgré l'inflation de la production, il ne sort « que » 150 nouveaux longs métrages par an. Le recours aux rediffusions est par conséquent mathématiquement obligatoire comme le déplore le rapport 2000 du CSA : « Jean-Paul Belmondo ou Jean Lefèvre, dirigés par Georges Lautner ou Claude Zidi, dans un film produit en France entre 1980 et 1990, diffusé pour la troisième ou quatrième fois à 20 h 50, tel est le portrait-robot du film diffusé ces trois dernières années sur TF1, F2, F3 et M6 ». Mais en outre les rediffusions sont bien plus nombreuses que ce qui serait nécessaire à compenser la pénurie de films récents (c'est-à-dire 50 par an) car « la moitié des films produits en France ne sont jamais diffusés sur les chaînes en clair et plus d'un cinquième de la production française n'est jamais programmée à la télévision /…/ . La plupart des films coproduits sont diffusés une seule fois et souvent mal »[1].

Cette seule fois, c'est sur la chaîne à péage Canal Plus et il s'agit précisément en majorité des films de jeunes auteurs. Canal Plus reste en tous cas la « chaîne du cinéma » avec 9 % de son chiffre d'affaires investi dans le cinéma (contre 3 % pour les autres chaînes), cette somme représentant en moyenne 18 % du budget d'un film en 2000 contre 8 % en 1990. Mais la naissance, en juin 2000, de « Vivendi Universal » par la fusion de Vivendi (et sa filiale Canal Plus) avec le groupe canadien Seagram (propriétaire depuis cinq ans du Studio Universal et de Universal Music) va certainement avoir des répercussions sur la politique de Canal en matière de production cinématographique : les deux groupes ont en effet des activités analogues (production d'images et de sons et leur diffusion en salles et à la télévision), l'un en Amérique, l'autre en Europe, mais il ne s'agit pas, en particulier, du même type de films. Chacun gardera-t-il sa spécificité ?

De toutes façons, le temps est loin où les télévisions se battaient pour obtenir leur carte de producteur-cinéma et où le CNC mettait le plus d'obstacles possibles pour retarder et limiter leur entrée dans le financement direct des films. Aujourd'hui, les 3 % du chiffre d'affaires que la loi oblige les chaînes hertziennes en clair – sauf Arte – à investir leur pèserait plutôt car elles trouvent que ces films d'auteur du jeune cinéma ne constituent jamais des produits susceptibles d'attirer le public des heures de grande écoute. De même les interdictions de dépasser un certain nombre de films en diffusion deviennent des plafonds pas toujours

1. Selon Isabelle Avargues, rapporté par Elisabeth Lequeret, « Le cinéma enchaîné », *Cahiers du Cinéma,* n° 548, juillet-août 2000.

atteints : hier les chaînes réclamaient de programmer davantage de films ; mais lorsqu'en 1995 on leur accorde une heure de plus par semaine, aucune chaîne ne profite de la permission et, au contraire, en 1996, F2 renonce au film du dimanche soir au profit d'une série à succès (*Urgences*) ! De son côté, TF1 préfère financer du téléfilm haut de gamme, type la trilogie Gérard Depardieu-Didier Decoin-Josée Dayan programmée à chaque rentrée (septembre-octobre) : en 1998 *Le Comte de Monte Cristo*, en 1999 *La Vie de Balzac*, en 2000 *Les Misérables*. Ce dernier a nécessité 80 jours de tournage (sur 4 mois) pour plus de six heures (4 épisodes) avec un budget fabuleux de 165 millions de francs. De plus, *Notre Dame de Paris*, *Les Trois Mousquetaires* et *Napoléon* sont en production la même année chez TF1 face aux tournages de plus de 60 premiers longs métrages permis par les investissements (obligatoires) des autres chaînes et promis à des existences aléatoires puisqu'il y a maintenant moins de films à la télévision et surtout moins d'œuvres de bons et/ou jeunes cinéastes.

Gauche-Droite, Arte, politique et création

Financement des films d'initiative française (en %)

	Apports des producteurs français	Sofica	Soutien automatique	Soutien sélectif	Chaînes de télévision		À valoir distributeurs France	Apports étrangers	Total
					Coproductions	Préachats			
1991	33,7	5,9	7,6	4,7	4,6	18,9	4,4	20,2	100
1992	36,5	6,1	5,8	4,6	5,4	24,7	5,4	11,5	100
1993	33,4	5,2	7,7	5,5	5,6	25,2	5,1	12,3	100
1994	29,3	5,3	7,5	6,7	6,5	27,4	5,0	12,3	100
1995	26,8	5,6	8,7	5,7	6,8	30,1	4,0	12,3	100
1996	24,3	4,8	8,3	4,9	7,7	34,3	5,5	10,2	100
1997	33,4	4,5	7,7	5,2	7,2	28,7	3,5	9,8	100
1998	27,9	4,3	7,8	4,4	7,0	31,5	6,8	10,3	100
1999	27,9	4,4	6,8	4,4	6,0	34,2	8,8	7,5	100
2000	31,9	5,7	6,6	3,6	9,0	31,2	5,5	6,5	100

Source : CNC

Si en 1999 *Vatel* (Arthur Joffé) et *La Veuve de Saint-Pierre* (Patrice Leconte) se sont montés grâce à des à-valoir distributeurs extrêmement élevés, cette procédure est aujourd'hui exceptionnelle et les mauvais résultats publics de ces films montrent que la profession est de moins en moins capable de prévoir ce qui va marcher ou non ! De fait, la contribution totale des distributeurs étant présentement très inférieure à celle des années quatre-vingt, il apparaît que l'industrie cinématographique française a abandonné aux pouvoirs publics l'initiative et aux télévisions le financement du cinéma d'auteur, c'est-à-dire celui qui affiche – certes avec plus ou moins de réussite – les ambitions artistiques dont l'autre – la culture de flot – ne se préoccupe pas le moins du monde.

Arte et le cinéma d'auteur

Un film d'auteur se monte en effet prioritairement par l'obtention de l'avance sur recettes (donc l'argent du CNC, mixage astucieux entre les ressources de l'exploitation et les règles étatiques qui en assurent la redistribution) qui entraîne l'apport des télévisions (Canal Plus, une chaîne généraliste et souvent une ou deux télévisions étrangères). Le reste du financement (distributeur, SOFICA, régions…) n'intervient en effet que pour une part très faible du budget. Les choses sont claires : si la production obtient l'avance et une télévision il produit, autrement le film ne se fait pas. Au-delà de toutes considérations esthétiques, le système a sauvé le cinéma français qui, sans cela, serait dans la situation des cinémas anglais, italien ou allemand : hors de ce triangle – producteur, CNC, télévision – rien n'est possible et la télévision tend même à prouver aujourd'hui qu'elle est capable de se passer entièrement, quand elle le désire, des deux autres composantes pour initier, produire et financier toute seule ! En ce qui concerne plus spécifiquement le film d'auteur, c'est l'Institut National de l'Audiovisuel (INA) qui a d'abord aidé de manière spectaculaire entre 1975 et 1982 la création cinématographique par ses coproductions avec le meilleur du septième art. En fait le bénéfice était plutôt symbolique car la participation restait minime sur chaque film (généralement moins de 10 % du budget). Mais la liste des œuvres « aidées » force l'admiration : celles des plus grands cinéastes du moment, Français comme étrangers. Depuis 1994, Arte-La Sept agit à son tour sur le cinéma de création et particulièrement sur le jeune cinéma. Mais la chaîne le fait selon une politique radicalement différente puisque elle concerne beaucoup moins de films, produits par contre à 100 %, quitte à les sortir en salles parallèlement à leur programmation télé.

Depuis sept à huit ans, on est donc entré dans l'ère du cinétéléfilm (si initié par un producteur et l'avance sur recettes) ou du télécinéfilm (si initié par une chaîne et le COSIP, Compte de Soutien à l'Industrie des Programmes audiovisuels). Tous les films d'auteurs du jeune cinéma (et de plus en plus aussi du moins jeune) se retrouvent en effet aujourd'hui, par le jeu de leurs distributeurs/diffuseurs, destinés à la fois au grand et au petit écran sur lesquels ils passent dans n'importe quel ordre. Ainsi Pascale Ferran commence par le cinéma (*Petits Arrangements avec les morts*, 1994) mais *L'Âge des possibles* est dès l'année suivante un film TV ; *Les Roseaux sauvages*, d'André Téchiné, *L'Eau froide*, d'Olivier Assayas et *Trop de bonheur*, de Cédric Kahn sortent au cinéma pratiquement en même temps que leurs versions courtes (respectivement *Le Chêne et le roseau*, *La Page blanche* et *Bonheur*) tandis que Philippe Faucon ignore semble-t-il totalement la question des spécificités : *L'Amour* (1989) est un film de cinéma, *Sabine* un téléfilm présenté au Festival de Venise 1992 où son succès permet une distribution en salles, *Muriel fait le désespoir de ses parents* également une production télévisée diffusée en 1994 et sortie trois ans plus tard en 1997 au cinéma, *Mes 17 ans* est un téléfilm produit et diffusé en 1996 par F2 et *Samia* une coproduction qui, distingué au Festival de Venise 2000, fait début 2001 sa sortie cinéma…

En ce qui concerne la politique éditoriale, bien qu'Arte produise souvent film par film des œuvres qui seront diffusées en *prime time* (par exemple *Ressources Humaines*, de Laurent Cantet en 2001), la chaîne culturelle aime bien concevoir des séries en faisant appel à des cinéastes invités à imaginer des histoires répondant à une thématique donnée et à un certain nombre d'impératifs techniques (durée, budget…). Il y a eu ainsi, en 1994, *Tous les garçons et les filles…* composée de neuf téléfilms dont ceux signés A. Téchiné, O. Assayas et C. Kahn sont, comme on vient de le voir, sortis en salles. Sont venues ensuite *Les Années lycée*, quatre téléfilms diffusés de manière assez lâche entre 1994 et 1996 (celui de C. Klapisch a connu une sortie cinéma) et *2000 vu par…* (1998-1999) ne comprenant qu'une seule contribution française (*Les Sanguinaires*, de L. Cantet). En 2000-2001 s'est développé *Petites Caméras* série formée de cinq réalisations dont les deux premières (*La Chambre des magiciennes*, de Claude Miller et *Nationale 7*, de Jean-Pierre Sinapi) ont fait carrière au cinéma fin 2000 et début 2001. La qualité est souvent au rendez-vous : ainsi Laurent Cantet réutilise-t-il avec *Les Sanguinaires* le « coup scénaristique » de *L'Avventura*, d'Antonioni en filmant la disparition d'un penseur écologiste post soixante-huitard venu passer le 31 décembre 1999 avec quelques amis dans l'isolement total des îlots situés au large d'Ajaccio. Le culot paye, et ce petit film de 65 mn analyse avec à la fois délicatesse et cruauté les tensions du groupe qui conduiront au drame.

La politique fiction

En 2000, les six téléfilms de 60 mn formant la collection *Gauche Droite* ont été lancés sous le slogan « Arte invente la politique fiction ». La moitié sont sortis en salles : *Le Petit Voleur*, d'Éric Zonca dès le lendemain de son passage à l'antenne dans sa version originale ; *Retiens la nuit*, de Dominique Cabrera (sous le titre *Nadia et les hippopotames*) et *Le Détour* (*Les Marchands de sable*), de Pierre Salvadori un peu plus tard et en versions longues. L'idée de base de Pierre Chevalier consistait à placer le politique au poste de commande de l'inspiration des cinéastes (à la place de l'intériorité, de l'affect ou de la subjectivité) mais plutôt par le biais du film de genre que dans une perspective didactique ou militante. De fait, les œuvres obtenues proposent bien un regard politique sur le mal-être de la société actuelle mais n'offrent pas vraiment (et certaines même pas du tout) la réflexion sur le clivage de la « politique politicienne » que désigne le titre *Gauche Droite*. Ceux qui ont décliné la proposition (Arnaud Desplechin ou Cédric Klapisch) auraient-ils été en position de mieux faire ? Rien de plus sûr d'autant plus que Jean-Luc Godard, Claude Lanzmann et Bernard-Henri Lévy qui devaient réaliser à trois un film sur le désaccord n'ont pas su s'entendre pour y parvenir ! Aucune des six œuvres ne s'inscrit en tous cas dans le courant intimiste autobiographique. Un des téléfilms est un polar (*Le Détour*, P. Salvadori), un deuxième une comédie (*Tontaine et Tonton*, Tonie Marshall) et les quatre autres des tentatives de portraits en situation, c'est-à-dire des téléfilms de la veine psycho-sociale avec peut-être plus de psychologie dans *Le Petit Voleur* (É. Zonca) ou *Terres froides* (Sébastien Lifshitz) et davantage de social dans *La Voleuse de Saint-Lubin* (Claire Devers) ou *Retiens la nuit* (D. Cabrera).

Paradoxalement, c'est la comédie farfelue qui aborde le plus directement le sujet politique. *Tontaine et Tonton* suit deux dragueurs sur le retour tombant sur une fille « canon » fort accueillante. Malheureusement pour eux, c'est une doctorante complètement fêlée de son sujet François Mitterand. Davantage groupie que thésarde, elle jouit littéralement des prestations télévisées du Président comme de son portrait en chef Indien au plafond de la chambre ou de son effigie au fond des assiettes. En outre, cette Justine à l'érotisme ravageur (inattendue Emmanuelle Devos) décompresse entre deux doses trop fortes de Tonton en écoutant les disques de Dalida (Tontaine). Savoureux mixage entre érotisme et recettes culinaires, le film suggère par son début et sa fin sur des passants anonymes et des protagonistes secondaires que cette politicomania est en train de gagner le reste de la ville ! La façon dont Tonie Marshall se moque ainsi du sujet de la collection est jubilatoire car le dialogue sait lancer au passage quelques plaisanteries bien senties propres à déstabiliser l'encombrante statue du commandeur. Avec *Le Détour*, Pierre Salvadori abandonne pour sa part le ton très personnel de ses comédies aux personnages déjantés pour ciseler un beau polar tragique avec dealers de quartiers, frappes d'occasion et voyous à la petite semaine rattrapés par la mort. Le Dieu argent règne sur ce microcosme de marginaux que la peur de la taule transforme en meurtriers : on trahit pour cent francs et l'on tue pour mille. Dépassé par un scénario trop grand pour lui, le petit tenancier de bar étouffé par ses sentiments achève le massacre.

Les Terres froides raconte une histoire terrible : rejeté par le gros industriel qu'il pense être son père, Djamel se venge en couchant avec son fils homosexuel. Raconté ainsi, on dirait du Pasolini. Mais Sébastien Lifshitz n'est pas si radical car il passe 50 minutes sur 60 à souligner le caractère odieux du patron et à montrer au contraire combien le jeune beur est bien sous tous rapports : doux avec sa petite amie, manutentionnaire zélé, respectueux de la hiérarchie sociale et admiratif des valeurs bourgeoises. Si l'on ajoute que le cinéaste intrigue en prenant beaucoup de temps avant de dévoiler au spectateur que Djamel s'est fait embaucher dans cette entreprise dans le seul but de se faire reconnaître comme fils, on voit que toutes ces précautions de récit et de vraisemblance vident presque complètement la violence des données de base, émoussant par-là même la force du propos.

En situant son film au cœur des piquets de grève du mouvement des cheminots de décembre 1995, Dominique Cabrera prend le parti de filmer effectivement des discussions politiques et syndicales. Pourtant, bien que *Retiens la nuit* s'appuie sur des documents de première main recueillis par des sociologues dont l'un, Philippe Corcuff, signe le scénario avec elle, les ouvriers ne sont guère crédibles dans leurs occupations et dialogues de grévistes. Par contre, lorsque la cinéaste en enferme deux ou trois dans un véhicule lancé à l'aveugle sur des routes de nuit, le passage de la politique à l'intime et de la sphère publique au domaine privé s'opère avec bonheur malgré le handicap du personnage principal Nadia (insupportable Ariane Ascaride surjouant son rôle de mère célibataire au franc-parler) et quelques ressorts scénaristiques totalement extravagants (l'amant démissionnaire de Nadia se trouve être l'époux de la poinçonneuse de billets qui se prend d'intérêt pour elle !). Ces défauts ne résistent heureusement pas à la vérité des fêlures saisies dans les discours, les échecs cachés et les rodomontades de façade. Entre énergie et renoncements, les contradictions de beaux personnages fragiles nourrissent sans sectarisme leurs engagements professionnels dont les motivations ne sont pas seulement syndicales.

Le regard de Zonca biaise sur les données politiques réduites malicieusement dans *Le Petit Voleur* à un entraînement de boxe (gauche/droite, gauche/droite…) et à un improbable dialogue entre petits malfrats marseillais à propos des chaussures du ministre Roland Dumas. Mais Zonca colle à son personnage solitaire dont la chute et la rédemption ne concernent que lui, le caractère surjoué du petit voleur (Nicolas Duvauchelle placé d'entrée sous l'égide du poster de James Dean mais de manière différente du coup d'œil de Michel Poiccard à Humphrey Bogart dans *À Bout de souffle*) introduisant à un itinéraire mental qui répond au *road movie* de *Retiens la nuit*. Dès la deuxième scène avec la fille à laquelle il va voler sa paye, le garçon hurle sa révolte mais elle se moque de ses incohérences, le jugeant incapable d'assumer sa propre violence. Son impossible éducation d'apprenti gangster est filmée sèchement au milieu d'un monde d'une dureté inflexible. Si les articulations du récit sont parfois lourdement explicatives (l'attaque de la vieille dame avec un bandeau sur la figure pour ne pas être reconnue ; mais elle le démasque et la honte le submerge), Zonca touche par une mise en scène inspirée avec ses règlements de compte dans des arrières-cours plombées de soleil et ses humiliantes gardes d'une porte derrière laquelle une jeune prostituée exerce son commerce avec les petits caïds des bas-fonds marseillais. Le pouvoir qui pèse sur lui est de même nature que dans la boulangerie mais l'esquive remplace un temps la révolte jusqu'au casse manqué et à l'atroce blessure qui l'incite à rentrer : la grâce ? la peur ? *Le Petit Voleur* est un film dérangeant car le cinéaste n'aime pas son héros, mais il en a sans doute pitié.

Le film d'Éric Zonca et *La Voleuse de Saint-Lubin*, de Claire Devers s'opposent sur de nombreux points : le personnage (un apprenti malfrat – une mère de deux enfants aux ressources dramatiquement insuffisantes), la conception d'ensemble (une histoire d'initiation commençant par une descente aux enfers pour finir par le rachat – le froid regard clinique sur un récit judiciaire), le ton (filmage au plus près du corps du jeune homme – un dossier sociologique brassant toutes les composantes de l'événement). Dans un film dense aux ellipses hardies (le vol lui-même des 1 500 francs de denrées alimentaires dans le centre commercial), Claire Devers n'élude en effet aucune dimension du fait divers adapté. Le personnage ne perd pas ses droits mais se retrouve vite au centre d'une problématique qui la dépasse, récupérée par les partis, les luttes internes de la justice, la conception médiatique de l'information, la politique d'aides sociales… Le film élargit donc le regard que le spectateur porte sur ce qui lui arrive alors qu'Éric Zonca conserve la caméra braquée droit sur son jeune délinquant. Les six films possèdent ainsi chacun leur intérêt cinématographique. De plus, l'ensemble est assez juste pour ouvrir sur les écrans français (grands et petits) une fenêtre vers une vision sociale des comportements contemporains.

Face à cette politique à la fois ambitieuse et responsable d'Arte, on ne peut être que consterné de celle initiée par la « chaîne du cinéma ». Sans doute parce qu'elle produit 80 % des films français, son émission le « JDC » (Journal du Cinéma) animé par l'équipe d'Isabelle Giordano ne brille guère par la pertinence de ses analyses : il faut ratisser large puisque tout passera un an après sur Canal Plus. Or, peut-être un peu déçus par cette nécessité quasi-statutaire de tout produire, ce qui dissuade d'affirmer des choix artistiques, les responsables de la chaîne ont créé « Canal Écriture » pour susciter la mise en route du type de films qui leur paraît devoir être privilégié aujourd'hui. Ainsi, à coté du groupe des jeunes cinéastes issus des Écoles de Cinéma (FEMIS, Louis Lumière), on trouve désormais quelques réalisateurs issus de Canal Plus. Ce sont des amoureux du cinéma américain (Stanley Kubrick, Martin Scorsese, Les frères Coen...) et souvent de Luc Besson, persuadés que le cinéma doit trouver les moyens techniques et financiers de travailler en direction du grand public français comme étranger au lieu de viser la sortie dans trois salles d'Art et d'Essai parisiennes. L'art, l'expression passent donc au second plan derrière la fonction communication. Ces « m'as-tu-vu Canal Plus »[1] ou « jeunes vieux cinéastes français »[2] sont en particulier Edouard Baer (animateur à Canal Plus, il s'attribue le premier rôle de *La Bostella*, 2000, à l'humour prétendument décalé), Jan Kounen (Hollandais réalisateur de très nombreux vidéo-clips et publicités en Grande-Bretagne avant *Dobermann*, 1996, adapté des polars débridés de Joël Houssin. Tout y est excessif, speedé, techno, manga, « clipub » et ultra violence sans distance à la mode *Nikita*) et Albert Dupontel (interprète et auteur de *Bernie*, 1996, un peu dans l'esprit de *Hara-Kiri*, Karl Zéro, Jeunet et Noé, mais dans un style pétard mouillé avec sang et sexe traités en farce de mauvais goût). Tout cela constitue un cinéma visant bas mais avec coups d'œil de complaisance (genre manipulateurs de masses suggérant second degré pour initiés), afin de faire croire qu'on pourrait faire du Bresson mais qu'on a choisi – pour être populaire – de faire du Zidi. Peut-être pourrait-on être plus indulgent avec Nicolas Boukhrief, co-fondateur de *Starfix*, rédacteur du « JDC », scénariste de Jean-Jacques Zilbermann et Mathieu Kassovitz, réalisateur d'œuvres sincères comme *Va mourire*, 1994, puis *Le Plaisir et ses petits tracas*, 1998.

Par crainte de dépendance esthétique, trois producteurs-cinéma s'allient au printemps 2001 pour créer des films en toute indépendance sans co-productions ni pré-achats TV. Ces nouveaux *Films Pirates* dirigés par Paulo Branco (producteur de R. Ruiz, A. Tanner, M. de Oliveira), Humbert Balsan (Y. Chahine, S. Veysset, Ph. Faucon) et Gilles Sandoz (R. Guédiguian, C. Kahn, D. Cabrera) n'auront qu'une seule contrainte, celle du petit budget (1 million d'euros) mais décident de produire aussi bien des premiers longs métrages que des auteurs confirmés, en 35 mm comme en DV. À suivre...

Le documentaire de création

Séries Arte ou Canal Écriture s'intéressent en tous cas présentement surtout à la fiction. Mais au tournant de la décennie quatre-vingt-dix, le petit écran fait d'autre part un effort sérieux pour relancer le documentaire d'auteur naufragé dans les salles à la fois comme long métrage et comme court depuis que la publicité de l'entracte s'était substituée à l'avant-programme. Cet intérêt ne

1. Formule d'Antoine de Baecque, *Cahiers du Cinéma*, n° 527, septembre 1998.

2. Formule de Jérôme Larcher dans le même numéro.

profite pas qu'aux « anciens » (Alain Cavalier avec ses *Portraits*, 1987-1990 ; Jean-Michel Carré et ses enquêtes sur la prostitution ou Chris Marker filmant *Le Tombeau d'Alexandre*, 1993) car Claire Simon peut aussi tourner *Récréations* (1992), étrange étude des comportements d'enfants d'école maternelle évoluant dans la cour en-dehors de toute intervention d'adultes. Outre ce que l'on savait – des caractères déjà bien affirmés dans des relations de pouvoir et plutôt de domination que d'échange –, Claire Simon apporte l'image d'un système de rapports totalement extérieurs au monde de la communication : la psychologie enfantine demeure une énigme fascinante que le film donne envie de percer. En mêlant son amour des chats et des interrogations impertinentes sur l'animalité à sa visite de l'École Vétérinaire de Maisons-Alfort, Marianne Gosset fait elle aussi œuvre curieuse : *Ne Réveillez pas le chat qui dort...* (2000) explore les rapports hommes-animaux et la place que ces derniers occupent dans « notre » monde. Musique, commentaire et cadrages ennoblissent le propos tandis que chiens et chats procurent l'émotion attendue. Au générique, unité de programme Arte de Thierry Garrel et « Films d'Ici » de Richard Copans composent un des meilleurs tandems de production du cinéma du réel.

Après un long métrage tourné tout seul en vidéo (*Et la vie*, 1991, tableau d'une classe ouvrière dont la crise industrielle, de Dunkerque à Marseille, a fragilisé repères et valeurs, plongeant plus d'un dans le désarroi ou la révolte), Denis Gheerbrant rentre lui aussi en 1992-1993 dans le système télévision-cinéma avec *La Vie est immense et pleine de dangers* (90 mn, version salles) – *Un Enfant est malade* (60 mn, version petit écran) tourné dans un centre anti-cancéreux pour enfants. Par sa discrétion chaleureuse mais insistante, Gheerbrant obtient du jeune malade une liberté d'expression intense et donne à l'enquête sociale la forme d'une relation amicale entre filmeur et filmé, la fragilité du premier étant aussi évidente que la vulnérabilité du second. Dans *Au Bout de l'enfance* (version TV 1997) ou *Grands comme le monde* (version cinéma, 1998), Gheerbrant suit quelques garçons de 4e dans un collège de la région parisienne où noirs et beurs constituent la majorité. Pour le cinéaste, à cet âge de passage entre enfance et adolescence, tout semble encore possible, rien n'est irrémédiable : ni la violence, ni la drogue, ni le racket ou les contraintes religieuses intégristes n'entament l'énergie des collégiens dans cet îlot de droit que constitue encore le collège, il est vrai de plus en plus secoué par les coups venus de l'autre coté des grilles. C'est à peu près le même âge que filme Manuel Poirier (*D'un Enfant à l'autre*, 1998) mais en éclatant le propos en seize portraits autonomes enregistrés le plus simplement du monde aux quatre coins de la France. Le cinéaste pose avec douceur en voix *off* les grandes questions du bonheur, du racisme, de la pollution, l'injustice, l'amitié ou l'amour. Chaque jeune de CM1, CM2 ou 5e a choisi le lieu où il est interrogé et tous les entretiens ont été conservés pour former un kaléidoscope qui tire son prix de la confiance que l'on a dans l'honnêteté artistique du cinéaste.

La non-fiction retrouvant ainsi sa place d'œuvre à part entière, la production cinématographique elle-même reprend l'initiative et c'est Jacques Perrin (Galatée Films) qui monte en 1993 le projet de *Microcosmos* qui deviendra en 1996 le plus étonnant succès documentaire de la décennie. Le film est réalisé par deux scientifiques – Claude Nuridsany et Marie Perennou – qui tournent pendant trois ans avec des moyens techniques sophistiqués la vie de centaines d'insectes pour reconstituer le temps d'une journée d'été dans les herbes d'une prairie en Aveyron. Délaissant l'approche pédagogique au profit d'une recherche de la beauté des images (couleurs, lumière, profondeur de champ), le film travaille le rythme et la bande son-musique pour aboutir à une superbe réussite esthétique. Sans anthropomorphisme facile, tous ces êtres vivants sont quand même filmés comme des personnages, ce qui introduit un vertige jouissif dans l'observation de ce monde d'êtres minuscules traités avec agrandissements, ralentis ou accélérés. En 2001, Perrin réitère son exploit avec *Le Peuple migrateur*. Jeunes cinéastes ? En tous cas un premier long métrage. Cinéma-Télévision ? Cinéma, mais qui n'aurait pas été initié par la production si la télévision n'avait pas prouvé depuis plusieurs années qu'il existe un public pour le documentaire. D'où, aussi, le succès des *Terriens* sorti au début de l'été 2000. Le 11 août 1999, la toute petite commune de Vattelot, en Haute-Normandie, se trouve sur la ligne d'effet maximum de l'éclipse totale de soleil. Pendant tout le mois précédent, Ariane Doublet filme les paysans qui se préparent à l'afflux de touristes, ou plutôt vivent leur vie de tous les jours. En fait, ce point de mire fera que la séquence (finale) de l'éclipse atteint une réelle émotion car vécue par des personnages auxquels on s'est progressivement attaché. La cinéaste a su trouver la bonne distance et ces quelques agriculteurs sont superbes de simplicité, de sincérité, de drôlerie. Ce sont de bonnes natures affables, contents de s'exprimer tout en trayant les vaches ou rentrant les moissons, suspendus au pluviomètre et fidèles à tous leurs petits « trucs » d'agriculteurs respectueux des traditions. Ces *Terriens* sont furieusement sympathiques : sachant jouir de la vie, modestes, efficaces, bien sur leur terre, dans leur peau et leurs rapports humains, le tout saisi avec malice, complicité et amour, en respectant la beauté du rythme lent de la vie rurale. Dans le genre opposé du journalisme d'investigation, Pierre Carles, venu de la télévision, a tourné également au cinéma un film enquête – *Pas vu, pas pris*, 1998 – et un portrait – L'homme et ses idées – de Pierre Bourdieu : *La Sociologie est un sport de combat*, 2001.

Le numérique : les petites caméras DV

Depuis 20 ans et de multiples façons, la télévision fait donc évoluer le cinéma : le concept même des *Histoire(s) du cinéma*, de Jean-Luc Godard (son montage, ses incrustations d'images) n'aurait pas été envisageable au cinéma pour d'évidentes raisons financières et de diffusion, mais aussi pour une question de support. Chris Marker de son côté propose avec *Immemory* une utilisation artistique du CD-Rom.

Les journaux intimes

Ainsi les innovations techniques ouvrent de riches pistes à la créativité et si certaines ont eu plutôt des conséquences commerciales (le Parlant, le CinémaScope…), d'autres ont immédiatement intéressé les artistes (les équipes légères de la Nouvelle Vague, le 16 mm du « direct »). C'est le cas de ce qu'on appelle aujourd'hui « les petites caméras » apparues à l'extrême fin de la décennie 1990 sur le marché amateur où elles marquent l'entrée du numérique. Si la vidéo avait pu représenter le cinéma à la portée de tous et le caméscope la caméra pour chacun, le DV (nom donné à la génération numérique) amène une telle amélioration de qualité d'image et de simplicité d'usage que les petites caméras peuvent prétendre dépasser le marché amateur pour intéresser des créateurs désireux de tourner seuls, ou plus vite, ou mieux ou d'une autre manière, surtout s'ils sont jeunes et sans financement classique. 16 minutes, vidéo, puis Vidéo Digitale (DV) : toujours plus petit et moins cher, formats puis supports non seulement de substitution mais se rapprochant chaque fois un peu plus du concept de « caméra stylo » développé dès 1948 par Alexandre Astruc pour réaliser un film comme on écrit un roman ou son journal intime. On a dit avec raison que le 16 mm (et surtout sa version améliorée le Super 16) a sauvé le cinéma d'auteur dans la seconde moitié des années 1960 en faisant baisser considérablement les coûts sans modifier vraiment le rapport du cinéaste à son œuvre. Mais la vidéo fut reçue avec plus de réticence par les réalisateurs car le travail n'était plus tout à fait le même et la diffusion décevante (mauvais transfert de la bande magnétique sur pellicule pour passage en salles). Avec le numérique le changement est encore plus grand mais les avantages (miniaturisation, image supérieure à la vidéo, prix de revient plus bas, kinescopage plus satisfaisant que le transfert bande sur support 16 ou 35 mm…) décident certains cinéastes à oser le saut (par-dessus la vidéo) en passant directement du 35 mm au DV. Bien sûr « les petites caméras » ne concernent pas les films comme *Le Pacte des Loups* (Christophe Gans, 2001) plutôt d'ailleurs pour des questions d'habitude et de standing que de nécessités intrinsèques à la super production (*Dancing in the Dark*, comédie musicale à grand spectacle, ayant bel et bien été tourné avec des caméras DV par Lars von Trier, en 2000). Mais elles élargissent le champ des possibles de l'accès à la création. Aussi Alain Cavalier suggère-t-il de révolutionner l'enseignement de la Femis en supprimant les exercices de tournage « lourd » pour donner à tous les étudiants de section réalisation des petites caméras DV.

Cavalier, précisément, sait de quoi il parle, lui qui a montré la voie depuis quinze ans en inventant un nouveau style de tournage avant que le matériel adéquat ait été mis au point, un peu comme Jean Rouch faisait du « direct » en Afrique en 1954 avec *Les Maîtres fous* six ans avant *Chronique d'un été*, premier film enregistré en son synchrone à Paris en 1960. En 1987 puis 1990, Cavalier réalise pour la Sept deux fois douze portraits en 16 mm avec seulement trois personnes (opérateur, ingénieur du son, assistant) et une journée de tournage. En 1996, il filme sa *Rencontre* (avec une femme) tout seul en vidéo et, depuis, n'arrête plus de tourner avec sa petite caméra (d'abord vidéo puis DV), pas vraiment un journal mais des gens qui l'intéressent, qui l'inspirent, avec lesquels il est en sympathie. Fin 2000, il monte quatre de ces essais : c'est *Vies* s'ouvrant aux autres comme *Rencontre* s'intéressait à lui et à sa compagne au travers des objets témoins qui racontaient leur histoire de couple.

On voit bien les origines de ce cinéma : d'une manière générale le « home movie » américain, mais plus précisément le *Journal filmé,* de Joseph Morder commencé dès 1967 en Super 8, et toute l'esthétique du groupe Dogma fondé en 1995 à Copenhague puis révélé à Cannes en 1998 par *Les Idiots*, de Lars von Trier et *Festen*, de Thomas Vinterberg, deux films de fiction tournés en vidéo, le premier dans le genre constat d'une expérience psychosociologique et le second se présentant comme une saga familiale (entre *La Splendeur des Amberson*, d'Orson Welles et *Dallas*, le célèbre feuilleton américain ancêtre des Sitcoms). Si l'on ajoute qu'en 2000, Agnès Varda filme elle-même avec une caméra numérique plusieurs séquences de son généreux et savoureux documentaire *Les Glaneurs et la glaneuse*, on arrive à un ensemble flou d'où se dégage plutôt un esprit qu'un style. La DV n'amène par exemple aucune rupture dans l'œuvre de Varda ; on ne perçoit pas de changement dans sa manière de saisir le réel depuis *La Pointe courte* (1954), *Le Bonheur* (1965) ou *Daguerréotypes* (1975) ! C'est la petite caméra comme prolongement du geste (du peintre ou de l'écrivain) mais encore comme fixation du regard car, si elle favorise l'observation de soi-même (intimisme), elle facilite aussi les contacts, donc l'approche de l'autre.

Dans ce cas, il est vrai, on est toujours du côté du réel et de sa saisie, mais *Festen* ou *Dancing in the Dark* se servent par contre de petites caméras pour tourner des films de fiction interprétés par des acteurs professionnels. On retrouve aujourd'hui ces deux courants opposés chez les jeunes cinéastes français, mais il faut mettre d'abord un peu à part les essais pionniers de Sophie Calle et Dominique Cabrera réalisés en vidéo bien avant le DV et qui creusent jusqu'au vertige, l'une la « performance » de vidéo art et l'autre la confession intime, en fait deux façons de se colleter à la fois au jeu et au je. Sur une structure de *road movie*, *No Sex Last Night* (1995) permet surtout à Sophie Calle de poursuivre la veine provocatrice de son travail de photographe. L'intérêt réside davantage dans l'argument (traverser les États-Unis en vieille Cadillac essoufflée pour se faire épouser à Las Vegas par Greg Shepard, ancien partenaire sexuel plutôt rétif) que dans le film fort malhabile à mêler – autrement que par une voix *off* envahissante – la vie et le cinéma. Par contre, *Demain et encore demain, Journal 1995* (sorti en 1998) est un vrai journal intime filmé au camescope par Dominique Cabrera après une dizaine de documentaires, l'année précédant la réalisation de son premier long métrage de fiction *De l'autre côté de la mer*. Si la cinéaste annonce d'entrée « je fais ce film pour reprendre contact avec le monde extérieur, avec autre chose que ma peur », il s'agit pourtant d'une auto-thérapie de caractère artistique comme en témoignent, dès le tournage, les cadrages, le travail sur le son et, surtout, le montage aboutissant aux 80 minutes composées, transférées sur pellicule et présentées en salles. Il n'en reste pas moins que *Demain et encore demain* témoigne de la lutte émouvante contre une terrible dépression de cette femme qui doute d'elle, de sa valeur de mère comme de fille, suicidaire certes, mais que, justement le cinéma aide à vivre puisque Dominique Cabrera dépasse le journal intime (qui existe effectivement à l'image : elle écrit sur un cahier mais n'en donne à lire que quelques mots épars) pour accéder à une expression et une communication esthétiques. La cinéaste ne recule ni devant les images gênantes (cet appartement sale, en désordre, ses étreintes physiques avec le vieux Didier Motchane), ni devant les problèmes épineux (son attitude – et celle de ses proches – aux élections présidentielles, ses rapports avec son fils...). Quand le dispositif (elle tourne seule) devient trop lourd, elle laisse la caméra à son fils ou à son amant et l'autoportrait délégué prend un autre tour. La cinéaste sait trouver la forme pour exprimer ses angoisses, faire sentir les hauts et les bas dans un film appartenant à un véritable genre cinématographique et non au domaine amateur du *home movie* brut. L'auteur est à l'écoute des autres et pas uniquement égocentrique ; mais elle emploie le murmure de la confession et conserve la sensation de l'unique comme un véritable appel au secours. Sans doute fallait-il cette hyper-sensibilité pour réaliser *De l'autre côté de la mer*. On est d'abord troublé de son impudeur puis tout se met en place et, une fois la maison d'en face détruite, on la voit avec plaisir se reconstruire à l'image de la personnalité de l'auteur.

À peu près au même moment, Vincent Dieutre parle à la première personne dans *Rome désolée* (1996) de son homosexualité et surtout de la drogue. Le principe et le rapport sont ceux de *Demain et encore demain ;* pourtant la marginalité de l'auteur comme à la fois le tragique de sa descente aux enfers et la forte charge symbolique des quartiers les plus sordides de la ville éternelle concourent à l'élaboration d'un intense appel de fiction. Le journal intime se poursuit dans *Leçons de ténèbres* (2000), mais le cinéma prend encore plus d'importance par un étonnant dispositif de tournage (à Utrecht, Naples et Rome, Dieutre se fait suivre par deux opérateurs dans ses visites aux musées et surtout ses aventures sexuelles, sans contrôler leurs prises de vues), par une palette de trois supports (surtout de la vidéo, mais aussi du 35 mm et du Super 8) et l'étrange distance mise par une voix off qui dit « tu » au personnage que Dieutre interprète lui-même. Le film se construit sur la tension entre, d'une part l'intimisme glauque de cette nuit sans fin de drague et d'étreintes plutôt tristes et, de l'autre, la fiction d'un voyage d'artiste sur les traces de la création du Caravage. Le beau et la douleur dialoguent au niveau des corps en un lamento où les tonalités de la vie et de l'art se fondent dans une image dorée qui constitue la vraie réussite d'un film souvent irritant (par son commentaire autocomplaisant, son dévoilement maniériste des projecteurs sculptant la lumière de scènes que l'on croyait prises sur le vif) et par ailleurs ennuyeux par son principe de ressassement et d'indétermination. Tournant en Super 8 *Omelette* (1997), Rémi Lange ajoute à la confession un dispositif propre à surmonter la difficulté de l'aveu puisqu'il reste derrière sa petite caméra pour apprendre à sa famille qu'il est homosexuel et enregistrer les réactions sur le vif. Mais comme tout le monde lui dit qu'il a raison de faire ce qu'il veut, le film tourne à la blague et ne tient pas la distance. La suite – *Les Yeux brouillés*, 2000 – n'est plus que voyeurisme égocentrique avec la banalité déplaisante du ballet de ses amants.

Fiction et DV

Ainsi la voie de l'essai DV se constitue en sous-genre, certes propice à tous les dérapages, aux ébauches ne gagnant rien à sortir de la sphère privée, mais aussi, parfois, à des œuvres qui n'auraient pas pu avoir d'existence autrement, comme en témoignent quelques « journaux intimes », série diffusée par Canal Plus en janvier 2001 : dans *Ceci est une pipe*, le couple homosexuel des acteurs-réalisateurs Patrick Mario Bernard et Pierre Trividic se livre à une réflexion sérieuse mais aussi humoristique sur la pornographie et, justement, sur le genre « journal intime ». Le réel est fort malmené et le film propose une représentation complexe dont l'artificialité touche plus juste que la réalité attendue. *HPG, son vit, son œuvre,* d'Hervé-Pierre Gustave est plus direct : ce journal d'acteur atypique du porno comique (sic) s'adresse sans détour au voyeur-téléspectateur avec un masochisme auto-dérisoire mais douloureux. Hors télévision, Jean-Claude Rousseau, lui, ne parle pas de sa sexualité mais communique son sens de la beauté dans des films Super 8 topologiques et contemplatifs (*La Ville close*, *Les Antiquités de Rome*, MMs, 2000).

Avec *Adieu Babylone* (2000), on abandonne l'autoportrait pour le film de voyage – autre classique du domaine amateur –, mais Raphaël Frydman le maquille en fiction grâce aux errances d'une comédienne – Isild Le Besco – lâchée sur un canevas scénaristique qui ne tient pas la distance. C'est sans doute pour éviter ces tentatives hybrides qui ne savent pas se situer qu'Arte a initié sa série « Petites caméras » en 2000 sur des parti-pris très clairs : tourner en DV mais des films de fiction avec une histoire, des personnages, des comédiens, bref les écrire et les concevoir comme s'ils devaient être filmés en 35 mm ! C'est pourquoi la première expérience est confiée au cinéaste chevronné Claude Miller adaptant un roman qu'il voulait déjà porter à l'écran de manière classique avant d'être séduit par la commande et le cahier des charges d'Arte : *La Chambre des magiciennes* montre que, loin de devoir rabattre ses ambitions, l'auteur peut au contraire profiter d'autres avantages inhérents au DV sans renoncer à aucune de ses exigences stylistiques. Moins maîtrisé, *Nationale 7*, de Jean-Pierre Sinapi conserve le naturel un peu chaotique des faits et personnages réels qui ont inspiré le scénario. On retrouve d'ailleurs l'esprit humaniste social des films de Jacques Fansten, producteur de la série, dans cette histoire où l'arrivée d'une nouvelle aide-soignante dans un foyer pour handicapés va faire éclater les non-dits et miner la bonne marche de l'établissement dont la politique se cherche entre la foi du curé et les théories du psychologue. Un myopathe diabétique au caractère épouvantable veut à tous prix faire l'amour et un beur homosexuel musulman a décidé de recevoir le baptême. Ils y parviennent tous deux et d'autres pensionnaires profiteront aussi des visites organisées aux prostituées exerçant en caravanes sur les parkings de la N7 ! Cette sympathique révolte des oubliés de la société des biens-portants est filmée avec une chaleur fraternelle et un humour revigorant, Sinapi se tirant avec bonheur d'une entreprise risquée (ne serait-ce que mélanger de vrais et faux handicapés) par de réelles qualités de tact, sinon toujours des idées de cinéma. Le DV permet de ne plus faire la différence entre répétitions et tournage : tout est filmé depuis le début (or les non-professionnels donnent souvent le meilleur dès le premier essai) et à plusieurs caméras, ce qui offre au montage le choix entre les bonnes images d'un grand nombre de prises. De plus, très vite, les interprètes ne savent plus vraiment où sont les caméras et laquelle est en train de les filmer ; ils s'habituent donc à jouer pour le partenaire et non pour l'appareil. Quant à la qualité de l'image, jugée selon les critères du 35 mm on la trouvera inférieure, mais elle a d'autres caractères – notamment une sorte d'hyperréalisme pour parler comme en peinture – dont on peut tirer avantages.

Séduit par l'intérêt du procédé, Jean-Marc Barr y a trouvé l'opportunité de passer à la réalisation. Acteur vedette, en 1988, du *Grand Bleu*, de Luc Besson, il avait beaucoup apprécié de tourner en 1991 *Europa*, de Lars von Trier. Enthousiasmé par *Dogma 95* et ayant vu *Les Idiots* avant même la présentation au festival de Cannes 1998, il se lance aussitôt selon ces principes et une petite caméra DV dans le tournage de *Lovers* (1998). Puis, toujours en Anglais et avec Pascal Arnold, il enchaîne *Too much Flesh* aux États-Unis (dont il est originaire) en reprenant Élodie Bouchez cette fois face à Rosanna Arquette et tourne aux Indes *Being Light* en 2000. Cette « Free Trilogy » (« liberté d'aimer, liberté de baiser et liberté de penser » selon les mots de l'auteur) a coûté en tout 18 millions de francs, c'est-à-dire le prix d'un seul film français de budget moyen. Si le matériel était la DV, il y avait par contre des professionnels à tous les postes dont l'habileté a permis l'enregistrement de quatre à cinq séquences par jour. Le Kinescopage donne un grain un peu étrange, brut, mais qui servirait plutôt ces histoires saisies sur un rythme haletant. Mais la faiblesse du scénario de *Lovers* et la frénésie d'une caméra qui fait absolument n'importe quoi sans aucune raison dramatique aboutissent à un résultat très décevant. L'ensemble véhicule pourtant un esprit parfaitement conforme au « film d'ados ». Il a donc été distribué dans tous les pays européens où il a trouvé son public et *Too much Flesh,* histoire d'amour romantique traitée sans fioriture, est déjà plus convaincant. La formule est donc efficace. Reste seulement à attendre que d'autres jeunes à l'univers personnel plus fort et ayant un véritable style décident de faire de la même manière leur premier film au lieu de peaufiner longuement une continuité dialoguée puis de monter une production classique, c'est-à-dire de passer deux ou trois ans entre la conception du sujet et le premier jour de filmage, s'épuisant en tâches non cinématographiques, laminant les envies et les énergies avant même de commencer la phase décisive du tournage.

Un cinéma de l'écrit et de la parole

Le cinéma de texte est une tradition française, depuis le temps du Muet pourrait-on dire par boutade. L'adaptation romanesque et théâtrale règne sur le cinéma depuis les années 1910 avec scénarisations paradoxales des œuvres d'un Shakespeare ou d'un Zola puis avec l'apparition du Cinéroman.

Une tradition nationale

Dès l'arrivée du Parlant, le théâtre filmé envahit les écrans et le Réalisme Poétique éclaire ou nimbe de brumes les brillants dialogues de Jacques Prévert ou Henri Jeanson tandis que les plus grands cinéastes tournent les histoires de Charles Spaak. Dégénérant après-guerre en « qualité française », cette esthétique s'enferme dans des huis-clos de studio où la mise en scène sert surtout à mettre en valeur les dialogues par le travail sur la lumière. Le cinéma ne sort alors à l'extérieur que pour de prestigieuses adaptations littéraires type *Le Diable au corps* ou *Notre Dame de Paris* mais préfère s'enfermer dans les prétoires (films d'André Cayatte). Que certains films de la période soient des chefs d'œuvre ne change rien au fait que cette tendance est alors prépondérante, comme le prouve la permanence au premier plan du cinéma français des films de Sacha Guitry et de Marcel Pagnol pendant les décennies 1930 et 1940.

Certes la Nouvelle Vague constitue une rupture : les cinéastes sortent dans la rue et refusent les services des dialoguistes. Mais l'inspiration psychologique[1] reste héritée d'une tradition d'où la notion même d'auteur est directement issue. D'ailleurs, la Nouvelle Vague a elle aussi ses scénaristes – Paul Gegauff (films de Claude Chabrol), Jean Gruault (François Truffaut), Daniel Boulanger ou Jean-Claude Carrière (Louis Malle) – et Alain Resnais ne travaille qu'avec des grands romanciers (Marguerite Duras, Alain Robbe-Grillet, Jean Cayrol, Jorge Semprun…). D'autre part, certaines œuvres emblématiques des années soixante-dix (*La Maman et la putain*, de Jean Eustache, 1972, *India Song*, de Marguerite Duras, 1974, et toute l'œuvre de Bertrand Blier) témoignent de cette résistance du texte.

Souvent moteur de l'action dans le cinéma français, la parole constitue d'ailleurs son image de marque à l'étranger. De fait les films de Rohmer s'exportent bien aux États-Unis dans les quelques salles du pays qui ne passent pas exclusivement des films américains, à la fois parce qu'ils semblent furieusement typiques de notre culture… et qu'ils rappellent paradoxalement l'âge d'or de la comédie hollywoodienne elle aussi généreusement dialoguée ! Nous allons y revenir. *La Discrète* (Ch. Vincent, 1990) appartient évidemment à cette mouvance, tout comme *Encore* et *Rien sur Robert* (1996, 1999), de Pascal Bonitzer, lequel a fait justement, avant de passer à la réalisation, une longue carrière de scénariste auprès de René Allio, André Téchiné, Jacques Rivette et Raoul Ruiz dans les années quatre-vingt pendant lesquelles Jean-François Goyet cisèle de son côté situations et dialogues des films de Jacques Doillon. Le texte n'a donc jamais cessé de vivifier le cinéma national dont une grande partie reste très attachée à un contexte de vraisemblance et de mimésis proche de la transparence hollywoodienne. Olivier Assayas fournit lui aussi l'exemple de cette école de l'écriture (critique, puis scénariste, d'abord avec son père à la télévision, ensuite pour Laurent Perrin et André Téchiné) qui le conduit en 2000 à réaliser *Les Destinées sentimentales*, d'après le roman oublié de Jacques Chardonne.

Le jeune cinéma des années quatre-vingt dix est évidemment tributaire de cet héritage d'autant plus qu'aucun film d'auteur ne pouvant se monter sans l'obtention préalable de l'avance sur recettes, tout jeune cinéaste doit convaincre par écrit. Certes on raconte volontiers que Jacques Rivette obtint en 1975 quatre avances sur recettes d'un coup sur quelques feuillets à peine décrivant vaguement un ensemble à quatre volets (« Les filles du feu ») ou que Jean-Luc Godard s'est vu accorder l'Avance pour *Passion* sur la présentation d'une préparation en vidéo. Mais les temps ont changé, ce sont des exceptions et ce que

1. Voir *Les Scénaristes français*, réuni par René Prédal, *CinémAction* HS, 1991.

l'on accepte de Godard ou Rivette ne saurait être admis d'un candidat débutant. Le scénario constitue donc le document indispensable à toute décision de production et de demandes d'aides. Or le tapuscrit doit être le plus complet possible pour permettre aux décideurs d'imaginer ce que sera exactement le film. Aussi les idées d'un auteur de film naissent de concepts écrits à une table de travail davantage que du contact avec le réel et les choix de montage consistent généralement à exécuter les idées de découpage ou de narration. Bref, l'essentiel provient de l'écriture-papier ; le son ne fait souvent qu'« assurer » en tonalités d'ambiance et les options de lumière comme de mouvements d'appareil apparaissent en majorité fonctionnelles ou purement conceptuelles : tourner en Noir et Blanc, utiliser exclusivement le 40 ou le 50 mm, supprimer tout éclairage artificiel, choisir le son direct, refuser la musique off, privilégier les gros plans de visages… De toutes manières le tournage sera une course contre la montre en six semaines ; on a donc intérêt à aller au plus simple, d'où cette esthétique pauvre, cette mise en scène en creux qui conduit à une prédominance des styles linéaires, sobres, minimalistes dont les plus grands ont su extraire la quintessence (Robert Bresson ou Jean Eustache). Mais à l'inverse guettent les facilités du téléfilm : trop de réalisations n'utilisent qu'une part réduite des immenses richesses potentielles du langage cinématographique pour enregistrer simplement un scénario dont la dictature pèse alors lourdement. Les réécritures multiples nécessitées par la succession des aides qui ont toutes leurs spécificités et donc leurs exigences ne bénéficient pas forcément au film qui y perd parfois sa dynamique et son identité. Seule la complexité souvent séduisante du récit pourrait être considérée globalement comme une conséquence positive du temps fort long consacré à l'écriture. Mais dans l'ensemble le film français souffre d'un déficit de cinéma qui peut être heureusement – dans le meilleur des cas – compensé par une grande place faite au réel (pour certains premiers films « cris »).

La comédie « screwball » à la française

La solution artistiquement la plus satisfaisante reste cependant la surenchère, consistant à trouver l'esthétique correspondant, ou plutôt transcendant l'économie du projet : petit budget, donc peu de temps, peu de lieux, peu de moyens et une mise en scène entièrement au service des personnages parlants. C'est le « modèle » Éric Rohmer : tout est dit, mais qu'est-ce qui est vraiment dit, qui parle et comment sont exprimées les choses ? La parole peut être vérité ou mensonge, manipulation, séduction… Il y a d'infinies manières de dire et de se taire : le ton, les gestes, les comportements deviennent déterminants ; l'interprétation prend en charge une part importante du sens, mais aussi la topographie, la météorologie, la lumière, le décor dans une micro mise en scène adaptée aux biopsies sentimentales de l'auteur des Contes Moraux. C'est le cinéma choisi par Sophie Fillières avec *Aïe* (2000) ! Comment filmer la parole ? Oubliant son premier long métrage *Grande Petite* (1994), elle reprend en effet le savoureux pari de son court métrage *Des Filles et des chiens* (1991) où deux adolescentes (séparées par un vélo) conversaient sur le mode « préfèrerais-tu avoir une tête de cochon ou que ton père meure ? ». Si Rohmer travaille la psychologie, la jeune cinéaste creuse l'absurde (l'héroïne s'« avoue » extra-terrestre venue en mission d'une autre galaxie) et surtout l'appel de fiction à partir d'un dispositif verbal jouant sur un double décalage, entre pensée et parole (la fille propose au dragueur malhabile de faire comme si elle était amoureuse de lui) et entre le dire et le faire (elle est affectée – ou, là aussi, joue à s'affecter – d'une dégoûtante boulimie suivie de vomissements !). Les mots seuls font donc avancer une intrigue virtuelle initiée par une Hélène Fillières (la sœur de la réalisatrice) superbement portée par cette performance réjouissante, André Dussolier ayant par contre un peu de mal avec son rôle, en retrait sur le plan dramatique alors qu'en premier plan dans toutes les scènes ! *Aïe* propose un marivaudage où le passage à l'acte ne se fait pas sans mal. Le brio des partis pris de mise en scène (les champs-contre champs convenus chaque fois vivifiés par un détail), le sens de la litote et du transfert des affects (on ne verra jamais la fille vomir mais, à la place, une scène de section d'un bout de cordon ombilical pourri particulièrement nauséeuse) déclinent toutes les composantes de la donnée de base, le physique s'imposant au verbal aussi bien par la répugnance que par l'érotisme (la minijupe empêchant la serveuse de s'asseoir) et renouvelant complètement l'approche du classique « film de couple ».

La prégnance de la parole, assez générale dans le cinéma national, prend ici une forme particulière qui fait un peu de *Aïe* le prototype d'une comédie « screwball », à la française. On connaît l'origine de la formule : « Il existe, au baseball, un lancer qui s'appelle *screwball* et qui fut perfectionné par un lanceur du nom de Carl Hubbell dans les années 1930. C'est un lancer qui fait tournoyer la balle, [la fait] voltiger en quelque sorte et retomber et se déplacer de façon totalement inattendue... La comédie *screwball* n'était pas conventionnelle et allait dans des directions inattendues »[1].

Traduit parfois abusivement par le terme plus ample de « comédie américaine », ce type de film des années trente à Hollywood, se caractérise par la finesse scintillante des dialogues, un rythme frénétique, l'audace ou l'absurde des situations, l'incursion astucieuse de zestes burlesques, question de dosage, de savants déséquilibres entre naturel et sophistication, sérieux et frivolité, conformisme et critique, loufoque et raisonnable, rires et larmes, satire et romance. Ce

1. Andrew Bergman, cité sur le site Internet http://www.moderntimes.com/screwball/desc.htm et mis en exergue par Gwénaëlle Le Gras dans *Le Couple au sein de l'âge d'or de la comédie américaine*, maîtrise Cinéma, Université de Caen, 2000.

sont surtout les films de Frank Capra, Leo Mc Carey, Howard Hawks, George Cukor, Preston Sturges avec Claudette Colbert ou Katharine Hepburn face à Clark Gable, Cary Grant ou Spencer Tracy car la comédie *screwball* est celle du couple, une sorte de « scènes comiques de la vie conjugale » (dans laquelle, en outre, le numéro d'acteur est roi). Spécifique de l'Hollywood d'hier où la censure obligeait le genre à être essentiellement allusif, il s'agissait aussi de « sex comedies without the sex »[1], c'est-à-dire le contraire du cinéma dominant d'aujourd'hui où tout est montré, ce qui n'empêche pas, en plus, d'en parler de la façon la moins appétente. Nous y reviendrons à propos de Pascal Bonitzer[2] mais notons que *Ça ira mieux demain* (2000, Jeanne Labrune) répond comme *Aïe* à l'exacte définition de la comédie *screwball* puisqu'il n'y a pas de sexe mais une commode, un géranium, une contrebasse et une bande de névrosés amenée par un psychanalyste-chiropracteur sentencieux (Jean-Pierre Darroussin) et son épouse survoltée (Nathalie Baye). Grâce à un casting hétéroclite qui type chaque personnage (Jeanne Balibar et son nouvel appart., Isabelle Carré la musicienne sûre d'elle, Sophie Guillemin la serveuse nunuche, Didier Bezace le décorateur amateur de choucroute, Danielle Darrieux la veille dame « branchée » et Dominique Besnehard chantant « Bambino » sur la table de massage), la cinéaste compose une fantaisie pétillante sur l'air du temps, les modes et les apparences, la vie parisienne en somme, avec la mort au bout. Quelques chutes d'intérêt dans certaines anecdotes enfilées les unes derrière les autres au gré des consultations du praticien n'affectent pas trop la profusion d'un intelligent patchwork qui montre que la comédie bavarde a son charme, pimentée ou non.

---

1. Expression d'Andrew Sarris citée par Grégoire Halbout dans *CinémAction* n° 68, 1993.
2. Cf. 4e partie, 1 – Les avatars du comique, et en particulier, p. 112-113.

Chapitre 3

Vers un réalisme intérieur : un cinéma de l'intime

On sait que le terme Nouvelle Vague avait été trouvé par Françoise Giroud dans *L'Express*, au départ pour parler de l'arrivée de toute une jeune génération. Il s'agissait donc de désigner un phénomène de société et non un mouvement artistique, encore moins spécifique au cinéma. Mais l'expression fut reprise assez vite par Pierre Billard et quelques autres critiques pour nommer le groupe formé par les anciens rédacteurs des *Cahiers du cinéma* (J.-L. Godard, C. Chabrol…) qui se défendaient pourtant avec force de former un mouvement ou une école. François Truffaut expliquait notamment que la Nouvelle Vague était « une appellation collective inventée par la presse pour grouper cinquante nouveaux noms qui ont surgi en deux ans dans une profession où l'on n'acceptait guère que trois ou quatre noms nouveaux chaque année »[1]. Néanmoins, personne ne pourrait nier aujourd'hui que la formule ait fait fortune ni que la Nouvelle Vague ne soit justement emblématique de la notion même de mouvement cinématographique ! Fort de cette constatation, nous voudrions affirmer la même chose du jeune cinéma français des années 1990 en faisant comme pour la Nouvelle Vague, c'est-à-dire en désignant de l'extérieur du groupe des cinéastes eux-mêmes – nous parlons personnellement depuis le domaine de la recherche et de la critique – l'existence d'un ensemble répondant bien à la définition qu'Alain et Odette Virmaux donnent d'un mouvement sans nous embarrasser davantage de distinguo entre groupe, école, chapelle, cercle ou tendance : « Il y a mouvement lorsqu'il y a foyer d'irradiation collective et lorsque ce centre de rayonnement finit par constituer un fait de société »[2]. La pertinence de la première ligne est attestée par le contenu de cet ouvrage. Quant

1. Alain et Odette Virmaux, *Dictionnaire mondial des mouvements littéraires et artistiques contemporains*, éd. du Rocher, 1992.

2. Alain et Odette Virmaux, *Op. Cit.*

à la seconde, elle paraît difficilement imaginable vu le peu d'impact qu'a désormais le cinéma dans la société actuelle. Mais qu'importe : le costume que l'on taille ainsi à ces cinéastes sera un peu large ; ils devraient par conséquent s'y sentir à l'aise !

Quant au nom à donner, ne recherchant pas un slogan ou un sigle mais plutôt une expression à signification esthétique, nous parlerions volontiers de NOUVEAU RÉALISME INTÉRIEUR. Cette dénomination ferait écho à la fois au « Nouveau Réalisme » des Arts Plastiques – Pierre Restany, Arman, César, Yves Klein, Martial Raysse… – fils du Pop Art américain et strictement contemporain de la Nouvelle Vague, et aussi au « Néo Réalisme Intérieur », formule forgée en Italie par Guido Aristarco pour relier l'œuvre de Michelangelo Antonioni au Néo-réalisme en train de s'éteindre. Il nous paraît en effet que le jeune cinéma français, bien que composé de cinéastes dont aucun (à notre connaissance) ne se réclame du metteur en scène italien, est en fait très antonionien (faillite des sentiments, incommunicabilité, recherche de la beauté, dédramatisation, travail sur le continu et la fragmentation…). Si l'on peut ne pas reconnaître cette parenté, c'est que le contexte a changé : c'est maintenant en France celui de la crise du tournant de siècle et non plus du miracle économique italien, celui de la société spectacle plutôt que du réalisme. Mais les caractères, les situations et le filmage sont proches. En outre, parce qu'ils sont jeunes, les cinéastes n'hésitent pas à refuser dramaturgie classique et effets-cinéma. Par ces provocations, ils retrouvent l'esprit des plasticiens du Nouveau Réalisme foncièrement plus iconoclastes que les réalisateurs de la Nouvelle Vague. Enfin, rassembler le nouveau cinéma français sous ce vocable n'encombrera guère l'histoire du cinéma d'un ISME de trop car le 7e Art n'est pas fertile en la matière. Par contre cette dénomination circonscrira de façon nette un ensemble d'auteurs qui nous semblent présenter plusieurs points communs.

Des films à la première personne, un cinéma du moi exacerbé

Le courant autobiographique

Ce courant s'inscrit dans la lignée des journaux intimes en vidéo de Dominique Cabrera. Mais en créant le personnage-miroir d'Anne Buridan qu'elle interprète elle-même dans *La Croisade d'Anne Buridan* (1995), *Strictement footinguesque* (cm, 1995) et *La Révolution sexuelle n'a pas eu lieu* (1998), Judith Cahen charge son double un peu clownesque de poser les questions dérangeantes (« Qu'est-ce qu'un acte politique aujourd'hui ? Qu'est-ce que tu fais de tes désirs ? ») comme de s'interroger sur ses rapports avec les autres ou, dans son dernier film, de mettre de l'ordre dans sa tête en enregistrant et matérialisant ses fantasmes personnels sur ordinateur tout en manipulant ses camarades de la radio marginale qu'ils animent. Mais peut-on être constamment en auto-analyse nombriliste tout en prétendant offrir un plaisant tableau sociologique ? Sans doute pas car ce qui amusait dans le premier film tombe à plat dans le dernier et si l'on pouvait prendre le premier essai comme une déstructuration moqueuse de ce que met en jeu 80 % du jeune cinéma, la complaisance guette dans *La Révolution*... au rythme poussif, aux thèmes rebattus et à la prétention sous-jacente.

Acteur incontournable du nouveau cinéma, Mathieu Amalric réalisateur se met un peu moins en danger que Judith Cahen car il scénarise et crée des personnages au lieu de s'expliquer en direct. Comédie douce-amère, *Mange ta soupe* (1997) est la reprise en (à peine) long (75 mn) de son court métrage *Les Yeux au plafond* (1992), mais il renonce cette fois à interpréter lui-même le protagoniste et à faire incarner la mère par la sienne comme c'était le cas dans son premier essai ! Le long métrage est en tous cas inabouti : ni caractères ni vraies situations, un lieu surexploité (maison bourrée de livres et fils qui décide de repeindre les murs), tensions artificielles entre la mère fofolle et ses enfants, le tout dans un environnement littéraire dont Amalric ne tire rien.

Sur un ton grave tout empreint d'émotion, Jacques Nolot est à la fois plus impudique et plus réservé car il raconte ses souvenirs avec tendresse tout en assumant fortement son identité dans un beau film courageux. *L'Arrière pays* (1998) poursuit en effet une histoire, ou plutôt son histoire commencée par l'écriture d'un scénario tourné par André Téchiné (son départ pour Paris à 16 ans : *J'embrasse pas*) et poursuivie par une pièce de théâtre (son premier retour à Marciac dans le salon de coiffure familial : *La Matiouette* qui sera également filmée par Téchiné). Mais cette fois, englobant toute une vie, il écrit, interprète et réalise lui-même ce nouveau voyage au pays de son enfance à l'occasion de la mort de sa mère. L'arrivée lente et silencieuse, la mort, l'enterrement tourné chez lui comme un documentaire (rien que des non-professionnels de son village interprétant leurs propres rôles ou des voisins décédés) est d'une extraordinaire pureté. Chez Nolot, ni la technique ni le texte ou l'interprétation ne viennent fabriquer l'émotion. Au contraire l'auteur gomme au maximum, retient l'expression, détourne la peine ou la pitié, casse la douleur par l'accent du Sud-Ouest, sauf dans deux plans séquences d'une sécheresse sans fioriture : celle de l'habillage de la morte à la crudité d'une indicible et paradoxale pudeur et celle du cortège des vieillards marchant vers leur propre mort derrière le cercueil. Mais dès la mère enterrée, le retour du refoulé fait affleurer les hypocrisies, les querelles et les secrets de famille au gré des rencontres et conversations. Pourtant Nolot ne fera finalement rien éclater : tout n'est qu'allusif, évacué dès qu'exprimé. Mais par là Jacky/Jaquinou (qui encaisse tous les coups et sent se rouvrir les anciennes blessures) réaffirme son identité autre, sa sensibilité homosexuelle et sa souffrance d'adolescent dans ce pays machiste de rugby et de corrida. On frise le règlement de compte dans les dernières minutes, sans doute les moins convaincantes cinématographiquement, mais sans agressivité revendicatrice. Même à ce moment, le film reste en effet empreint de la grisaille propre à la cinquantaine qui ressemble un peu à une tristesse existentielle, étrangement exprimée dans la « saudate » portugaise accompagnant le générique de fin.

Le troisième long métrage d'Anne-Marie Miéville, compagne et collaboratrice de Jean-Luc Godard, touche lui aussi à l'intime en juxtaposant deux tendances qu'avaient développé séparément ses deux premiers films, à savoir l'émotion (les femmes de *Mon Cher Sujet*, 1988, déclinant avec délicatesse et mélancolie trois âges de la féminité) et la distanciation (la problématique du couple analysé à partir d'un spectacle chorégraphique dans *Lou n'a pas dit non*, 1994). Entre raison et sentiment, *Nous sommes tous encore ici* (1996) se compose de trois parties, l'humour savant du début laissant la place à la réflexion dans la partie centrale et à une tendresse souriante à peine retenue dans le dernier volet : d'abord un dialogue de Platon dit par deux femmes qui assurent la distanciation du texte par poursuite des tâches ménagères, puis un monologue d'Hannah Arendt récité par Jean-Luc Godard ; enfin, après la philosophie et le théâtre, le cinéma intervient pour réorchestrer dans un face à face de comédie un peu triste le vécu du couple que forment la femme interprétant Socrate dans le premier sketch et l'homme récitant Hannah Arendt dans le second. C'est alors que le vécu de la réalisatrice prend le pas sur les textes non fictionnels et un travail sur le réel submerge le film puisque Anne-Marie Miéville (cachée à l'image sous les traits d'Aurore Clément mais qui s'exprime par ce qu'elle fait dire à sa comédienne) met en scène sa vie conjugale avec Jean-Luc Godard qui, lui, joue son propre rôle, mais sous la direction de son épouse metteur en scène et en disant le dialogue qu'elle a écrit pour lui. Le jeu de la vérité est donc complexe, particulièrement piquant pour le public de cinéphiles. Brillant, le dialogue est adapté à des situations pleines d'humour (la rituelle promenade du soir, les habitudes alimentaires, les manies agaçantes...). Les questions abordées – places respectives de l'homme et de la femme, rôle d'épouse auprès d'un homme qui préfère son œuvre à sa vie, nature de l'amour à l'intérieur d'un vieux couple... – sont bien celles d'intellectuels un peu ennuyeux mais dévorés à la fois d'interrogations théoriques et d'aspirations individuelles à un bonheur sans histoire. Bien sûr *Nous sommes tous encore ici* donne la manière de voir d'Elle, mais c'est un point de vue généreux sur Lui qui met à l'épreuve du quotidien le questionnement soulevé dans les parties précédentes (quel pouvoir le « meilleur » peut-il s'octroyer ? Quelle intégrité peut préserver chacun sans tomber dans l'indifférence pour l'autre...). Dommage qu'*Après la réconciliation* (2000) où

Anne-Marie Miéville saute le pas en figurant cette fois elle-même devant la caméra aux côtés de Godard ne soit plus qu'un bavardage pédant.

Le cinéma de l'intime : Cédric Kahn, Philippe Grandrieux et Xavier Beauvois

L'autobiographie n'est en fait qu'une expression exacerbée d'un cinéma de l'intime dans lequel le cinéaste investit son existence, ses sentiments et ses pensées les plus personnelles. À partir de personnages qui lui ressemblent, un environnement familier et des activités banales servent de révélateurs à des analyses psychologiques, certaines proches de cures psychanalytiques et d'autres déjà sur les chemins d'itinéraires initiatiques. L'observation active des sentiments comme de la sexualité, l'attrait des êtres, l'expression du moi en direct ou en différé, la recherche d'identité ou de l'intégrité psychique, l'examen de conscience, les relations de couples, l'autarcie intellectuelle constituent indéniablement un domaine privilégié du jeune cinéma d'auteur qui poursuit là une tradition du cinéma français. Il serait aussi vain de le contester que de refuser de reconnaître la qualité de nombreuses œuvres produites dans ce domaine. L'inspiration de chaque cinéaste renouvelle en effet la manière d'aborder les choses si bien que les films ne se ressemblent pas parce que les récits sont fréquemment singuliers, loin du ressassement, d'une acuité et d'une pertinence vives.

Les deux premiers longs métrages de Cédric Kahn – réalisés respectivement à 24 et 26 ans – dessinent de belles figures frémissantes de l'adolescence à la recherche d'investissements amoureux conséquents. Le couple difficile du garçon solitaire et de la jeune fille déjà blessée par la vie (*Bar des rails*, 1992) comme les amis de lycée (*Trop de bonheur*, 1994) ont les traits encore mal assurés des indécisions de leur âge. Le midi ne joue pas le même rôle : dans *Bar des rails* les êtres se cloîtrent et cherchent l'ombre dans un petit lotissement sans âme ; les jeunes de *Trop de bonheur* s'alanguissent au contraire au soleil dans une nature généreuse et leurs histoires sont donc opposées, prises dans l'immobilisme autour de trois pâtés de maisons ou en perpétuel mouvement dans des lieux différents et un environnement humain plus riche. L'étroitesse d'horizon débouchera sur l'échec alors que, davantage bousculés, les lycéens de *Trop de bonheur* trouveront peut-être leur voie. Le cinéma de Cédric Kahn pousse les êtres dans leurs derniers retranchements ; chacun se met dans une situation intenable et ce sont les événements qui forceront les décisions. Richard a peur du contact humain (*Bar des rails*) alors que le jeune beur cherche la communication (*Trop de bonheur*). La belle persévérance de ce dernier séduira finalement la jolie nymphette gracile un peu perdue et tous les deux trouvent dans leur complicité une maturité et un sérieux inattendus. Kahn sait filmer les contacts : un coup d'œil, un geste, la beauté d'un coin de peau mouillée ou d'un rayon de soleil et quelque chose passe, alors que Richard s'enferme dans une attitude voyeuriste de chasseur à l'affût. *Bar des rails* est lent et pesant, *Trop de bonheur* léger et vivace mais rien de vraiment dramatique ni d'un côté ni de l'autre. Un peu d'ennui provincial, d'aspirations mal assumées, de pudeur, et cela donne la tristesse vide de *Bar des rails* ou le bonheur des lycéens. Aucune fatalité, mais les caractères des deux garçons ont creusé l'écart : c'est l'aptitude au bonheur ou la complaisance pour une certaine souffrance traduites par des visages malléables sur lesquels le cinéaste saisit les émotions à leur source.

Après un détour manqué du côté des élèves du Conservatoire de Strasbourg – *Culpabilité zéro*, 1997, dégringolade dans la torpeur glauque d'un faux polar sans vigueur – Cédric Kahn filme *L'Ennui* (1998), d'Alberto Moravia qu'il parvient à inscrire dans une certaine continuité cinématographique prenant sa source dans la traduction plus que trentenaire du *Mépris* par Godard tout en proposant un déplacement du propos par création d'un personnage féminin inattendu. Le parcours de Cédric Kahn évoque en effet celui de Maurice Pialat par cette adaptation littéraire venant après ses premiers longs métrages classés peut-être un peu rapidement dans le naturalisme (comme Pialat, après plusieurs « tranches de vie » à résonances autobiographiques, s'attache à Bernanos et à Van Gogh, c'est-à-dire se met à s'exprimer à travers d'autres), d'autant plus que Kahn mélange tous les repères en plaçant au cœur de son processus de mise en scène et de travail narratif l'extraordinaire découverte de Sophie Guillemin (Cécilia), sa Sandrine Bonnaire à lui. L'ouverture de *L'Ennui* est l'œuvre d'un grand cinéaste : d'abord un plan (Martin interprété par Charles Berling au volant de sa vieille BMW et sa voix *off* parlant de mort en voiture) conduisant à deux fausses pistes dramaturgiques (le récit autobiographique et la mort finale)... mais peut-être pas inexactes psychologiquement. Ensuite la superbe « scène primitive » : Robert Kramer dans la nuit, personnage humilié, au bout de son destin, qui passe à Martin le relais symboliquement figuré par son tableau. En filmant l'homme qui suit le couple en train de se défaire, le cinéaste saisit déjà tout de l'état où se trouve Martin et la suite de l'histoire s'annonce clairement dans ce que l'automobiliste observe sur le trottoir, y compris les accélérations et brusques coups de frein de la narration qui sont ici ceux de la voiture.

Dès lors, tous les clichés sont retournés, emportés par la violence du récit. Ainsi le personnage conventionnel de l'intellectuel (professeur de philosophie) dérivant vers la folie de la possession-soumission d'une incompréhensible passion physique est complètement éclaboussé par sa partenaire, une fille grassouillette, inélégante, un mur. Est-elle stupide ? Naïve ? Son naturel un peu bestial, le fait qu'on hésite entre nymphomanie et frigidité, ou que se raccordent mal son intense activité sexuelle et sa petite existence médiocre font d'elle une énigme. Kahn joue sur son pouvoir énorme qu'elle pressent sans vraiment s'en servir, sinon pour de bien faibles profits, sur son insensibilité (devant l'agonie du père), son refus de toute réflexion ou spiritualité, sur son irritante application à répondre platement de façon désarmante aux interrogations angoissées et aux demandes de plus en plus pressantes de Martin. Certes l'auteur n'a pas su rendre crédible la passion essentiellement physique de Martin ; il est vrai que, lorsqu'ils sont tous les deux, le spectateur ne regarde qu'elle. De même l'ancienne épouse (Arielle Dombasle) à la fois confidente du théâtre classique et femme émancipée compréhensive d'aujourd'hui n'a qu'une utilité dramatique (transformer en dialogue l'introspection de Martin) mais pas de réelle existence. Enfin le dernier quart d'heure est décevant, retombant dans l'anecdote (le voyage en Corse avec Momo) couplée à des solutions trop littéraires (la lettre à sa femme). Mais l'ensemble reste impressionnant, parfois drôle, quelque part terrifiant.

Moins, cependant, que la plongée dans les abîmes réalisée par Philippe Grandrieux avec *Sombre* (1999) autour de Marc Barbé et Elina Löwensohn imposant la ferme présence physique et psychique de la vierge et du serial-killer, ou plutôt du loup des Karpates, monstre dans un conte noir qui croisera le parcours initiatique de la Belle. Mais il n'y aura aucune féerie ni Rédemption christique dans ce film à l'esthétique située entre la plastique mouvante du russe Sokourov et le gothique morbide des années *punk* (la musique d'Alan Véga du groupe Suicide) repris par un adepte du cinéma expérimental. *Sombre* ne développe aucun point de vue éthique sur les êtres et les meurtres montrés (par étouffement, écrasement de la victime) mais l'œuvre révèle une vraie morale de cinéaste. *Sombre* est un film apocalyptique, tout à fait singulier dans le paysage du jeune cinéma français. À partir de sensations visuelles (évoquant le cinéma des premiers temps) et de pulsions à la fois viscérales et cinématographiques, Grandrieux tourne à l'heure du loup sous des ciels éteints venus de souvenirs enfouis, peut-être ceux de ces enfants qui hurlent au début devant un spectacle de marionnettes dans une scène longtemps énigmatique avant que la symbolique ne vienne quadriller le sens. Le vert et le noir des arbres, tout à coup saignés par quelques fulgurances lumineuses, les bruits et la musique souvent assourdis, accusent le vide après les crimes comme le flou et le sombre estompent les contours du récit. Mais entre le sexe et la mort, la référence à Bataille laisse aussi parfois la place à la fragilité des êtres et des émotions. Car à côté du monstre se dégage un moment Claire, sans doute à cause de la lumière face à la nuit du fond des temps, mais aussi à la fondatrice des Clarisses face aux Franciscains de Saint François d'Assise ; c'est alors la puissante scène du lac où Claire parvient à commander à la Bête pour sauver sa sœur. Pourtant elle ne saura pas détourner Jean de son monstrueux destin et il tuera encore à la dernière séquence.

Philippe Grandrieux décrit lui-même son film comme une biopsie éprouvante : « chaotique, délirant, intenable, emporté par la force irrépressible du désir /.../, (d'un) désir projeté qui revient impressionner la pellicule /.../, c'est ça le cinéma, filmer la présence, l'être-là des choses, filmer les arbres et les montagnes et le ciel et le cours puissant des fleuves. C'est le cinéma comme « expérience sensible du monde /.../, vibrante et silencieuse /.../, tout entier emporté à l'intérieur de la sensation. /.../ Le film, c'est « l'industrie des corps » parallèlement au mouvement de la lumière. Le cinéma se réalise surtout avec les mains, avec la peau, avec tout le corps, par sa fatigue, par le souffle, par la pulsation du sang, le rythme du cœur /.../, le battement des plans »[1]. En prônant un art délirant, halluciné, psychique, pulsionnel, en relation avec le surgissement des forces les plus archaïques, le cinéaste se place dans la descendance de Sade, d'Antonin Artaud (« Sorcellerie et cinéma ») ou de Pierre Klossowski.

Sans lâcher les amarres de façon aussi radicale avec la vision réaliste et les codes du récit, le cinéma de Xavier Beauvois atteint aussi quelques prodigieuses brillances subjectives favorisées par le fait qu'il interprète lui-même le rôle principal du fils dans sa propre chambre, chez sa mère et dans son lycée à Calais : effroyable psychanalyse de l'incommunicabilité familiale, *Nord* (1992) transpose le drame œdipien sous le ciel sombre du plat pays. Murés dans un silence haineux le père et le fils s'acharnent à s'autodétruire sous les yeux d'une mère éplorée et d'une sœur handicapée profonde. La noirceur est d'autant plus totale que le parricide n'aura pas lieu (le père se suicide) mais que le fils s'en accuse par refus de se sauver. L'atroce règne sans partage et chacun suit son propre chemin sans issue, conduit par une fatalité destructrice.

La course à la mort se poursuit avec *N'Oublie pas que tu vas mourir* (1995). Devant l'intolérable arbitraire dont il est frappé (séropositif alors qu'il n'est ni drogué ni homosexuel), Benoît – à nouveau sous les traits de Xavier Beauvois – intériorise ce mal qu'il ne pensait pas pouvoir être le sien et refait à l'envers le chemin qui, généralement, conduit au Sida. Mais cet étudiant en histoire de l'art ne peut pas rester insensible à la rencontre du Beau (l'amour dans un paysage italien paradisiaque). N'empêche que là encore le salut est écarté et Benoît se précipitera au devant d'un trépas absurde dans le conflit yougoslave. Beauvois a une vision tragique de l'existence et paye physiquement de sa personne. Le genre humain qu'il montre est laid mais il s'inscrit lui-même dans le tableau, non seulement comme personnage (Benoît est veule, pas vraiment sympathique) mais aussi en tant que regard : le film ne s'apitoie pas sur le sort du protagoniste ; il insiste au contraire sur ses faiblesses, sa déchéance et ses lâchetés. L'intime est malmené, torturé, nié. Beauvois cherche en lui-même les raisons de désespérer du monde. Sa lucidité ne servira à personne : le mal court.

1. Ph . Grandrieux, « Vivement le désordre », in *Le Siècle du Cinéma*, HS, *Cahiers du cinéma*, novembre 2000, p. 90-92.

Malgré son titre à résonance évangélique, *Selon Matthieu* (2000) serait plutôt moins christique car c'est le père qui est sacrifié et non plus le fils, mais l'idée est d'appuyer sur la subjectivité du récit : c'est le regard de Matthieu, fils plus sensible que les autres et notamment que son frère, qu'adopte Beauvois qui délègue cette fois l'interprétation à Benoît Magimel pour prendre, lui, de la hauteur, celle là-même de la campagne normande vue d'avion au début. Beauvois embrasse cette fois le lieu, le groupe, et jusqu'à la société et ses problèmes économiques. Mais justement le cinéaste ne fait pas un film social car il traque la lutte des classes au niveau du nœud familial par l'entremise des liens de sang, d'amour et de haine : fratrie, amour filial, sentiments amoureux s'embrouillent en effet dans la tête pas très raisonneuse d'un Matthieu amateur de Karaoké et d'idées toutes faites. Ici encore Beauvois choisit donc un héros peu aimable, auquel le spectateur n'est pas invité à s'identifier et il le lance dans un double parcours stéréotypé, grand écart entre d'abord le travail en usine puis les désordres sentimentaux de la bourgeoisie. Mais Beauvois se tire fort bien des scènes les plus convenues (la partie de chasse puis le mariage à Étretat au début du film) par quelques notations vives qui décentrent chaque fois un peu le propos. De même il gère habilement l'audace structurale des deux pans antithétiques (le monde ouvrier avec la mort du père ; le patronat et une histoire de vengeance qui tourne à l'aventure amoureuse). Certes, les dialogues surlignent les conflits avec le même simplisme que Matthieu les ressent. Mais Beauvois sait filmer les tensions entre les deux frères et notamment la poursuite finale où chacun frôle le désastre avant l'embrassade inattendue qui soude les corps pendant que la caméra retrouve, tout en haut, son emplacement initial. Beauvois assume sa position de créateur souffrant en empathie avec son double, personnage tout d'une pièce visiblement façonné à son image. Avec Beauvois, il n'est pas obligatoire de dire « je » pour parler de soi. Si Cédric Kahn filme à côté de ses personnages, Xavier Beauvois se glisse quasiment dans leur peau.

Le processus d'identification chez Bruno Dumont et Laurence Ferreira-Barbosa

Avec *L'Humanité* (1999), l'identification de l'auteur est encore d'une autre nature car Bruno Dumont habite le film plutôt que le personnage, lequel ne saurait en outre exister sans tout ce et tous ceux qui l'entourent. Comme son titre le suggère, l'œuvre exprime une vision globale de la nature humaine même si l'auteur passe pour l'incarner par un héros qui ne ressemble apparemment à personne, sans doute parce qu'il est justement foncièrement comme tout le monde : on est dans le domaine de l'essence, pas de la vraisemblance et, avec des conceptions philosophiques et esthétiques opposées, Bruno Dumont et Philippe Grandrieux se livrent au même type de quête. Le film est en décalage, non seulement face au réel, mais aussi par rapport à la poésie, au spirituel, à l'invisible. À l'image d'Emmanuel Schotté, troublant interprète de Pharaon qui accroît son altérité par sa douleur, son émotivité excessive devant la laideur du mal, le spectateur est là, à Bailleul en Flandres, mais en même temps ailleurs, à la recherche de l'intériorité d'êtres impuissants écrasés par la tragédie de la vie aussi bien publique (l'enquête) que privée. Être hypersensible et inhibé, Pharaon est le passeur de l'indicible. Dans *L'Humanité,* c'est le cinéma qui est premier car avant les personnages, l'histoire et le milieu, s'impose un système de représentation terriblement prégnant dont l'écriture recherchée, les plans étirés, la lenteur narrative traduisent le regard contemplatif d'un moraliste.Au-delà de l'anecdote, Pharaon le simple est celui qui ressent, étreint les misérables et se livre finalement à leur place parce qu'il n'a que sa compréhension à offrir. L'humanité de Pharaon n'est en effet ni celle de Domino ni à plus forte raison celle de son amant Joseph ; elle en reflète la vision souffrante, pas la condamnation mais la compassion, le désir de partager le malheur des autres comme de percer le mystère du lien indéfectible entre l'esprit et ce corps tyrannique qui l'encombre alors que d'autres savent en tirer du plaisir ou de l'horreur. Ainsi le film passe-t-il constamment du constat d'entomologiste à la méditation métaphysique en s'attachant à cet être à la fois de la terre et de l'air, du cri et du silence, mené par une intense curiosité, mais capable de pleurer sur le genre humain qui va à sa perte et de fermer les yeux pour essayer de réfréner le vertige qui le saisit face aux ravages du mal.

Car si le sexe sanglant de la fillette retrouvée violée et assassinée au début du film se révèle littéralement insupportable pour ce voyeur du quotidien, il n'est pas pour autant le plan de trop d'un film magistralement maîtrisé car c'est lui qui programme notre vision de tous les autres plans de sexe et notamment de celui – étal plus que provoquant – de Domino à la fin. Les gros yeux exorbités de Pharaon le lieutenant de police peuvent bien alors passer de la froideur inexpressive à la douceur ou à la violence, ils regardent avec autant d'intensité le bleu d'un tableau de son aïeul Pharaon de Winter, peintre de la famille et de la religion dont il porte le nom et le prénom, que la chair exigeante d'une humanité qui fornique et tue comme des bêtes. Certes ces individus ne sont souvent que minuscules fourmis dans l'immensité du cadre : question de place, de relativité de ces vivants grossiers, abjects jusqu'à l'odieux meurtre sanglant d'une gamine. Mais la caméra rattrape aussi plus d'une fois ces corps suant, éructant, soufflant plein cadre et en gros plan sonores accusant cette présence sordide. Dans ce contexte, bien sûr, l'amour n'est qu'accouplement brutal, sans émotion ni chaleur.

Pourtant le baiser au dealer puis le sacrifice du juste s'offrant en réparation de la punition du coupable rejoignent le final du premier long métrage de Dumont, *La Vie de Jésus* et, avant, celui de *L'Argent*, de Bresson. Chacun y verra ce que lui suggèreront sa culture et ses croyances : rachat, rédemption, grâce, ouverture réflexive... L'itinéraire de Pharaon arrache en tous cas avec force le film au constat naturaliste désespéré qu'il aurait pu être. Il gênera il est vrai certainement beaucoup de spectateurs et parmi eux tous ceux « convertis » au bouddhisme, ceux qui considèrent (considéraient ?) avec un profond respect les valeurs défendues par la religion islamique, comprennent et absolvent au nom de l'Histoire les idéologies maoïstes, s'amusent à Halloween, défendent le jeûne du ramadan mais détestent Noël et se hérissent à tout spiritualisme ou expression du sacré dans le cinéma alors qu'ils adorent Fra Angelico. Et c'est peut-être surtout pour cela que *L'Humanité* est un grand film : il suscite le débat (esthétique, d'ailleurs plus souvent qu'idéologique, mais l'on sait que le désaccord déclaré pour l'un cache généralement un rejet bien plus violent et non exprimé pour l'autre) et empêche les consensus mous qui tuent le cinéma bien plus sûrement que les échecs commerciaux.

S'attacher à des personnages *border-line* permet un engagement moins radical de l'auteur mais tout aussi confidentiel, paradoxalement en forçant la note puisque c'est le personnage qui s'expose par sa pathologie de miroir grossissant. *Les Gens normaux n'ont rien d'exceptionnel* (Laurence Ferreira-Barbosa, 1993), portrait de l'auteur en attachante hystérique fanatique de communication et de chaleur humaine, explore ainsi le besoin irrépressible que certains ont de voir les autres s'aimer parce qu'ils ne supportent pas de ne plus être aimés eux-mêmes. Valéria Bruni-Tedeschi incarne avec une conviction touchante ce personnage messianique s'oubliant pour son prochain qui le lui rend bien mal. Cultivant l'insolite, la cinéaste instaure un ton à la limite entre la gêne et la drôlerie qui transcende l'improbable et introduit quelques dérives dans cette convivialité volontariste. Moins inspirée par son portrait de très jeunes apprentis terroristes n'osant finalement envoyer qu'une poignée de galets dans les vitres de la mairie de Nice (*Paix et Amour*, MM, TV, 1994), Laurence Ferreira-Barbosa bâtit par contre habilement *J'ai horreur de l'amour* (1997) autour du portrait en creux d'une jeune médecin funambulesque (Jeanne Balibar à scooter comme Nani Moretti) balancée entre le faux et le vrai, le comique de Richard l'hypocondriaque et le tragique de Laurent, malade du Sida. Ce mélange du sel et du sucre, du sourire mouillé et du rire crispé à propos de deux patients antithétiques permet des rapprochements pertinents, le film conjuguant parallèlement les deux intrigues au lieu de jouer au centre, la personnalité acidulée, vite grinçante, de Jeanne Balibar favorisant de brusques embardées du récit.

Il n'y a plus de ces ruptures dans *La Vie moderne* (2000), déclinée à mi-voix et dont l'indéfinissable inconfort émane de tous les partenaires croisant le destin suspendu des trois principaux protagonistes auxquels s'attache une cinéaste attentive aux décrochements incontrôlables de l'anonymat du quotidien. La folie qui hantait certains personnages dans *Les Gens normaux n'ont rien d'exceptionnel* et *J'ai horreur de l'amour* s'est ici étendue et diluée, non seulement dans la fatigue angoissée de Claire (Isabelle Huppert), l'incommunicabilité mystique et torturée de Marguerite (Lolita Chammah) ou la déprime éthylique de Jacques (Frédéric Pierrot) dont les causes sont pour chacun bien précisées (désir de maternité, crise d'adolescence, divorce et chômage), mais tout autant chez l'époux de Claire, le père ou le jeune voisin de Marguerite, la mystérieuse Eva, la star sur le retour Andy Hellman (Robert Kramer) et autres quidams de rencontre. Évitant avec finesse les violentes crises existentielles, l'impuissance expressive et les douleurs identitaires développées par d'autres réalisateurs, l'auteur filme à la surface des êtres avec douceur et compréhension. Tissant trois intrigues diégétiquement indépendantes mais filmiquement en concordances harmonieuses, *La Vie moderne* est un film nocturne qui met de l'air entre les personnes et leur donne du temps. Sur les franges indistinctes du sérieux et de la dérision, du réel et de l'imaginaire, la pudeur du regard le dispute à l'élégance d'une approche feutrée et respectueuse. À la vérité psychologique du portrait de Claire s'oppose le caractère farfelu du parcours de Jacques tandis que Marguerite s'enfonce dans une introspection grise. Le miracle est que le montage de ces récits fonctionne comme effet de loupe sur tel ou tel moment vide tout en servant de liant et de révélateur. Le film réunit ces êtres qui se côtoient à la fin sur un banal quai de métro mais ne se rencontreront jamais ; le scénario reste à l'état d'ébauche et le chant choral est refusé : on n'est pas chez Claude Sautet ou Olivier Assayas, mais plutôt du côté de la trilogie et du décalogue de Kieslowski dont auraient été gommés le tragique implacable et la dureté épouvantable. Le mal-être reste supportable, les peines tolérables et chacun demeure (prudemment ?) dans sa bulle individuelle, car seul le spectateur a le recul nécessaire pour voir se dessiner trait à trait un pénétrant tableau personnel de la vie moderne. Laurence Ferreira-Barbosa a trouvé un langage original par rapport au spiritualisme des uns ou à la psychosociologie des autres pour nous amener à voir les choses autrement dans un film au charme troublant : un authentique univers de cinéaste.

Psychologie et spiritualité, des itinéraires initiatiques

Si le cinéma de l'intime débouche d'un côté sur la confession autobiographique, il peut mener de l'autre à des parcours initiatiques, tant psychanalyse et spiritualité encadrent et prolongent naturellement le domaine proprement psychologique. La spécificité de l'œuvre d'auteur conduit en effet chaque film à poser à sa manière le rapport au réel dans un type de cinéma impliquant davantage l'esprit des personnages que leurs gestes. D'où ces titres qui induisent une lecture religieuse et un récit d'apprentissage mystique : *Ni d'Ève ni d'Adam*

(Jean-Paul Civeyrac, 1996), *La Vie de Jésus* (Bruno Dumont, 1997), *La Vie rêvée des anges* (Éric Zonca, 1997), *L'Humanité* (B. Dumont, 1999).

Jean-Paul Civeyrac, Éric Zonca et Eugène Green

Ce courant a été initié dès 1982 par Jean-Claude Brisseau dont les deux premiers films n'ont souvent été remarqués que pour la violence des conflits sociaux qu'ils mettaient en œuvre, alors qu'il s'agissait déjà d'une jeunesse assassinée par une frénésie issue d'un monde perdu. Indomptables, bloqués dans le mal absolu, la fille murée dans son handicap (*Un Jeu brutal*, 1982) comme le cruel petit chef de la cité maudite (*De Bruit et de fureur*, 1986), chacun dotés d'un père pathétique par sa désespérante certitude que n'existe ni justice ni pardon, seront pourtant *in extremis* touchés par la grâce dans des films où l'imaginaire tient une grande place en contrepoint du sordide le plus trivial. La fragile révoltée de classe Terminale mourant d'amour au terme de *Noce Blanche* (1989) comme lévitation, guérisons miraculeuses et prémonitions de *Céline* (1992) vont dans le même sens d'un chemin de croix ouvrant sur une autre dimension de l'être. Une grande part de la jeune génération fréquente cette voie qui n'affiche plus sa spiritualité avec des personnages de saints (*Journal d'un curé de campagne*, 1951, ou *Procès de Jeanne d'Arc*, 1962, de Robert Bresson ; *Thérèse*, 1986, d'Alain Cavalier) mais au contraire en mettant en scène des êtres sans religion et néanmoins sous l'emprise du mal (déjà Bresson avec *Au Hasard Balthazar*, 1966, et surtout *L'Argent*, 1983). Jean-Claude Brisseau repart lui-même en guerre contre la noirceur et la folie du monde dans *Les Savates du Bon Dieu* (2000) où la cavale démentielle des amoureux passe successivement par l'utopie *Peace and Love* (le Lubéron), le fantastique (le piège des policiers déjoué par le feu dans la cité), la satire (la riche demeure des magouilleurs grand style) et le roman photos (le happy end enfantin). Mais on dirait que, rattrapé sur « son » terrain par les jeunes cinéastes, Brisseau tente de se démarquer par la surenchère (pure magie du prince africain qui parvient à tirer chaque fois le jeune couple en fuite de tous les traquenards) en gommant quelque peu (sauf dans le titre) les aspects christiques et les luttes métaphysiques entre le Bien et le Mal que revendiquent au contraire É. Zonca ou B. Dumont.

L'enlisement (*La Vie de Jésus*, Bruno Dumont, 1997), la chute *(Ni d'Ève ni d'Adam*, Jean-Paul Civeyrac, 1996) et la lutte (*La Vie rêvée des anges*, Éric Zonca, 1998) constituent trois chemins privilégiés par les nouveaux auteurs pour appréhender l'itinéraire à la fois physique et spirituel de leurs jeunes personnages : le récit de Dumont se recentre de plus en plus sur Freddy à partir du groupe de jeunes de Bailleul, triste localité du pays flamand. Le Sida qui mine un copain dès le début marque la fatalité pesant sur ce pays figé par la chaleur de l'été dans un coin de terre intérieure. Dès lors, si la tentative de viol collectif de la grosse majorette n'est peut-être pas un vrai crime, le meurtre final, lui, a bien lieu. Pour une rivalité amoureuse enflammée par le racisme ambiant, un individu immature franchit le pas de l'acte irréparable. Pourtant, pour Bruno Dumont, « la cruauté du rapport amoureux nous ramène à notre condition animale. Je voulais que ce soit juste un besoin qu'ils satisfont. C'est à eux, c'est la seule chose qu'ils peuvent faire tous les jours et qui leur donne un plaisir fou. Ça fonctionne et ce n'est rien d'autre que cela faire l'amour, se faire plaisir. Le plaisir est là, immédiat, et puis c'est fini ». La tragédie rejoint donc l'ennui de ces chômeurs de moins de vingt ans circulant à longueur de journée sur leurs cyclomoteurs trafiqués dans des rues où le passant est rare, en tous cas muet (notamment dans la très belle scène où Freddy, en bermuda ridicule mais roulant des épaules, remonte le long des maisons où quelques habitants prennent le frais sur le pas de leurs portes). Prodigieuse figure, David Douche campe un épileptique éleveur de serin chanteur, machine à faire l'amour, roi de la chute à Mobylette, le cheveu ras, la dégaine un peu débile et pourtant chef de bande de quartier avec son parler elliptique et argotique. Sa vérité, c'est la violence qui monte en lui dès qu'il a un volant ou un guidon entre les mains. Pourtant, après le mal, s'amorcera un mouvement vers le repentir et la grâce comme chez Jean-Claude Brisseau.

Dans *Ni d'Ève ni d'Adam* aussi, avec son personnage de 14 ans à peine, véritable chien errant jeté hors de chez lui comme de l'institution scolaire et qui, malgré l'amour de la toute jeune Gabrielle, ira également jusqu'au meurtre. La bande d'adolescents est ici groupe de désespérance, de lutte et d'humiliation, de perte d'illusion avant même de commencer à vivre. Certes la musique religieuse annonce dès l'ouverture qu'un autre enjeu est à chercher dans la dimension spirituelle des protagonistes ; mais si l'itinéraire est double, du bas (la banlieue de Saint-Étienne) vers le haut (la montagne enneigée), l'histoire, elle, est la spirale infernale de la méchanceté, de la brutalité, de l'exclusion, de la faim et du meurtre. On a évoqué fort justement Pasolini et Bresson, mais la fuite hivernale rappelle encore plus directement *L'Eau froide*, d'Olivier Assayas. Brut, mal dégrossi, Gilles n'attire pas la sympathie. Mais, comme les deux frères du *Fils du requin* (Agnès Merlet, 1994), il n'est que le produit du milieu dans lequel il vit. Dès lors, au-delà du constat, s'esquisse le martyrologue quand le sens de la faute taraude brusquement les fuyards après la mort qu'ils ont donnée : quasiment analphabète Gilles annone alors les mots du vieux missel puis les têtes des deux adolescents se détachent sur un linteau de pierre qui dessine à chacun une couronne.

Dans la lignée de Dumont et Civeyrac, donc dans la descendance de Bresson, Pialat et Brisseau, Éric Zonca crée un duo magnifique avec Isa la routarde énergique (Élodie Bouchez) et Marie la révoltée dépressive (Natacha Régnier) qui vivent un bout de galère ensemble avant de s'enfoncer chacune dans leur destin : le roman à l'eau de rose qui tourne mal (Marie aime un petit bourgeois méprisant) et la fascination mystique pour une fille dans le coma (chez Isa). *La Vie rêvée des anges* est un beau scénario qui déjoue les uns après les autres tous les pièges qu'il accumule au départ. Alors que le film paraît vouloir construire un parallèle antagoniste entre la blonde farouche et la brune solaire, celle qui fuit les autres et celle qui s'accroche, celle qui couche et celle qui refuse, c'est petit à petit Isa qui prend la place centrale avec, d'un côté Marie qui se suicide en se jetant par la fenêtre et, de l'autre, Sandrine qui sort du coma. Entre une vie interrompue et une autre qui repart, elle pourra personnellement réenvisager son propre avenir, même si l'usine dans laquelle elle se retrouve à la fin ne manque pas de faire problème (bien qu'il s'agisse cette fois d'informatique et non de confection au noir). Certes, la transcendance est un peu lourdement appuyée dans la courte séquence de la chapelle de l'hôpital (veillée funéraire ou seulement de prière ?) mais la réussite du film réside dans la confrontation puis l'éloignement des deux destinées. Chacune n'aurait permis qu'un film convenu alors que cette structure orne le tableau de tout un environnement qui enrichit caractères et sentiments. Acide mais ironique (la distribution des tracts sur patins à roulettes), la critique sociale évite tout misérabilisme (elles squattent sans problème un joli appartement) et ne tombe jamais dans le sordide (les deux motards blousons noirs sont finalement de braves types, répliques fatiguées du Johnny Halliday années soixante). Tout, en fait, repose sur les épaules des deux personnages.

Toutes les nuits (Eugène Green, 2001) porte à l'incandescence cette tradition spiritualiste – Bresson, Eustache – dont le cinéaste recueille pieusement l'héritage en le mâtinant d'une structure à la *Jules et Jim* (prénom identique d'un des deux amis, Jules, séparés et attachés par une même femme Émilie, intrigue poursuivie sur douze ans…). Américain d'origine mais depuis plus de trente ans en France, metteur en scène de théâtre du XVIIe siècle et d'opéra baroque (cette musique, en off, ouvre et ferme le film), Green transpose en 1967-1979 la *Première Éducation sentimentale* de Flaubert en appuyant sur son amour précieux de la langue qui fait conserver à la diction des comédiens des liaisons systématiques entre les mots tombées en désuétude depuis plus d'un siècle ! Mais ce style fleuri sied fort bien aux caractères nobles, beaux et généreux des protagonistes – Henri l'actif, Jules le contemplatif – qui vont faire leur apprentissage de la vie jamais ensemble mais toujours en communion épistolaire. D'abord maîtresse passionnée du premier puis amie de cœur du second, Émilie maintient le dialogue au niveau des âmes plus encore que des cœurs, des affinités électives davantage que des histoires sentimentales. Passant de la caricature appuyée (mai 68, le MLF) au mysticisme flamboyant du final (l'évadé de prison qui porte les stigmates du Christ et auquel s'offre extatiquement la jeune femme ;

l'enfant traité en ange saint sulpicien dans des scènes à l'accent Claudelien), *Toutes les nuits* assume donc audacieusement des partis-pris formels très accusés (gros plans de pieds aux parcours symboliques, champs-contre champs frontaux et cadrages dessinés par des éclairages tranchés – un demi visage à l'ombre, l'autre à la lumière –, détails d'objets lentement décrits en mouvements majestueux, récit très elliptique ne retenant que les scènes hautement significatives…). C'est un film ambitieux à l'image de l'exigence d'un trio qui sait faire la différence entre joie et bonheur comme entre insatisfactions et souffrance réelle. L'ancrage commun des garçons est donné d'entrée par une source et la cabane de la sauvage ; mais s'ils se baigneront finalement dans l'eau pure, ils n'oseront jamais approcher la maison misérable. Leur existence est à l'image de ces choix.

Ces films rendent indissociables le physique et le mental, spiritualité et constat qui se renforcent mutuellement comme le réel et l'imaginaire. La misère est celle des corps et des esprits, les révélations finales suspendant souvent le sens. Comment expliquer ainsi de manière univoque la sortie de l'enfer du *Petit Voleur* (É. Zonca, 2000) : rédemption ? grâce ? prise de conscience ? L'ellipse qui précède son retour à la boulangerie laisse le public libre de son interprétation. De même, alors que des indices religieux sont filmés par J.-P. Civeyrac (*Ni d'Ève ni d'Adam*, 1996), la pertinence du titre de *La Vie de Jésus* (B. Dumont, 1997) n'est pas sans faire problème : qui est Jésus ? Freddy le copulateur, violeur à l'occasion, raciste et meurtrier ? Probablement pas ; plutôt alors, le frère du copain qui meurt du Sida sur son lit d'hôpital au début et dont le regard programme, en quelque sorte, la tonalité du film. C'est peut-être en pensant à lui que Freddy, après s'être évadé du commissariat, s'étend au soleil au lieu de fuir, les yeux vers le ciel, attendant probablement que la police vienne le reprendre. On le voit, le caractère psychosocial de l'essentiel du jeune cinéma français met la personne humaine au centre du tableau. Mais le cinéaste peut concentrer l'attention sur ses rapports au groupe[1] et, au-delà, sur le contexte sociologique[2] ou, à l'inverse, sur l'aspect identitaire et spiritualiste comme nous venons de le voir. Il peut aussi filmer au centre, en contenant les deux tendances, c'est-à-dire enregistrer les comportements au plus près sans conceptions politique ou philosophique préalables ; Cinéma de regard, par conséquent, qui ne prétendrait pas à une authentique vision du monde.

1. Voir ci-dessus chapitre 2 : Le courant choral, p. 45-50.

2. Voir ci-dessous chapitre 4 : Le retour du social, p. 116-123.

Un cinéma à fleur de peau

Depuis dix ans, le nouveau cinéma français brosse avec constance le tableau douloureux de la jeunesse meurtrie. Thème récurrent conjugué sur plusieurs tons, de manière implacable ou frémissante, pathétique, excessive ou accablée avec des personnages révoltés, combatifs ou dépressifs. Solitaires ou en couples, les jeunes abandonnés ou fugueurs, errants ou traqués, occupent des paysages états d'âme et traversent en étrangers des groupes humains généralement hostiles qui ne leur renvoient que tristesse, pauvreté et ennui. Écorchés vifs, doués pour le malheur, autistes ou grégaires, ils sont en demande d'autre chose, d'un peu d'attention et d'amour, mais ne savent pas se faire accepter parce qu'ils n'ont aucune place dans un monde qui n'est pas pour eux. Face à cet état de faits qui s'impose au regard de cinéastes proches d'eux par l'âge, la psychologie et l'appel de fiction qui s'en dégage, chaque auteur trouve sa distance propre pour dresser un procès-verbal, proposer des portraits chaleureux ou s'embarquer aux côtés des personnages en essayant de nous mettre à leur place et de voir les choses à travers leur sensibilité. Avant, pendant ou après l'arrachement familial et le départ du lieu des origines, parfois même dans l'endormissement de l'esprit et des sens qui rend impossible l'idée même de fuite, la plupart des auteurs traquent identités et prises de conscience susceptibles d'animer les images et de créer un mouvement qui soit à la fois celui du film et des êtres.

Fratrie, sororité : le tableau douloureux de la jeunesse meurtrie

Plusieurs films abordent en particulier avec des sensibilités aiguisées les rapports tour à tour troubles, complexes et puissants entre frères et sœurs. *Select Hôtel* (1996), de Laurent Bouhnik décrit la descente de Tof et Nathalie dans l'univers glauque de la prostitution et de la drogue. Étrangement, ce sordide parcours de souffrance et de mort aux rarissimes instants de tendresse se trouve croiser l'itinéraire d'un méprisable commerçant fascisant, braqué, humilié et qui veut se venger jusqu'à ce que sincèrement attiré par Nathalie, il découvre avec fascination cette fange composée par la juxtaposition sèche de « direct » et d'éclairages très composés comme d'acteurs et d'authentiques épaves du quartier. Même si Bouhnik donne aussi à son tableau quelques accents christiques (soulignés par la citation de Saint Luc en exergue), *Select Hôtel* constitue surtout un oppressant voyage au bout de la nuit du désespoir. *Un Frère* (1997), de Sylvie Verheyde mélange pour sa part le pire et le meilleur. Ses lieux communs sur les jeunes survoltés et défoncés, les banlieues sinistres ou les boîtes techno, les comportements hystériques, les milieux superficiels de la photographie et surtout les halètements sauvages d'innombrables scènes de sexe sont insupportables de même que, inversement, le final bêtifiant chez la grand-mère dans la France profonde et rurale. Heureusement, entre les deux, une caméra inquisitrice et la fraîcheur d'Emma de Caunes permettent de saisir un peu de sincérité. Avec deux demi-sœurs élevées par des mères différentes qui se rencontrent pour la première fois à vingt ans en recherchant leur père commun (*Princesses*, 2000), Sylvie Verheyde privilégie malheureusement les artifices de sa mise en scène et ne retient plus que les clichés.

De toutes façons, ni Laurent Bouhnik ni Sylvie Verheyde ne parviennent à la vision singulière de leur aînée Claire Denis qui, sans rien expliquer, rassemble des fragments éclatés, des lambeaux douloureux, des blessures à vif et des rêves secrets dans sa description rude de la sœur et du frère, *Nénette et Boni* (1997), jetés dans le drame au milieu de l'environnement populiste de Marseille. Mais le cœur de cette œuvre tranchante – la meilleure de son auteur – est noir, autiste (Boni enfermé chez lui dans le silence), violent (l'assassinat du père, les colères du fils), avec seulement sur la fin un petit éclair qui permet au spectateur de ne pas partager complètement la détresse de Nénette terrorisée par une maternité refusée. Boni repousse d'abord sa sœur comme il rejette son père pour conserver ses rêves naïfs et ses attitudes brutales de caractériel en révolte. Il n'a donc rien à faire du corps de femme enceinte de sa très jeune sœur. Pourtant, finalement, il volera le bébé accouché sous X. Sous un soleil aussi dur que la grisaille du Nord, *Nénette et Boni* est donc tout en tendresse rentrée : frère et sœur sont en manque de communication mais gardent toutes griffes dehors jusqu'à ce que chacun accède à l'autre en même temps qu'à lui-même.

Tout va bien (Claude Mourieras, 2000) complique la thématique car Louis, vieux père démissionnaire, revient troubler l'équilibre que ses trois filles abandonnées avec leur mère quinze ans auparavant ont dû construire sans lui, ou plutôt contre lui, compensant par une sororité dévorante (il est vrai que leurs compagnons sont très peu consistants) le vide vertigineux de son absence. Ce retour du père, c'est celui du refoulé qui bouscule un travail de deuil achevé déjà avant sa mort, le retour, par conséquent, d'une mémoire occultée par les trois sœurs mais qui lâche aussi au mauvais moment l'homme fatigué, brutalement incapable de s'y accrocher lui-même ! Dès lors, tout bascule et il lui faudra bien rejoindre la place que la nouvelle génération lui avait assignée cruellement dès le départ de l'histoire, à savoir celle du mort.

C'est le côté implacable du film. Et si l'on peut reprocher à ce probable suicide de résoudre une situation dramatique totalement bloquée par un Deus ex machina opportun (auquel s'ajoute encore la réussite de l'audition de la plus jeune fille qui pourra ainsi échapper à l'étouffante tendresse de ses sœurs), il n'en reste pas moins que cette facilité scénaristique, qui gâche un peu la fin, s'appuie habilement sur une fatalité biologique : il est dans l'ordre des choses que les pères disparaissent pour que les « héritiers » accomplissent enfin leur destin. D'autant plus que Claude Mourieras sait préserver la violence de sa proposition esthétique en lui conservant toute la chair, c'est-à-dire la complexité humaine de caractères difficiles, extrêmement fouillés, servis par une interprétation d'une merveilleuse sensibilité : pour la première fois depuis vingt ans qu'il traverse sans vraiment sourciller le cinéma français, Michel Piccoli retrouve dans ses silences opaques (pathétiques ? imposteurs ?) l'âpreté du *Coup de grâce* (Jean Cayrol, 1964) face aux éblouissantes compositions de Miou Miou (Laure, l'aînée qui fait tourner la maison), Sandrine Kiberlain (Béa, forte de sa réussite professionnelle) et Natacha Régnier (Claire, la petite dernière, pianiste, instable, mais le cœur à vif).

Le réalisme de ce père déserteur du foyer gagné par la maladie d'Alzheimer est donc attaqué par le passé (la figure de l'absence que constitue la mère « oubliée ») en même temps que par le présent de la petite fille qui découvre l'existence du grand-père jusqu'ici ignoré. Mourieras casse alors audacieusement la transparence de sa mise en scène pour ciseler un certain nombre d'inserts de l'imaginaire de Louis. À partir des souvenirs de Claire enfant et de sa petite fille actuelle, le cinéaste compose ainsi un personnage hybride qui, loin de rester figé dans la mémoire, devient une création autonome réagissant de manière tour à tour attendrissante et douloureuse, aux péripéties du récit. Ce double à la fois de Claire enfant et de Marion fille de Laure, fournit l'ouverture nécessaire vers une échappée libérée des pesanteurs quotidiennes.

C'est aussi un vieux père (Michel Bouquet) qui revient dans *Comment j'ai tué mon père* (Anne Fontaine, 2001) pour déstabiliser son fils (Charles Berling) installé dans le conformisme bourgeois de sa réussite sociale. Énigmatique, tour à tour ironique, pitoyable, dur ou charmeur, il est l'intrus entrant en relation conflictuelle avec la lisse froideur derrière laquelle son fils dissimule le vertige qui le saisit et les émotions contre lesquelles il lutte de toutes ses forces. En fait, les deux hommes se vampirisent l'un l'autre devant une jeune femme (splendide Natacha Régnier) victime de ce combat d'orgueils et d'égoïsmes déguisés en soif de liberté. Il est dommage qu'une malheureuse construction en long flashback (souvenir ? imaginaire) surligne le plus judicieux flottement dramaturgique par ailleurs encombré de trop de dialogues explicatifs réduisant l'intensité de la fable à des situations psycho-psychanalytiques un peu décevantes.

Accepter ou refuser la paternité fonde le drame d'Anne Fontaine alors que Claude Mourieras avait construit ses deux premiers longs métrages autour de personnages d'enfants : *Montalvo et l'enfant* (1989, film chorégraphié d'après *Pandora*, de Jean-Claude Galotta et situé dans un milieu d'immigrés italiens amateurs de tauromachie où l'enfant observe sans vraiment comprendre la pantomime des adultes scandée par des mots retenus pour leur seule sonorité) et *Sale Gosse* (1995, un garçon s'oppose avec violence à sa jeune mère, énergiquement interprétée par Anouk Grinberg). *Rosine* (Christine Carrière, 1995) constitue un peu la version féminine de la même histoire. Mais à mesure que la sobre description clinique des relations entre la jeune fille de 14 ans et sa mère – célibataire de 30 ans, ouvrière déboussolée volant d'aventure en aventure – tourne au drame sordide avec le retour du père bientôt incestueux, le film perd sa force réaliste par une mise en scène très gauche. Heureusement, l'interprète joue contre la normalisation du récit et porte avec talent son personnage jusqu'au bout. Superbe casting également dans *Le Fils du requin* (1992), Agnès Merlet traquant deux jeunes frères de 12/13 ans seuls dans les ruines du mur de l'Atlantique où ils se terrent le long de la plage normande. La méchanceté les entoure mais elle les a également depuis longtemps pénétrés. Leur entêtement à piller et à détruire les accule en effet à une solitude bornée, révolte instinctive et sans but. Leur imaginaire lui-même est atteint puisque la métaphore du fils de la femelle du requin les renvoie encore à la violence du réel.

Les hommes fragiles et le face à face avec la mort

Dans la tonalité aigre-douce des films qui n'ont pas choisi la violence du tragique existentiel, *Qui plume la lune ?* (Christine Carrière, 2000) inverse la proposition psychologique de *Tout va bien* puisque les deux filles mobilisent la totalité de leur énergie pour sauver de la déprime suicidaire leur père, veuf inconsolable un peu balourd, bien qu'elles aient déjà pas mal à faire à trouver leurs propres voies.Le film est un miracle d'équilibre clownesque ; étiré sur une bonne quinzaine d'années, le récit est mené avec culot, alternativement – et sans crier gare – par les voix *off* des trois personnages. Pleine d'aspérités, de chutes de tension et de pics comico-pathétiques, l'œuvre traduit bien le chaos des liens familiaux, à la fois insupportables et obligatoires, générateurs de petits bonheurs et de grands malheurs… ou le contraire ! Car les autres, c'est la vie, tandis que la solitude n'est que vide absolu comme le montre Laurent Bouhnik (après son second long métrage trop encombré de platitudes, *Zonzon*, 1998, conflit théâtral en milieu carcéral) : *Madeleine* (1999) tente – il est vrai avec maladresse – de renouveler le personnage de la jeune femme de 35 ans au physique anonyme, terne, neutre dont on n'a pas envie de croiser le regard et qui s'enfonce inexorablement dans l'isolement, par une esthétique de cadrages insolites.

Hommes et femmes brisés ou affaiblis hantent ainsi le jeune cinéma, généralement dans un quotidien dont la banalité accuse la vacuité. Mais si l'exil intérieur, la perte de réalité de tout environnement humain sont traqués au présent de Paris-Province, rares sont les films décrivant ceux qui se sont arrachés à cette gangue familière pour un ailleurs lointain où une horreur générale bien tangible les renvoie en fait au plus profond de leur angoisse personnelle. Dans une scène de *Port Djema* (Éric Heumann, 1996) situé dans une Afrique imprécise désolée par la guerre, la misère et la maladie, Heumann filme, de l'intérieur d'une pièce délabrée, le protagoniste qui regarde à travers la fenêtre une longue file de réfugiés hagards, courant sur une étroite bande de terre entre deux marécages, à contre-courant d'automitrailleuses remontant la colonne. 90 % des réalisateurs auraient mis les pauvres fuyards et le matériel militaire en premier plan pour faire du spectacle et que l'on « voit » bien l'argent de la reconstitution, mais Heumann fait l'inverse parce qu'il tourne depuis le cœur de l'histoire avec une véritable morale de cinéaste. Son regard conserve tout au long du film cette pénétration, comme le docteur Pierre Feldman sa raideur et le pays son anonymat, cette retenue convenant admirablement au propos – entre *Empty Quarter*, de Depardon et *Profession Reporter*, d'Antonioni – qui tour à tour se dérobe ou se développe autour d'une double figure de l'absence : celle de l'ami médecin humanitaire assassiné et celle de l'enfant inconnu photographié dans la rue, prétextes à la recherche du voyageur sans bagage. Filmant à juste distance le cauchemar africain par le truchement de deux personnages suffisamment intrigants pour servir de « passeurs », Heumann évacue le moindre appel de fiction pour conceptualiser des images trop vues à la télévision auxquelles il parvient à donner une authentique densité. Ce Port Djema imaginaire, ces rebelles, milices gouvernementales, embuscades, bagarres, morts, déplacements et humiliations sont en effet de bien des pays depuis vingt ans, sorte de fatalité de fin des temps, de lassitude au-delà des peurs, de douleurs muettes qui imprègnent ce film rude, d'une beauté et d'une justesse rares, de celles que produit une écriture qui ne s'encombre pas d'ornements.

Peut-on caractériser un style jeune cinéma français ?

On l'a vu, ses détracteurs s'attaquent volontiers aux thèmes du nouveau cinéma français ; mais qu'en est-il de la problématique du style ? Un style se forge à partir de composantes et de leurs combinaisons (structures, textures). C'est donc une question de formes. Cependant, sa recherche se heurte à la question de savoir comment peuvent coexister des styles personnels et un style collectif ? Reprenant un concept de l'histoire de l'art, David Bordwell[1] propose le terme de « group style » pour définir – par-delà les singularités individuelles – les constantes et les éléments récurrents d'un mouvement artistique qui n'excluent pas pour autant toutes les variations possibles à partir de ces données communes. L'idée serait que dans la Nouvelle Vague française comme à Hollywood pendant son âge d'or, on observait à la fois un style commun et des styles individuels. Ces derniers offraient des caractères authentiquement posi-

1. D. Bordwell, *The Classical Hollywood Cinema*, Londres, Routeledge, 1996.

tifs et non de simples adaptations du style commun car, dans ce cas, celui-ci n'aurait constitué qu'une norme un peu grise par rapport à laquelle chaque créateur se serait défini. Or les deux doivent présenter des signes forts : communs (et non standards), personnels (et non accommodation). C'est pourquoi la théorie des écarts qui permet d'analyser l'œuvre d'un auteur s'élaborant par rapport aux règles constitutives d'un genre cinématographique ne convient pas dans le cas d'un mouvement artistique car cela reviendrait à dire que le style collectif est chronologiquement premier tandis que les styles individuels ne viennent qu'après se forger en fonction de ce modèle. Or c'est absurde. Mais l'inverse aussi : les caractères d'ensemble ne sont évidemment pas la somme des styles individuels car les deux se dégagent simultanément et au même niveau de valeur

« Group style » et style individuel

Tout style comprend des composantes volontairement travaillées par le cinéaste à partir des prédécesseurs admirés (R. Bresson, J. Eustache, M. Pialat pour 80 % de la génération quatre-vingt-dix ; J.-L. Godard pour É. Rochant ou L. Masson...) et d'autres plus inconscientes (quoi que fasse A. Desplechin en changeant de proposition artistique à chaque film, ce sera toujours une dialectique avec les genres, des biopsies d'une grande violence menées par l'accumulation de multiples approches...). Le style collectif se définit par quelques éléments d'ensemble immédiatement reconnaissables (ceux que nous allons tenter d'établir ci-après) tandis que la facture personnelle ne se livre vraiment que dans l'étude de détails (les impasses scénaristiques de X. Beauvois qui poussent le récit à son autodestruction). Dès lors, le style collectif serait plus aisément (mal) reproductible (*Jeunesse*, de Noël Alpi, 1997, est une caricature du courant « coup de scalpel sur des écorchés vifs » que nous venons d'étudier) tandis que le style individuel résisterait puisqu'il serait, selon la formule fameuse de Buffon, « l'homme même ».

Franck Curot[1] remarque à la suite de Roland Barthes que le style individuel est « proprement un phénomène d'ordre germinatif »[2] à distinguer de l'écriture, résultant elle d'un pacte social : liée à la communication, elle est « un acte de solidarité historique ». C'est donc cette ÉCRITURE – assimilable au « group style » – qui nous intéresse ici, ce fond commun des jeunes de la génération quatre-vingt dix que l'on ne saurait réduire à une des catégories générales telles que

1. F. Curot, *Styles Filmiques*, Coll. « Études Cinématographiques », vol. 65, éd. Minard, 2000.

2. Les citations que F. Curot fait de Roland Barthes sont tirées de *Le Degré zéro de l'écriture*, 1953, coll. « Points », éd. du Seuil, 1972.

réalisme, classicisme, baroque... Certes l'EXPRESSIVITÉ (qui englobe, d'après Curot, subjectivisme, baroquisme, métamorphisme...) permet une certaine approche relative mais, s'il peut y avoir chez nos jeunes cinéastes du subjectif, du baroque ou du réalisme, ils ne sauraient être définis, ni collectivement ni individuellement, par un seul ou même plusieurs de ces caractères qui n'ont pas été forgés pour le cinéma.

Le réel plutôt que l'image

Dans les années quatre-vingt dix, en tous cas, comme quarante ans plus tôt au début de la Nouvelle Vague, les cinéastes sont davantage du côté du réel que de celui de l'image : pas de ralenti ou d'accéléré, pas de transparence, d'effets spéciaux, peu de flash-back, pas de split-screen[1], de couleurs désaturées ou d'images surexposées, de surimpressions, peu de trucages en laboratoires... C'est une différence fondamentale avec le récit américain de Martin Scorsese, Francis Ford Coppola et surtout de Brian De Palma. Cette méfiance envers la technique n'empêche pas une grande richesse visuelle car la mise en scène est souvent très élaborée, même quand se juxtaposent de grands morceaux d'espace-temps non repérés par l'arsenal des raccords possibles suggérant le passage d'un moment – ou d'un lieu – à l'autre. Qu'il y ait ou pas aspiration spiritualiste (plus qu'inspiration) c'est-à-dire dans certains cas, capacité ontologique (bazinienne) de saisir l'âme en même temps que le corps, le jeune cinéma français est généralement filmé comme *Voyage en Italie*, *Stromboli* ou *Europe 51*, dans la simplicité et la fluidité naturelles des œuvres attachées aux mouvements des êtres plus qu'à la géométrie des images. Mais c'est aussi le contraire d'un cinéma de sujet car croire dans le réel c'est justement privilégier la mise en scène au scénario, comme le regard-cinéma aux techniques de prises de vues.

L'anti cinéma-spectacle

Après cette définition générale, il est plus malaisé de dégager des critères clairs communs à la majorité des cinéastes, d'où la tentation de parler d'individualités disparates. Pourtant, en définissant ce que ce cinéma n'est pas (violent, spectaculaire, de genre, directement politique...), on arrive à dégager un espace à l'intérieur duquel il se situe : intimisme, rapports humains à deux ou en petit groupe, instabilités, crises d'identité dans une société à bout de souffle, traduits par une écriture d'une pureté exigeante car revenue de tous les effets ; cinéma

1. Écran découpé en plusieurs images.

de l'allusif, du suggéré, du non-dit, cinéma comportemental, de détails, se méfiant du dramatique et du déclamatoire pour se concentrer sur ce que les situations, les caractères, le contexte ou l'interprétation ont volontairement gommé ou plus ou moins occulté ; c'est un cinéma qui a beaucoup à dire et en a gros sur le cœur mais pratique la rétention orgueilleuse des timides, art classique par ce goût de la litote à l'image du repli douloureux des personnages, un cinéma qui par ailleurs prend parfois les choses à revers et le récit à contretemps.

C'est un pari radical, car le jeune cinéma d'auteur se donne volontiers comme l'anti-cinéma-spectacle. Contrairement à Jean-Jacques Beineix et Luc Besson qui avaient fait leurs débuts quelques années auparavant, les nouveaux cinéastes ne regardent guère vers la « société du spectacle » (sur laquelle adore au contraire se pencher le cinéma américain) comme ils se démarquent aussi des médias audiovisuels et de la grande presse. Peu d'intérêt en effet pour ce style et cette thématique, ce qui traduit leur conception d'un cinéma plus expression que représentation. C'est pourquoi leur inspiration reste également éloignée de celle de la télévision qui pourtant les finance. Ces réalisateurs savent lire l'image car ils sont habitués à l'analyse de film davantage que portés par la cinéphilie Nouvelle Vague ou formés sur le tas par l'assistanat auprès des professionnels. Pour eux Godard, Dreyer, Welles, Kitano ou Ferrera se valent (ils ont étudié parallèlement des séquences emblématiques de leurs meilleurs films) et ils font leur profit de tous.

Leur écriture intègre donc tous les acquis, mais pour privilégier finalement la construction la plus transparente possible d'un univers cinématographique que le public est invité à rejoindre. Certes le spectateur ne peut guère s'identifier précisément à un personnage, mais il trouve sa place à ses côtés (surtout dans les films de type choral) par une empathie avec le film entier. Le cinéaste n'impose pas un axe d'approche précis mais il propose un « point de vue documenté » à partager. Si le récit est certainement plus travaillé que les cadrages ou le montage, c'est la conséquence de ce « filmer avec » induisant une caméra à hauteur d'homme et à l'intérieur du groupe. Mais cela sans se priver d'une vision parfois subjective ou prenant tout à coup la position du démiurge dans une liberté totale, celle de ceux qui préfèrent renoncer à toute virtuosité parce qu'ils tiennent à un langage très près des choses, comme un journal intime plus qu'un procès-verbal, ou un roman davantage qu'un poème. Beaucoup de refus, par conséquent, de rétention, de peur des joliesses sans nécessité dramatique, de pudeur devant une fiction appréhendée comme un réel évanescent à saisir dans l'instant grâce à l'évolution des méthodes de prises de vues de plus en plus légères quel que soit le sujet et l'ampleur de la production.

Le jeune cinéma français préfère la chronique à la construction tragique – Michelangelo Antonioni plutôt que Fritz Lang en somme – avec des scènes plus autonomes qu'organisées en progression logique ; cinéma davantage réaliste et intimiste qu'épique dans une narration qui travaille les ruptures de ton de préférence à la montée dramatique. Les nouveaux cinéastes s'appuient en effet sur la dureté-vérité du réel qui fait disjoncter les personnages alors que le récit classique – hollywoodien par exemple – respecte la « logique psychologique » en toutes circonstances (un héros normal lancé dans des aventures rocambolesques). À l'opposé, le jeune cinéma abonde de personnages perturbés, marginaux, imprévisibles dans un monde, lui, désespérément conforme à la grisaille sèche du quotidien. C'est là un renversement notable des dramaturgies littéraires, théâtrales et cinématographiques du passé. Le sens est à découvrir sans surlignage ni symbolisme appuyé, notamment dans les moments où la mise en scène intègre les acquis du direct. Car si ces films dédaignent généralement les attributs usuels du « genre » réaliste, c'est au profit d'une vérité (intérieure) surgissant d'un rapport plus juste au réel.

Maniéristes et déviants

L'essentiel du jeune cinéma se tient donc sur l'étroite ligne de crête entre les versants abrupts conduisant d'une part au « tout dialogue » du téléfilm et de l'autre au « tout image » de Besson-Beineix qui représentent les deux puissants aimants de l'audiovisuel d'aujourd'hui : la télévision et la publicité. Si le cinéma perd facilement sa dimension artistique en se laissant happer par ces tendances, les films qui choisissent (succombent à ?) ces langages dévoyés y gagnent par contre souvent une reconnaissance médiatique qui se refuse au cinéma d'auteur.

Le cinéma gore

Certains chemins de traverse conduisent pourtant quelques cinéastes solitaires hors du style reconnaissable « jeune cinéma » sans pour autant tomber ni dans les clichés visuels ni dans la neutralité du filmage. Ainsi le gore *made in USA*, plus ou moins pastiché par Jeunet-Caro ou traité au premier degré par Noé, impose un univers décapant. Forts en goût, *Délicatessen* puis *La Cité des enfants perdus* (Jean-Pierre Jeunet et Marc Caro, 1990, 1995) dotent l'esprit *Hara Kiri* de mouvement et d'une démesure décorative dans une tonalité fantastique. C'est cauchemardesque, horrifiant et ignoble à souhait, plein de gadgets stupéfiants et d'effets spéciaux d'Apocalypse. Le conte fait comme il se doit triompher les bons tandis que les méchants sont vaincus par leur bêtise. Tout est délirant : les ingrédients les plus fous sont en outre dynamités par les effets techniques de couleurs et de grands angulaires mais il y a, par contraste, un déficit de sens qui renvoie ces réalisations à la tradition un peu obsolète d'un grand guignol de diableries finalement peu infernales !

Sans Caro, Jeunet tente avec *Le Fabuleux Destin d'Amélie Poulain* (2001) l'oxymore d'un « gore guimauve » franchouillard basé sur le pastiche coloré du Réalisme Poétique et de tics en toc à l'image des stratagèmes tordus imaginés par l'héroïne pour séduire celui qu'elle a élu. Catalogue de bizarreries regorgeant d'idées-calembours, intrigue-jeu de piste progressant par indices et énigmes, le film impose un plaisant univers de *Cartoon* en prises de vues réelles agrémentées d'effets spéciaux très réussis et d'une foule d'acteurs de complément judicieusement mis en valeur. Devenu en quelques mois film culte, phénomène de société et sauveur de l'économie du cinéma français, *Amélie Poulain* parvient à rassembler, sans sexe ni violence ni vulgarité, plus de 8 millions de spectateurs. C'est une histoire kitsch, à l'esthétique vide-grenier, qui se moque vertement des gouffres du psychologisme identitaire avec ses deux héros tout d'une pièce, dynamiques, populaires et d'un optimisme à toute épreuve. Observant sa petite fée dévouée au bonheur des autres avec un humour situé entre celui des frères Coen et le ton des Deschien, Caro filme en complicité avec les héritages de la peinture et de la télévision qui scellent les rapports d'Amélie et de son vieux voisin Dufayel. Maniaque des détails, le cinéaste bricole un ensemble composite qui parvient pourtant à ne ressembler à personne par un art certain du recyclage et un sens précieux de l'équilibre comique.

L'histoire du boucher chevalin amoureux de sa fille autiste (*Carne*, Gaspard Noé, 1991) est peut-être plus forte parce qu'elle est totalement indissociable de la forme que lui donne le cinéaste : naturalisme pour débiles violents, culte du laid aux nuances rougeâtres pour fous furieux d'une terrifiante noirceur. Avec *Seul contre tous* (1998), suite du précédent, Noé accentue le typage de son esthétique, ponctuant le récit de coups puissants à l'image comme au son et scandant les scènes d'intertitres style *Jack l'éventreur* adressés directement au spectateur qui ne sait pas trop comment recevoir cet objet aberrant cultivant le hideux avec délectation. Si le style BD plutôt daté (on pense à *Creepy*) maintient le film dans les limites d'un sous-genre somme toute codifié, Noé cherche la provocation par l'insoutenable (le meurtre – qui se révèlera il est vrai imaginaire – de la fille) et la voix off du boucher résonne comme une version vulgaire d'une « philosophie catastrophe » (« un monde de merde peuplé de tristes trous du cul »). Ainsi l'auteur bouscule et fait peur sous couvert de critique sociale en créant un univers fort cohérent.

Les anti-réalistes (Jacques Audiard)

Sans un parti pris aussi exclusif, la caricature anti-réaliste incarnée dans la génération précédente par Bertrand Blier compte aussi quelques belles réussites : certainement pas les films de Didier Le Pêcheur (*Des Nouvelles du Bon Dieu*, 1996 ; *J'aimerais pas crever un dimanche*, 1999) réalisés comme des clips racoleurs à base d'outrances vulgaires, mais par contre les deux premiers de Jacques Audiard radicalisant ses scénarios déjà surprenants des films de Jérôme Boivin (*Baxter*, 1989, le pitbull qui pense ; *Confession d'un barjo*, 1991, un frère demeuré fournit le prisme à travers lequel est désintégrée la vie d'un couple). *Regarde les hommes tomber* (1994) recycle des épaves dans un polar sans flic. Le récit monte en parallèle l'histoire de deux truands minables et le parcours de celui qui se lance à leur poursuite plusieurs mois après. Au lieu de cultiver le bizarre pour lui-même, cette structure torturant la temporalité réinvestit constamment du vivant et de l'imaginaire dans une communication virtuelle plus que troublante. *Un Héros trop discret* (1996) déconstruit pour sa part le portrait d'un imposteur sous l'Occupation dans un patchwork de flash-back teintés d'humour noir mêlés à l'insertion de faux témoins et aux confessions postérieures du protagoniste lui-même, vieilli et devenu philosophe ! Le vrai et le réel sont ainsi bousculés à mesure que le destin du personnage passe de l'extraordinaire à l'improbable : où est la vérité ? Moins inventif, *Sur mes lèvres* (2001) s'appuie sur une idée (une sourde se sert de sa capacité à lire sur les lèvres) et un insolite duo d'acteurs (Emmanuelle Devos-Vincent Cassel) pour tisser un polar sentimental à l'esthétique tordue montant sur un rythme saccadé une impressionnante quantité de très gros plans en mouvements. Croisant les lieux attendus, Audiard lâche un ex-taulard au look de SDF grunge dans un bureau d'entreprise immobilière mais fait pénétrer la secrétaire inhibée dans une boîte de nuit foyer de violente délinquance, ce qui permet au terme d'une intrigue plutôt longuette à la jeune femme de se muer tout à coup en vamp de haut vol pour ramasser la mise !

Famille, romans roses et bonheur tranquille sont traités au vitriol par Anne Villacèque qui s'attache à des personnages peu aimables (la fille de 30 ans qui vit avec ses parents, le malotru qui la séduit et la tyrannise alors qu'elle ferait n'importe quoi pour sauver ce qu'elle croit être son histoire d'amour) pour déboucher sur l'atroce final : Sybille pousse ses parents dans l'auto qui s'écrase au pied de la falaise. *Petite Chérie* (2000) étire des plans fixes insistants aux cadrages creux, voire vides, peaufine les banalités du décor de vie, l'interprétation butée de Corinne Debonnière et la transparence des parents. Un humour noir et froid rend peu à peu la platitude insolite, le grand magasin ou la banlieue pavillonnaire d'Orléans seulement animée par les aboiements des chiens franchement inquiétants. Anne Villacèque revendique à juste titre son admiration pour *Au loin s'en vont les nuages* (Aki Kaurismaki, 1996). Pourtant, la naïveté de Sibylle est peinte avec plus de cruauté que de tendresse et elle conserve toujours une opacité inquisitrice.

La gageure était risquée car la recherche de l'insolite ne conduit pas forcément tout jeune réalisateur à la réussite. Ainsi la passion érotique de l'étoffe dont « souffre » l'héroïne du *Cri de la soie* (Yvon Marciano, 1996) n'est qu'une fausse bonne idée que les situations sans relief et un découpage d'une triste neutralité ne parviennent guère à communiquer, d'autant plus que le toucher est certainement le sens qui reste le plus étranger au cinéma. Décider d'entrecouper une demi-heure de rupture d'un couple franco-allemand sans intérêt par les commentaires de quelques techniciens et amis rigolards comme saisis par un camescope amateur filmant une fin de banquet est encore plus suicidaire et *Je n'en ferai pas un drame* (Dodine Herry, 1996) est donc exécrable.

Entre *La Rencontre* (1998), d'Alain Cavalier et *La Dame du lac* (Robert Montgomery, États-Unis, 1947), le parti pris de caméra subjective de *La Femme défendue* (1997), de Philippe Harel était sans doute aussi peu fiable, mais la façon de ne montrer qu'Elle dans cette banale histoire d'adultère parce que lui « est » la caméra et que le spectateur ne voit donc que par ses yeux, se justifie à l'usage, probablement dans la mesure où le réalisateur a décidé aussi d'interpréter l'homme (sa voix *off*, ses mains dans le champ, son visage une seule fois dans un miroir tout à fait à la fin), personnage médiocre et peu attachant. Dès lors, le style autobiographique se trouve perverti par l'exhibition perpétuelle de la solaire Isabelle Carré en contradiction avec l'économie générale du film, et si *La Femme défendue* n'est pas un objet aussi singulier qu'on aurait pu l'espérer, c'est néanmoins une œuvre inconfortable.

Couper totalement le lien au réel ne se pratique de toutes manières que sur les marges d'un cinéma expérimental de circuits spécialisés et l'on ne saurait, dans le cinéma qui nous occupe, trouver aucun équivalent de la fragmentation opérée par exemple par le peintre Valerio Adami avec ses cernes noirs qui, un peu à la manière du plomb dans l'art du vitrail, permettent de souligner, ou au contraire de briser et de supprimer des lignes ou des morceaux du corps représenté. De même, aucun film ne peut produire l'effet des cinq tableaux de René Magritte intitulés *L'Évidence éternelle* (1948), nu de son épouse en cinq toiles isolées et encadrées de la tête, des seins, du sexe, des genoux et des pieds, extraits plus suggestifs que l'ensemble, d'autant plus que l'humour a sa place avec cette sorte de mise en croix sans bras évoquée par le fait que le tableau de la poitrine est, seul, plus large que haut ! Dans le film, la fragmentation peut affecter l'espace, la durée et la narration mais elle n'attaquera jamais l'essence même du cinéma. De même le nu du cinéma moderne présente le corps dans tous ses états mais n'ayant jamais comme en peinture symbolisé le sujet académique par excellence, il ne saurait révolutionner le 7e Art comme ce fut le cas dans les arts plastiques de sa représentation par Goya (*Maja desnuda*) puis Ingres (*Le Bain turc*) et Édouard Manet (*L'Olympia*) où le personnage s'offre à l'observateur du tableau comme le modèle s'était présenté à l'artiste. Au cinéma le nu féminin est généralement destiné en priorité au regard du protagoniste masculin auquel s'identifiera le spectateur dans le dispositif voyeuriste proposé par la projection cinématographique (*Romance*, de Catherine Breillat, 1999). Seul un regard caméra du nu pourrait modifier la donne…

La nouveauté, au cinéma, est donc toujours relative et ne touche pas vraiment à l'impression de réalité. Si la peinture a depuis longtemps contesté la perspective à point de fuite unique de la Renaissance, Nicole Brenez remarque par contre que peu de cinéastes osent jouer des variations de vitesse en touchant au défilement « normal » (16 puis 24 images-seconde), convention technologique justement liée à cette reproduction satisfaisante à l'œil. Mais pour elle, la création est ailleurs et ne devrait avoir que faire de ce type d'accommodements afin d'explorer les « effets cinéthiques d'une richesse inouïe »[1] qui constituent l'authentique vérité du cinéma. C'est pourquoi N. Brenez salue au passage ceux qui savent, parfois, travailler le médium ou l'aspect plastique du rectangle de l'image : parmi les anciens Jean-Luc Godard ou Philippe Garrel ; chez les jeunes Philippe Grandrieux[2] ou Claire Denis.

Les formalistes (Claire Denis)

En fait, il y a peu de recherches formelles dans *Chocolat* (1988) ou *U.S. go Home* (MM, TV de la série *Tous les garçons et les filles*, 1994), mais déjà davantage avec *Nénette et Boni* (1996)[3]. *Beau Travail* (2000) quant à lui repose entièrement sur toute une série de variations esthétiques à partir de quelques bribes de fiction concernant un groupe de légionnaires à Djibouti. L'anecdote est en effet ténue : un adjudant (Galoup : Denis Lavant), jaloux d'un soldat (Sentain : Grégoire Colin) qui semble plaire au capitaine (Bruno Forestier : Michel Subor qui portait déjà ce nom dans *Le Petit soldat*, 1960, J.-L. Godard), le punit en l'abandonnant en plein désert avec une boussole truquée. Il sera exclu de la Légion et raconte cette histoire en flash-back. Sur les traces assez lointaines des poèmes de fin de vie d'Herman Melville et en résonance assourdie avec les bandes mythiques sur la Légion (pour justifier la production Arte dans la série *Terres Étrangères*), Claire Denis consacre les trois-quarts du film à filmer des corps et à composer des plans (dialogue rare, récit haché jouant des temps morts et des espaces vides) sur ce huis-clos masculin perdu dans une immensité désertique (seul Galoup a des relations avec une indigène). Le non-dit et la rétention de sens (ce n'est pas *Querelle* de R. W. Fassbinder : rien ne se

1. N. Brenez, « Ralenti et accéléré » in *Le Siècle du cinéma*, Hors Série, *Cahiers du cinéma*, novembre 2000.

2. Voir ci-dessus, Le cinéma de l'intime, p. 79-80.

3. Voir ci-dessus, Un cinéma à fleur de peau, p. 90.

passe et il y a plutôt peur de l'homosexualité que tentation), comme la présence d'une voix *off* réflexive qui casse toute fascination sensuelle, concentrent exclusivement l'énergie que dégage le film sur la plastique des torses nus de ces garçons à l'exercice dont les mouvements ont été chorégraphiés au soleil par Bernardo Montet sur un opéra de Britten. La nuit, par contre, la musique disco des boîtes provoque les ridicules contorsions de Denis Lavant au générique de fin (mais c'est un private-joke évoquant des tortillements comparables dans *Mauvais Sang*, de Leos Carax). On est aux limites de l'exercice de style, comme dans un pervertissement formaliste. Il faut admirer la hardiesse de l'entreprise mais on ne saisit pas vraiment la finalité de cette proposition. Claire Denis provoque-t-elle d'ailleurs une véritable émotion esthétique ? Pas exactement car les images sont curieusement désincarnées ; le bleu de la mer et le blanc-jaune du sable occupent de grandes surfaces dans l'image et absorbent les chairs comme les grains de peau. Mais cette manière de composer un tableau de couleurs mouvantes en lieu et place d'un film scénarisé et mis en scène prioritairement pour produire du sens est assez rare dans le contexte du cinéma français pour être considérée avec attention.

Chapitre 4

Post modernité et/ou nouvel académisme

Après avoir cherché dans le chapitre précédent à creuser ce qui rassemble et donne une unité au jeune cinéma français, il faut à présent étudier quelques domaines investis plus précisément par la génération quatre-vingt-dix et qui se sont trouvés plus ou moins transformés par l'intimisme et le réalisme intérieur caractérisant ces cinéastes. Il s'agit de genres très populaires (le comique) comme de courants au contraire d'ordinaire peu fournis (le film social), mais aussi de données sociologiques (l'arrivée de nombreuses femmes à la mise en scène) ou esthétiques (vigueur de la création face aux modèles et aux codes établis). Le mouvement a plus de dix ans. Il a donc eu déjà des effets dans le devenir du cinéma national et connu lui-même une certaine évolution. Interrogeons cette trace vivante pour tenir compte de toutes les composantes actuelles et aussi des directions susceptibles de s'affirmer encore davantage. Le phénomène se poursuivant et ne donnant encore nul signe de fléchissement, aucune possibilité, par conséquent, de proposer un bilan ; pourtant l'état des lieux à chaud est déjà significatif.

Un mouvement artistique peut-il se renouveler sans cesse ? L'existence même d'œuvres de qualité ne suscite-t-elle pas forcément des épigones qui transforment au mieux en style, au plus mal en recettes, les trouvailles des premières réussites ? Si le cinéma moderne[1] est celui des années soixante – en France Robert Bresson et Jean-Luc Godard –, la génération soixante-dix – Marguerite Duras, Bertrand Blier, Jacques Doillon, Jean Eustache, Maurice Pialat… – devrait être par conséquent déjà post-moderne. Mais l'histoire du cinéma a vu plutôt ces cinéastes comme en continuité directe de la Nouvelle Vague. Alors, après le repositionnement des années quatre-vingt, c'est le cinéma de chambre introspectif des nouvelles vagues de la décennie quatre-vingt-dix qui apparaît comme une figure de la post-modernité si l'on veut dépasser la contradiction linguistique entre « Nouvelles » et « Post » traduisant les tensions internes d'un

1. *Le Cinéma moderne* est, à l'origine, le titre d'un livre de Gilles Jacob, éd. SERDOC, Lyon, 1965.

ensemble accumulatif qui commencerait par ailleurs à montrer quelques signes attendus d'académisme. En effet, si le courant social innove en faisant voir autre chose et autrement que Constantin Costa Gavras et Bertrand Tavernier, certains premiers films de 2000 filment par contre « choral » comme *La Sentinelle* alors qu'Arnaud Desplechin en est à faire le portrait d'*Esther Kahn*, d'autres imitant la galère de *La Vie rêvée des anges* au moment où Éric Zonca tourne *Le Petit Voleur* dans un tout autre registre… Quant à l'académisme de l'académisme, ce serait le retour en 2000 de certains réalisateurs au dilettantisme narcissique d'*Un Monde sans pitié* ou au home-movie tremblant alors que les films récents des plus grands s'ouvrent au social et que le DV fournit une image plus belle que la vidéo… Mais d'autres évolutions sont d'une nature différente : après le réalisme de son premier long métrage *Y-aura-t-il de la neige à Noël ?*, la noirceur de *Victor... pendant qu'il est trop tard* ne fait pas pour autant soudainement de la réalisatrice Sandrine Veysset une nostalgique du Réalisme Poétique ou une post-expressionniste. À mesure que grossit la vague, ses composantes à la fois se diversifient et se renforcent : « jeunisme » et nouveaux cinéastes commencent même à former des composantes de campagnes publicitaires, mais tous les premiers longs métrages ne sont pas du nouveau cinéma.

Le « film comique », la « comédie de boulevard » et la « comédie à la Française »

On le sait ou le déplore depuis plus de dix ans : sauf exception, les films américains enregistrent les deux-tiers des entrées en salles.Il ne reste donc aux films français qu'un tiers, les productions d'autres nationalités ne réalisant par ailleurs que des scores quasiment négligeables. Mais quels sont donc ces films américains qui attirent les amateurs de cinéma ? La liste des dix champions des entrées du marché français de 1945 à 2000 (inlassablement remise à jour par le CNC) nous l'indique : 1. *Titanic*, 3. *Autant en emporte le vent*, 4. *Le Livre de la jungle*, 6. *Les 101 Dalmatiens*, 7. *Les Dix Commandements*, 8. *Ben Hur :* aventures, grand spectacle et Walt Disney.

Mais si le public s'émotionne et s'extasie américain, les Français aiment rire français. Dans les dix du hit parade ne figurent en effet que deux productions nationales, et ceux sont deux films comiques : 2. *La Grande Vadrouille* (Gérard Oury, 1966), 9. *Les Visiteurs* (Jean-Marie Poiré, 1992). Les résultats des dernières années confirment ces choix : en 1998, derrière le « phénomène » *Titanic* (plus de 20 millions d'entrées !), on avait déjà un beau tir groupé avec 2. *Le Dîner de cons* (Francis Veber), 3. *Les Couloirs du temps*, alias *Les Visiteurs 2* (Jean-Marie Poiré), suivis en 4 par *Taxi* (Gérard Pirès). En 1999, le premier au Box Office est *Astérix et Obélix contre César* (Claude Zidi) et, en 2000, *Taxi 2*

(Gérard Krawczyk) avec plus de 10 millions de spectateurs devant cinq films américains.

Ainsi les choses sont claires : dans le cinéma de divertissement la préférence, quand il s'agit d'action, va plutôt au film américain ; d'où les imitations – genre *Les Rivières pourpres*, de Mathieu Kassovitz – du polar hexagonal essayant de recopier tout ce qui caractérise le thriller US. Mais la tendance s'inverse avec le comique : c'est alors le cinéma américain qui tourne des remake des succès français, notamment depuis *Trois Hommes et un couffin* et autre *Cage aux folles*. De fait, le rire est une constante du cinéma français, de la comédie dramatique à la farce grossière : pantalonnade ou caleçonnade, les vocables ont vieilli mais chaque lecteur pourra donner ses titres car la chose, elle, persiste. C'est le « film comique », très différent de la « comédie à la française » qui a eu ses grandes époques (aux temps de Michel Deville ou Philippe de Broca) et dont nous évoquerons ensuite les actuelles réussites.

Les comiques de variété : du petit au grand écran

Or sans entrer dans les querelles typologiques, il nous faut malheureusement remarquer que, dans ce domaine, le comique français est rarement d'essence cinématographique : aucun équivalent de la Comédie Italienne ou du cinéma d'acteur comique style Nanni Moretti, Maurizio Nichetti ou Roberto Bénigni, et donc actuellement aucun film dans lequel le cinéaste et le comique soient indissociables comme c'était le cas de Jacques Tati, de Pierre Etaix, de Pierre Richard encore, tout à fait au début des années soixante-dix. Certes il y a (eu) des acteurs spécialisés dans le rire, tels que Louis de Funès parvenant peu à peu à s'affirmer à la fois comme une « nature » et un authentique personnage comique, c'est-à-dire, en effet, « un comique ». Mais peu se sont formés et révélés au cinéma. Ainsi Bourvil ou Fernandel venaient du Music-Hall, et n'ont surtout aucun équivalent aujourd'hui.

C'est qu'il semblerait que de nos jours la seule source connue des producteurs pour alimenter l'attente du public en comique cinématographique soit obligatoirement à chercher sur scène ou à la télévision. La deuxième partie de la décennie 1970 vit donc le passage au cinéma des comiques du Café-Théâtre, plus spécialement ceux du Splendid (Michel Blanc, Josiane Balasko, Thierry Lhermitte, Gérard Lanvin, Gérard Jugnot, Anémone, Coluche…). On connaît l'histoire : succès de la série des *Bronzés* (filmés par Patrice Leconte) et triomphes de *Le Père-Noël est une ordure* puis *Papy fait de la résistance* (1982-1983, mis en scène par Jean-Marie Poiré) devenus véritables films « culte » pour certains inconditionnels. Que l'on pense ce que l'on veut de ces deux titres, il faut bien convenir que la médiocrité (souvent signée Josiane Balasko – *Un Grand Cri d'amour*, 1998 – ou Gérard Jugnot – *Scout Toujours*, 1985) fut plus fréquemment au rendez-vous que les réussites (en demi-teintes : *Grosse Fatigue*, de Michel Blanc, 1994). En tous cas le courant n'a pas été renouvelé depuis vingt ans comme en témoignent les réussites commerciales des deux *Visiteurs*.

La seule alternative de ce tournant de siècle est donc l'irruption sur grand écran des amuseurs soi-disant humoristes qui ont littéralement envahi la télévision ces derniers temps. Et là, le tableau est consternant. Calamités des émissions de variétés en *prime-time*, les fantaisistes imitateurs, Inconnus ou Nuls autoproclamés et autres animateurs vulgaires, constituent en effet depuis des années le puissant lobby autarcique du comique de télévision. Alors que Raymond Devos se fait rarissime et que Guy Bedos ne parvient pas à mettre sur pieds les émissions projetées, Michel Drucker assure le fond de commerce de ses productions avec une poignée de fantaisistes fatigués resservant toujours les mêmes sketches jamais renouvelés... Qu'importe puisque l'animateur s'esclaffe et que les rafales de rires se déclenchent fort à propos. D'ailleurs, reconnaissons que les téléspectateurs conquis – les fameuses « patates de canapés » comme disent les Américains – demeurent bel et bien devant leurs écrans quoi qu'on leur fasse. Or tout évolue très vite à la télévision soumise aux lois de l'audimat : au départ *Le Petit Rapporteur* de Jacques Martin, puis le présentateur-producteur se brouille avec son équipe ; c'est alors d'un côté la niaise *École des fans* et de l'autre les émissions de Stéphane Collaro dont le Bébête Show suivi bientôt par Les Guignols de l'info de Canal Plus. Quant à Pierre Desproges et Thierry Le Luron, ils sont morts très tôt, avant que la télévision ne mette la main sur le cinéma. On ne mélange pas alors les deux et les comiques ne passent pas de l'une à l'autre.

Mais dans les années quatre-vingt dix, le rire programmé aux heures de forte écoute fait dorénavant la courte échelle au chèque en blanc-grand écran très vite proposé aux amuseurs. C'est logique : tout film français étant aujourd'hui co-produit par la télévision pour passer (de plus en plus rapidement) sur le petit écran, les producteurs-cinéma vont chercher dans les programmes télévisés de grande audience sujets, créateurs et interprètes des futurs films prévus pour être diffusés aux mêmes heures. Dès lors, tous les amuseurs – y compris les moins doués – ont droit à leurs films et peuvent même les réaliser pour flatter leur ego. Qui se souvient de ces indigestes navets que furent en 1973 *Na !* de Jacques Martin et en 1977 *Drôles de zèbres,* de Guy Lux ? C'étaient des raretés qui deviennent règle inflationniste dans la dernière décennie. Membre de l'équipe de « Nulle part ailleurs » sur Canal Plus, spécialiste des sketches acides sur l'actualité politique style *Hara Kiri* de la grande époque, Karl Zéro bâcle *Le Tronc* (1992), patchwork sans rythme... ni raison. La même année, Alain Berberian réalise le premier long métrage du groupe TV « Les Nuls » – *La Cité de la peur* avec Alain Chabat et Dominique Farrugia – qui joue sur tous les tableaux (le polar, le monde du cinéma, la comédie) sans aucun succès.

Qu'à cela ne tienne, les premiers films continuent et c'est au tour des « Inconnus » (Didier Bourdon, Bernard Campan et Pascal Légitimus) avec *Les Trois Frères* (1995) puis *Le Pari* (1997), Élie et Dieudonné (*Le Clone*, 1997). Des fois ça marche commercialement (*Les Trois Frères,* mais aussi *Quasimodo del Paris*, de Patrick Timsit, *Le Derrière*, de Valérie Lemercier, *Mon père, ma mère, mon frère*, de Charlotte de Turckheim, tous trois en 1999), des fois pas du tout (*L'Âme sœur*, de Jean-Marie Bigard ou *T'Aime,* de Patrick Sébastien quelques mois plus tard). C'est aussi mauvais d'un côté que de l'autre, mais on remarquera que les comiques qui cherchent à faire rire touchent davantage leur public que les grossiers rigolards donnant tout à coup dans la guimauve (Bigard, Sébastien). Les budgets enflent : autre échec public, *Antilles-sur-Seine* (Pascal Légitimus, 2000) est presque une superproduction et, faux style catastrophe aux effets spéciaux à l'appui, *La Tour Montparnasse infernale* (Charles Nemes) avec Éric et Ramsy (d'abord vedettes du sitcom *H.* sur Canal Plus) est un des films les plus chers de 2001. On frémit d'avance en pensant que peut-être (sans doute ?) Muriel Robin[1], Pierre Palmade, Michel Boujenah ou Michel Leeb s'apprêtent à franchir le pas… Le dernier ne pourrait évidemment pas faire pire que pendant trois ans à la direction du Festival de Jazz à Nice. Demain les nouveaux auteurs-metteurs en scène-interprètes du rire risquent d'être Chevalier et Laspales, Élie Semoun, Laurent Ruquier, Anne Roumanoff, Dany Boon, Roland Magdane ou Laurent Gerra. À moins que certains d'entre eux, moins médiocres ou plus lucides que les autres, hésitent davantage à s'improviser cinéastes et à faire leur premier film. Mais gageons qu'hélas la logique du pire va se charger de les pousser à se risquer là où ils ne connaissent rien : ni à la scénarisation, ni à la construction de personnages, encore moins à la dramaturgie et à la mise en scène. Un sketch télé n'a rien à voir avec un film ni avec un *one man show* devant un public. Mais de cette évidence un certain cinéma et une certaine télévision à courtes vues n'ont que faire : quelqu'un « vu à la télé » racontant la même petite histoire deux ou trois fois par semaine pendant quelques mois est susceptible d'attirer sur son nom un nombre intéressant de spectateurs. Ils viendront ou pas, seront forcément déçus s'ils sont venus, mais tout le monde retournera très vite à la télévision, et le cinéma comique français n'aura reçu qu'un coup bas de plus, style *Les Rois mages* des « Inconnus » réconciliés (2001).

Ce cinéma de divertissement a donc tourné le dos à Guitry ou Tati et n'est plus qu'une excroissance du monde de la communication audiovisuelle, genre

1. Muriel Robin a été la vedette de *Marie-Line* (Mehdi Charef, 2000) en chef d'agents de surface de supermarché, mais le film lorgnait plutôt du côté du Coluche de *Tchao Pantin* (Claude Berri, 1983). *Marie-Line* témoigne en outre que le marché des vedettes de variété attire même des réalisateurs estimables des générations précédentes. Pour les fêtes de fin d'année 2000 sortait en effet aussi *Le Prince du Pacifique* (Alain Corneau, 2000) avec Patrick Timsit, Thierry Lhermitte et un petit garçon (même casting qu'*Un Indien dans la ville*, Hervé Palud, 1994).

« *people* », habitués des plateaux promotionnels où la télévision fait la publicité des shows, concerts modes et pièces de boulevards. Surtout tous ces films sont tournés avec une totale méconnaissance du langage et de la technique, bandes typiques des chaînes généralistes de grande écoute mais qui sont hélas au cinéma ce que le spectacle chanté *Notre Dame de Paris*, – cette fois scénique, autre production soutenue par toutes les télévisions – est à l'art vocal et à la comédie musicale ou les pièces de Josiane Balasko aux mises en scène de Jacques Lassalle.

Indépendamment de leur succès ou de leur échec commercial, ces films gâtent le goût du public par démagogie, vulgarité, bêtises et maladresses chroniques si bien que la majorité des spectateurs d'aujourd'hui ne saurait plus apprécier les comédies américaines d'un Ernst Lubitsch ou d'un Frank Capra. L'art du récit, l'intelligence de la mise en scène, la finesse des dialogues qui devraient constituer les bases élémentaires de la comédie sont remplacés par les ficelles dramaturgiques, la culture des effets et la grossièreté de l'expression. Or ces films bénéficient d'une énorme publicité à leur sortie en salles, puis passent successivement plusieurs fois les années suivantes sur chacune des six chaînes TV dont deux au moins d'entre elles les ont produits, sans parler du câble. La calamité esthétique de ces bandes indigentes se double donc d'une opération pernicieuse consistant à occuper grands et petits écrans pour essayer que ces produits sans valeur incarnent pour l'immense majorité des (télé) spectateurs privés de tout accès à d'autres types de film, la quasi totalité du cinéma français.

Or qui n'entend qu'une cloche n'entend qu'un son : la rupture entre les deux faces du cinéma français est là. Qu'on ne vienne pas en effet parler de désamour du public d'aujourd'hui pour son cinéma d'auteur : en fait, tout est orchestré pour qu'il ne voit pas le cinéma de qualité et qu'il n'ait accès qu'à l'autre, celui qui fait le trottoir par la défense et l'illustration du sinistre esprit « beauf » que Patrick Sébastien a longtemps symbolisé avant que la nouvelle génération des présentateurs de variétés ne vienne lui ravir la première place au « crétinomètre » de la popularité médiatique. Or on connaît ce type de discours : humour de chambrée anti « intello », pêche chasse et traditions, blagues xénophobes, harcèlement sexuel et nationalisme grossier… vaste domaine que le film comique n'a pas encore terminé de couvrir.

La comédie « de boulevard »

Ce que l'on pourrait appeler la « comédie de boulevard » creuse d'autres sujets, ses personnages sont plus complexes et les situations comiques remplacent les gags verbaux. On est dans le domaine de la comédie de mœurs élaborée et il serait malvenu de bouder notre plaisir devant le succès colossal d'un *Goût des autres* (Agnès Jaoui, 2000) plutôt réussi qui nous sauve d'un probable *Visiteurs 3* ou d'*Astérix le retour*. Certes le tandem Jaoui-Bacri se retrouve à la (double) case départ (*Cuisine et dépendances*, Philippe Muyl, 1992 ; *Un Air de famille*, Cédric Klapisch, 1996) alors que le bout de chemin fait avec Alain Resnais (notamment *On connaît la chanson*, 1997) semblait devoir les tirer du théâtre filmé pour accéder aux finesses de l'écriture cinématographique. Las, la mise en scène du *Goût des autres* se borne à souligner le jeu des acteurs, à faire entendre correctement les dialogues et à distribuer le plus également possible le temps d'image de chaque personnage bien à sa place dans une intrigue menée sans humeur ni surprise. On rétorquera que c'est déjà ça. Sans doute, et l'unanimisme de ce petit monde à la Claude Sautet soumis à un traitement comique savoureux agence avec bonheur des personnages indécis, vulnérables, toujours entre deux mauvais choix, vite gagnés par la déprime et pourtant prompts à retrouver le goût de la vie, bref touchants dans leur faiblesse traitée avec attendrissement mais sans mollesse. Comment ne pas apprécier un produit commercial d'un tel niveau, un cinéma de pur divertissement si intelligent et provoquant un rire sans facilités ni bassesses… ? Mais ne nous emballons pas : d'une part le tout venant de la comédie est rarement de cette tenue et, d'autre part, le cinéma à l'œuvre dans *Le Goût des autres* n'a qu'une vocation uniquement spectaculaire ; l'art, c'est quand même autre chose !

Marion Vernoux et Martine Dugowson, pour leur part, se sont installées dès leurs premiers films dans la suite des Diane Kurys, Magali Clément et autres peintres du « nouveau naturel » des années quatre vingt. *Mina Tannenbaum* (M. Dugowson, 1994) raconte à la Lelouch une amitié entre deux filles (beau duo d'actrices : Romane Bohringer – Elsa Zylberstein) mais les situations sont éculées et le récit languissant. La cinéaste passe au groupe dans *Portraits Chinois* (1997) pour ajouter la superficialité aux défauts précédents. *Personne ne m'aime* (Marion Vernoux, 1994) est encore plus irritant : pour donner à son *road movie* un peu « grunge » les couleurs de la caricature, l'auteur associe une photographie affreuse et une narration échevelée comme dans les pires spots publicitaires. Tout est plat, raide, laid. Jamais la scène ne décolle du scénario car il n'y a pas la moindre idée de cinéma. À part la pénultième séquence de l'affrontement du trio autour d'une table que Marion Vernoux filme avec vigueur, *Love etc.* (1996) saccage toujours aussi maladroitement une comédie sentimentale à trois tentant d'adapter aux années quatre-vingt dix la structure de *Jules et Jim*. *Reines d'un jour* (2001) retourne alors au rythme d'enfer de la circulation parisienne filmée en accéléré pour raconter vaille que vaille plusieurs dizaines de mini-séquences embrouillant à loisir les combines, déboires, tromperies, espoirs et désastres d'une bonne douzaine de protagonistes pendant 24 heures. Mais cette farandole cocasse entre personnages sans épaisseur qui se sont croisés dans un mariage est surjouée par des acteurs souvent excellents ailleurs (Karin Viard, Hélène Fillières, Victor Lanoux, Melvin Poupaud…) et le film s'essouffle vite à battre tant de vent autour du vide.

Rien à faire (1999) avait donc constitué auparavant une bonne surprise. Comédie mélancolique à l'image de son actrice-personnage Valeria Bruni Tedeschi, le film réunit un homme et une femme peu intéressants mariés chacun de leur côté et pris par l'ennui du chômage. À force, ils deviennent amis, puis amants. Un moment ils croient alors très fort à leur amour mais c'était une illusion : l'homme retrouve du travail et chacun retourne tout naturellement à son destin. Douceâtre, parfois pesant, *Rien à faire* est par contre juste, émouvant parce que Marie-Do et Pierre sont compliqués, généreux et singuliers. Le cinéma les accompagne discrètement avec une sympathie communicative. Bien sûr, ceci n'est pas bien drôle mais en France, la comédie de mœurs ne sait guère faire rire et le mélange des genres, souvent pratiqué par la Nouvelle Vague (par exemple les notations comiques parsemant le tragique du parcours de Michel Poiccard dans *À bout de souffle*), se retrouve dans la génération quatre-vingt dix (chez A. Desplechin, L. Ferreira-Barbosa, P. Ferran...) surtout d'ailleurs selon un schéma inverse à celui du début des années soixantes : c'est en effet plutôt la comédie qui se leste de gravité, voire de tragique (Marion Vernoux ou Tonie Marshall), souvent par le biais d'intrigues psychanalytiques et de personnages franchement lacaniens (films de Pascal Bonitzer). Le cocktail de la jet-set franco-américaine perturbé par le privé faisant retour dans la sphère publique dans *Tenue correcte exigée* (Philippe Lioret, 1997) est plutôt réjouissant car il fait exploser le huis-clos d'un riche palace vers le hors-champ de la pauvreté extérieure (le SDF, l'arabe et son taxi déglingué) à partir d'une affaire de divorce qui vire à la lutte des classes et même à la politique. *Mademoiselle* (Philippe Lioret, 2001) utilise par contre la simplicité et la sensibilité pour transcender les vies médiocres de la visiteuse médicale (Claire, sublime Sandrine Bonnaire) et du comédien d'improvisation pour noces et banquets (Jacques Gamblin en caricature de Dutronc) : après 40 minutes de comédie légère agréable, Lioret lance brusquement le film dans la gravité émouvante d'une brève rencontre amoureuse qui marquera pour toujours les protagonistes : culotté ? raté ?...

Étienne Chatiliez demeure en tous cas une exception sans rapport avec le jeune cinéma, même s'il filme parallèlement *La Vie est un long fleuve tranquille* (1988), *Tatie Danielle* (1990), *Le Bonheur est dans le pré* (1995) et *Tanguy* (2001). Les Groseille et les Le Quesnoy du premier film, l'odieuse vieille dame du second et l'industriel qui veut changer de vie dans le troisième sont des personnages savoureusement bêtes, méchants ou cyniquement utopistes dans un monde absurde qui mêle le ton de la comédie italienne à une efficacité publicitaire mâtinée de nostalgie pour l'esprit « nanar » des années cinquante. Chatiliez n'est pas tendre ; il bouscule les valeurs et composantes traditionnelles de la société française sur lesquelles s'appuient les scénarios de la fiction télévisée. Aussi, sans jamais quitter la farce la plus débridée, ses films proposent-ils une critique réjouissante des idées reçues et des imbéciles mais réservent une tendresse bourrue à tous les déphasés, trompés et humiliés de la terre. Comme *Le Goût des autres*, c'est un cinéma distrayant, habile, sans bassesse.

Intellectuel et parisien : le stress de la comédie amère

Constante beaucoup plus prégnante que la légèreté insensée, le stress de la comédie amère soumet aujourd'hui l'univers de la comédie à la française aux tensions roboratives de son rythme survolté. De nombreux auteurs aiment notamment plonger leurs personnages dans un parisianisme intellectuel qui prend sa source davantage dans le regard que dans le mode de vie des protagonistes. C'est dire que le parisianisme peut sévir hors de la capitale et l'intellectualisme hors du monde de la culture ou de l'université. Mais quand ces deux composantes se retrouvent aussi bien *in* et *off*, dans l'esprit de l'auteur comme dans celui de ses créatures, on atteint alors l'archétype, question d'ailleurs de nature plus que de valeur. En effet, les règles implicites du genre constituent parfois pour certains cinéastes de véritables défis à relever et quelques films sont d'authentiques réussites. Mais la médiocrité de bien d'autres a conduit quelques jeunes auteurs à tenter des essais de renouvellement.

Dans *Pour rire* (Lucas Belvaux, 1996) la profondeur des personnages et l'interprétation jubilatoire le disputent au sens du gag tout droit hérité du Vaudeville bien que développé en longs plans séquences. Seul Jean-Pierre Léaud pouvait hurler comme un gorille frappé à mort au bas des fenêtres de sa femme adultère, seul il pouvait enfourcher une vieille Mobylette et poursuivre la grosse moto du journaliste sportif rouleur d'épaules mais au fond tendre, bon et naïf car Lucas Belvaux aime renverser les poncifs (c'est le mari qui est enfermé dans l'armoire et non l'amant !) comme retourner les situations (c'est toujours, ou à peu près, tel est pris qui croyait prendre) sans perdre pour autant la vérité des sentiments. Belvaux adore suggérer des rapports (les deux suicides manqués par noyade dans la Seine), rapprocher des scènes (chez le mari au foyer ou l'amant en partance), pousser jusqu'à l'absurde les invraisemblances de l'intrigue (le mari repêché par l'amant qui ignore qui il a sauvé), multiplier les private-jokes (allusions à *Domicile Conjugal* ou *La Maman et la putain*) tout en restant léger et brillant : un dialogue savoureux dynamite ici un montage lourd (les plaidoiries d'Ornella Muti), là au contraire une ellipse coupe net une longue explication (J.-P. Léaud subjuguant son auditoire au commissariat). Souvent le récit change de ton ou de sens, rebondit, glisse, reprend et surtout nous fait sourire des personnages sans vraiment s'en moquer : touchants plus que ridicules, ils assurent une identification du spectateur au film en osant plus d'une fois quelques accents de gravité qui assurent un savant dosage entre les larmes et le rire… est-ce grâce à la pratique de l'aïkido ?

Dieu seul me voit (1998), de Bruno Podalydès propose un portrait en action d'Albert Jeanjean (Denis Podalydès), indécis pris entre la fille flic, l'infirmière toulousaine au cœur léger (Isabelle Candelier) et la cinéaste snob qui a interviewé Fidel Castro (Jeanne Balibar). Preneur de son dans des mini reportages sur des politiciens de sous-préfecture et modeste assesseur aux élections, il est prioritairement préoccupé par l'aggravation de sa calvitie responsable de quelques scènes franchement ennuyeuses. Mais, sur la durée, ce monsieur Tout-le-Monde nombrilesque qui a pris tous les défauts de certains personnages de Desplechin s'impose par sa vérité : étriqué, velléitaire anxieux, pris de nausées quand l'émotion l'étreint, agrippé à quelques discours tout faits (Cuba, les animaux...), Albert pratique quotidiennement la politique de l'autruche (d'où la métaphore filée finement par Podalydès pendant tout le film à partir de cet animal) et passe son temps à essayer d'éviter le regard des autres. Hésitant, soliloquant à l'occasion, Albert est un être lunaire aux gestes malhabiles et aux bafouillages révélateurs. Aussi est-il la proie de femmes plus déterminées que lui, ce qui nourrit un film drôle, plein de vraies trouvailles (le verre d'eau que s'envoient à la tête les deux jeunes gens) et rythmé exclusivement par *Guatanamera* et *La Javanaise* dans toutes les orchestrations imaginables ! Avec audace, le cinéaste tente dans *Liberté Oléron* (2001) le « retour » à une comédie franchouillarde au goût suranné de cinéma du Samedi Soir des années cinquante. Le succès n'était pas évident et vient du fait que le père Jacques Monot (Denis Podalydès bien sûr !) n'est pas le responsable exclusif du rire. Certes il est en première ligne, focalisant tous les effets en tant que chef de famille ; mais la mère, chacun des quatre fils et jusqu'au voisin, au « paysagiste » ou au marchand de bateau ont chacun une véritable existence génératrice de gags spécifiques, la progressive montée en puissance du tyran de ménage aboutissant à la cacophonie tragi-comique de la scène ubuesque du naufrage. Entre la nostalgie des souvenirs d'enfance et l'esprit *Vacances de M. Hulot*, *Liberté Oléron* dérape dans un épique retour de l'île d'Aix qui parvient à matérialiser les cauchemars les plus violents de chaque membre de la famille tout en maintenant le recul humoristique. Un magistral retour à la normalité prend alors en compte le récit officiel de l'odyssée soigneusement expurgé de tout le scabreux et l'inavouable !

L'échec est par contre patent avec *Encore* (1997), de Pascal Bonitzer si l'on excepte deux moments savoureux : la leçon de logique – et de stratégie amoureuse – autour de quatre tartelettes, deux au citron et deux aux framboises ; la scène en deux parties du billet de 50 francs et de la pièce de dix francs successivement offerts au vendeur du *Réverbère* dans le métro. Mais les 90 minutes qui restent réchauffent le vieux plat du prof. de fac fatigué, tombeur de bécasses, cynique, ironique et finalement fort content de lui. Pascal Bonitzer et Jackie Berroyer font tout pour susciter chez le spectateur une bienveillante complicité avec ce personnage antipathique, époux d'une muflerie écœurante et séducteur au numéro très étudié de pataugeur lucide mais d'une minable indulgence avec lui-même. Il est vrai que les autres protagonistes – tout d'une pièce et sans la moindre nuance psychologique – ne sont guère plus plaisants et que le côté comédie s'inscrit dans la grande tradition française du comique qui ne fait pas rire. Une absence totale de mise en scène – au double sens de regard et d'esthétique – et une dernière partie assez péniblement étirée autour d'un revolver passant de mains en mains empêchent en outre d'adhérer au dialogue souvent brillant – la parole étant la seule véritable manière d'exister d'Abel Vichac – et à l'intelligence (certes un peu froide) qui a présidé à l'agencement des situations. Bref, on a l'impression d'une sauce qui n'a pas pris. Il est vrai que Pascal Bonitzer révèle dans *Les Cahiers du cinéma* qu'il a écrit ce film en pensant à Dostoïevski et à Tintin, par ailleurs tout imprégné de Jacques Lacan et de Jean-Marie Straub. Ceci explique sans doute cela.

L'équilibre entre un certain nombre de composantes contradictoires est mieux tenu dans *Rien sur Robert* (1999), second long métrage de Pascal Bonitzer avec son falot-dépressif (Fabrice Lucchini) qui poursuit une Juliette impossible et volage (Sandrine Kiberlain) mais refuse le vrai amour que lui offre une superbe créature certes un peu *Border Line* (Valentina Cervi). Coincé dans sa couardise, celui qui a écrit sur un film serbe ou croate sans l'avoir jamais vu restera l'éternel dupé de la fable. Quand les couples se querellent on jubile (le début), puis Bonitzer est moins à l'aise quand il lui faut enchevêtrer les liens du Vaudeville, mais la maladresse (devant le langage vert de Juliette ou les chassés-croisés burlesco-dramatiques au chalet de montagne) sert toujours à décrire la gêne des personnages… et finalement à mettre mal à l'aise le spectateur. Bonitzer parvient ainsi à tenir le pari de la comédie acide. En fait, tout ça n'est pas gai, mais le regard du cinéaste sait nous en faire sourire. Astucieuse et plaisante thématique psychanalytique, aussi, dans *Quand on sera grand* (Renaud Cohen, 2001) où se croisent sexe, filiation, générations, judaïsme, rêves, famille, mère, enfantement, vieillesse, mémoire, traumatisme d'enfance… autour d'une sorte de Woody Allen de Belleville (Mathieu Demy) généreux en conseils inefficaces et initiatives malheureuses.

La comédie loufoque

Pierre Salvadori et Tonie Marshall ont choisi pour leur part de livrer la chasse à tout intellectualisme afin de rendre à la comédie ses aspects loufoques. Dans son premier long métrage – *Cible émouvante*, 1993 –, Salvadori minait le genre policier en s'attachant à un tueur professionnel vieillissant qui craquait devant deux images farfelues de la jeunesse. La comédie est à son tour dynamitée dans *Les Apprentis* (1995) où deux malchanceux pugnaces partagent un appartement et leur galère quotidienne. Les « petits boulots » sont observés avec un humour réjouissant dans la fracture sociale d'une France en crise qui, montrée autrement, serait triste à pleurer ! Le mensonge constituant un moteur particulièrement cinématographique, le scénario de *Comme elle respire* est truffé de détails savoureux mis en scène par Pierre Salvadori avec toute la vivacité nécessaire à cette comédie policière et sentimentale qui comble un vide entre les pitreries des anciens acteurs du café-théâtre et le marivaudage de Rohmer... *Comme elle respire* (1998) orchestre la rencontre de la caricature (lui – Guillaume Depardieu – et ses deux acolytes, sortes de Pieds Nickelés tragiques) et du réalisme psychologique (Elle – Marie Trintignant – mythomane émouvante empêtrée dans sa famille d'une grande vérité de ton) quelques minutes en apesanteur dans les montagnes corses de la dernière scène, quand les masques tombent... mais que les personnages les remettent aussitôt car l'atavisme est le plus fort ! Le film diffuse une tonalité euphorisante à laquelle aucun spectateur ne peut rester insensible.

Dès *Pentimento* (1989), Tonie Marshall bouscule protagonistes stéréotypés mais sympathiques et scénario un peu superficiel sur un rythme endiablé. *Pas très catholique* (1994) est bâti autour d'une héroïne aux arêtes vives interprétée par Anémone, très émouvante Maxime, détective sans attache prise par le retour des sentiments et l'approche de la vieillesse. Se jouant avec bonheur des règles de la comédie policière, la cinéaste anime tout un petit monde divertissant servant une réflexion sur la liberté, certes toujours précieuse mais peut-être aujourd'hui illusoire.Avec son clan de quatre demi-frères et sœurs *Enfants de salaud* (1996) conte encore une histoire d'hérédité, mais c'est celle d'un père assassin (interprété par Jean Yanne) qu'il faut assumer, de l'argent aux sentiments, du plus grave au plus léger, dans un récit vif et plein d'imprévus. Grand succès public en 1999, *Vénus Beauté* est le nom d'un institut bonbonnière mené d'une main douce mais ferme par une Bulle Ogier aérienne. Tonie Marshall y fait évoluer trois esthéticiennes en rose, comme chez Jacques Demy. Mais Angèle (Nathalie Baye), à la belle quarantaine meurtrie, ne veut plus aimer, surtout quand elle est poursuivie par la folle passion d'un beau sculpteur. Si la satire des clientes est peu amusante, la cinéaste structure par contre subtilement son histoire en opposant à ses trois grâces trois hommes dont un balafré et l'autre au visage greffé. Angèle est attachante parce que mal dans sa peau, toujours sur le qui-vive et d'une tristesse poignante. En fait elle tient le film à bout de bras.

Premier long métrage insolent, *Jeanne et le garçon formidable*, d'Olivier Ducastel (scénario et chansons de Jacques Martineau) joue une toute autre partition : malgré ses nombreux amants, Jeanne a le coup de foudre pour Olivier qui, lui, a le Sida et meurt, le tout « enchanté » comme chez Demy dont le fils interprète justement le héros ! Bien sûr la chorégraphie est indigente et on y chante parfois aussi mal que la troupe des « Années Tube » dans les émissions de Jean-Pierre Foucault, mais ces partis-pris font un peu partie du jeu et se trouvent assumés par l'ironie qui baigne de nombreuses scènes (le plombier réparant les cabinets, la caissière du fast-food vietnamien et surtout le couple formé par la sœur et le beau-frère vautrés dans les biens de consommation). Le mélodrame populaire est d'autre part bien ancré dans le présent (Act Up, agence de voyage, jeunesse et sexualité joyeusement débridées), le film ignorant les contraintes du « musical à la française » grâce à un rythme vif qui sursoit à la minceur scénaristique et à la vitalité d'une Virginie Ledoyen tour à tour pétulante puis émouvante héroïne de roman photo. C'est plus souvent le ton Michel Fugain que l'esprit Jacques Demy mais *Jeanne et le garçon formidable* dispense un plaisir et des émotions spécifiquement cinématographiques. Lui aussi insolite pour une première œuvre des années 1990 et délicatement primesautier dans un été plombé de chaleur en Dordogne, *Julie est amoureuse* (1999), de Vincent Dietschy entrelace délicieusement quelques chassés-croisés autour d'un vieux château où les vacances d'un grand acteur accompagné de sa femme sont perturbées par le travail de comédiens amateurs répétant « Roméo et Juliette ». Mais peut-on jouer Roméo et Juliette sans dégâts amoureux ? Apparemment non. Les rôles changent d'interprètes et la scène fait, paradoxalement, briller les couleurs du quotidien. Un regard corrosif déstabilise des personnages entiers qui deviennent ridicules dès que le drame pointe ; le Vaudeville se moque à son tour du marivaudage et l'argent fausse le jeu à la fin : qui achète quoi ? L'approximation de la réalisation souligne le caractère inachevé de l'intrigue. Mais Julie-Juliette sera forcément enjôleuse pour peu qu'on lui laisse le temps et l'espace de l'expérience.

Rien ne trouble ni n'enchante, par contre, chez le réalisateur-interprète Emmanuel Mouret dont les films ressemblent à des bandes bricolées entre amateurs sympathiques. Certes, après son premier essai *Promène-toi donc tout nu !* (1999), Mouret a la bonne idée dans *Laissons Lucie faire* (2001) de demander à la délicieuse Marie Gillain de vendre des maillots de bain sur les plages de Marseille, ce qui répond au principe de base de la comédie américaine : faire faire de jolies choses à de jolies femmes. Malheureusement, ni le rythme ni le brio du dialogue ne vont avec. Certains gags sont en eux-mêmes valables, mais la réalisation est si molle, lente et malhabile qu'ils ne tirent pas le moindre sourire et Mouret lui-même ne sait que rouler de gros yeux pour jouer l'ahuri ! Le rire est en effet un domaine périlleux, à la charnière entre cinéma d'auteur et film grand public, la réussite ne pouvant résulter que de la corrélation entre ces deux tendances souvent antagonistes.

Le retour du social : les banlieues, le Nord et le monde ouvrier

Le prix de la mise en scène attribué au festival de Cannes 1995 à Mathieu Kassovitz pour son second long métrage *La Haine* salue l'irruption à l'écran de l'image violente des cités.

Le cinéma des banlieues

Dans le noir et blanc des films sociaux américains de la grande époque, Kassovitz supprime la grâce finale de *De Bruit et de fureur* (J.-Cl. Brisseau, 1987) mais garde entière sa colère et surtout fait un succès public de son trio black-blanc-beur… trois ans avant la Coupe du Monde de football. On imagine mal, des années après, l'impact du film : les jeunes des banlieues s'y reconnaissent et les cinéphiles y apprécient un vrai sens du cinéma : construction en deux volets à l'univers visuel opposé (Paris filmé en équipe réduite et en son mono ; la banlieue en stéréo et avec de larges mouvements d'appareils), dramaturgie resserrée en une journée, ton original fait d'humour noir, de suspense, de contre-rythmes jouant sur les nerfs (on est toujours à deux doigts de l'explosion), une criante vérité des mots, du cadre (la boxe, le rapp) comme des situations… Le « malaise des banlieues » se révèle dans une savante hésitation de la forme qui fait de *La Haine* un film inclassable tour à tour apologue (sens de la fable du début, absence de localisation exacte, caractères anticonventionnels mais très symptomatiques des trois jeunes gens), constat réaliste, film humaniste de gauche ou brûlot anarchiste. Si *Taxi Driver,* de Martin Scorsese est le film fétiche de Vinz, le plus paranoïaque du trio (Vincent Cassel), *La Haine* a cependant plus vite vieilli que le film américain parce que davantage soucieux des apparences spectaculaires (et rapidement évolutives des banlieues) que de la vérité profonde des êtres à laquelle s'attachait le film américain.

La même année, Jean-François Richet autoproduit (grâce, au départ, à 100 000 francs gagnés au Casino) et réalise (en dix jours sans autorisation) *État des lieux* composé de longs plans-séquences fixes transcendés par un sens du dialogue et une énergie rentrée qui explose plusieurs fois en belles fulgurances. L'esthétique pauvre des films militants des années 1970 est ici en prise directe avec le quotidien d'un jeune ouvrier des cités qui acquiert du poids à mesure que la fiction pénètre son personnage. Mais si *État des lieux* constitue un cri au premier degré lancé par un naïf soutenu par sa sincérité, l'auteur s'effondre avec *Ma 6T va crack-er* (1997), second long métrage qui, plus traditionnellement produit, ne conserve de l'essai précédent que le côté bâclé. Passant d'un personnage unique à un groupe, tout s'embrouille et il est rigoureusement impossible de savoir qui est qui, à plus forte raison de comprendre pourquoi on en arrive à l'horrible fusillade sanglante de la fin. De plus, délaissant le constat pour le pamphlet puis l'appel à la révolution, les vues justes sur les existences perdues des protagonistes d'*État des lieux* laissent place aux pires errements d'un faux militantisme post soixante-huitard assénés dans un langage d'un pédantisme ridicule, le tout baigné d'une violence et d'une bêtise inimaginables. Le mouvement illustré par Kassovitz et Richet en 1995 englobe aussi d'autres films prenant pour sujet la jeunesse pluri-ethnique des banlieues (poésie paroxysmique de *Frères*, Olivier Dahan, 1994 ; auto-humour beur d'*Hexagone*, Malik Chibane, 1994 ; noirceur de *Raï*, Thomas Gilou, 1995…). De plus on peut considérer qu'il a également favorisé un intérêt plus général au contexte social conduisant les cinéastes à enraciner davantage leurs tableaux sentimentaux et psychologiques dans des réalités professionnelles et régionales.

C'est ainsi que J.-F. Richet lui-même met les sentiments au premier plan dans *De l'amour* (2001). Mais ce titre stendhalien s'applique mal aux quatre personnages stéréotypés englués dans un récit d'un simplisme manichéen. À l'image des mauvais films populistes des années cinquante, le couple vedette du beur et de la blanche ne quitte jamais le plan du tragique tandis que la beurette et le black qui les accompagnent comme leurs ombres sont chargés de détendre l'atmosphère. Quant au milieu hostile de la cité, il fournit évidemment les injustices patronales et policières les plus intolérables susceptibles de nourrir le drame jusqu'à un final noyé d'éclairs, pleurs et pardons pathétiques peut-être digne du Grand Guignol mais grotesque dans le contexte psycho-social auquel essaye de se tenir le cinéaste. Charge involontaire des bons comme des méchants, copie malhabile d'effets cinématographiques obsolètes et morale de commissaire politique maoïste recyclé dans le sitcom américain bas de gamme constituent un produit aberrant qui fait de Richet le Ed Wood du nouveau cinéma français.

L'enfer du Nord

À la suite de Maurice Pialat (dès *L'Enfance nue*, 1967 ; *Passe ton bac d'abord*, 1978), le Nord est devenu à l'écran une province emblématique : Bruno Dumont[1] et Xavier Beauvois[2] sont du Nord et y tournent. D'autres y situent plusieurs de leurs films. Ces cinéastes ont trouvé là des lieux, des gens, une durée, une lumière conférant paradoxalement à leurs histoires une portée universelle : ils montrent *ce* pays mais s'adressent à tous les spectateurs. Cet

1. Voir ci-dessus, p. 85-86.

2. Voir ci-dessus p. 80.

ancrage situe les choses dans les milieux ouvriers et paysans, alors qu'à Paris le cinéma a tendance à ne parler que de bourgeois. La province impose de nouveaux comportements, et en particulier une plus grande place du corps au lieu de tout resserrer sur la parole, « mal » endémique du film parisien (c'est pourquoi, bien qu'il soit un des cinéastes tournant le plus souvent hors de la capitale, Rohmer demeure le plus parisien des réalisateurs !). Le Nord, en particulier, offre des personnages qui résistent davantage à l'analyse intellectuelle et, dès lors, touchent différemment le public. Leurs silences, une quotidienneté vide, permettent en somme de faire arrêt sur l'essence de l'homme complètement occultée par le mouvement perpétuel de Paris.

Je ne vois pas ce qu'on me trouve (1997), de Christian Vincent s'attache à un humoriste de télévision revenant à Liévin, sa ville natale, parrainer une « nuit blanche » du burlesque organisée par le centre culturel. Ce comique plus très jeune, trimbalé d'un débat tronqué avec des lycéens à une radio locale, de rendez-vous manqués en cocktails misérables, est interprété par Jackie Berroyer naviguant de la critique à l'auto dérision, c'est-à-dire se mettant en danger entre rôle de composition écrit à la virgule près et tournage en « direct » dans des situations inédites. C'est ce qui sera sans doute le plus généralement reproché à Christian Vincent qui fait pourtant l'intérêt du film : un récit lâche, lacunaire, avec ses tunnels et sa pauvreté anecdotique, un personnage même pas nul ou pathétique mais médiocre, terne, aussi incapable d'émouvoir au naturel que de faire rire sur scène.

Mais il fallait toute cette banalité suintant d'un paysage vide pour que puisse venir se ficher douloureusement dans tant de grisaille la séquence déchirante que le piètre héros caché dans un débarras surprend malgré lui alors que rien ne semblait destiner la jeune femme qui l'accompagne à vivre des moments d'une telle intensité. Commencée sur le mode du Vaudeville, la scène avorte et reste suspendue en plein drame. Pierre-Yves qui faisait peu avant le guignol en demandant de passer quelques instants dans le cagibi d'où enfant il suivait les conversations des grandes personnes en sort bouleversé et rien n'ira plus désormais comme il faut dans les tréfonds de cette arrière-nuit. Plus aucune distanciation dans *Sauve-moi* (2000) où Christian Vincent fait partager le quotidien d'un sous-prolétariat pluri-ethnique au futur incertain[1] ou dans *Chacun pour soi* (1998, Bruno Bontzolakis) suivant les pérégrinations de deux jeunes du Nord sans qualification qui voient l'armée rejeter leurs demandes d'engagement. D'où la misère que chacun affrontera à sa manière. Mais l'agressif ne s'en sortira pas davantage que le dépressif et leur amitié n'y résistera pas. Les deux filles rencontrées au minable camping ne seront d'ailleurs pas plus heureuses et ce ne

1. Voir ci-dessous, p. 139.

sera donc pas mieux en couples que célibataires pour ces blessés de la vie sans avenir. Les quatre portraits sont dérangeants par la pauvreté de l'imaginaire des protagonistes. Le travail pour l'un, la vie à deux pour l'autre semblent un moment leur sortir la tête hors de l'eau, mais ils gâcheront ces maigres chances par absence de lucidité. Le film pêche hélas un peu par manque d'audace : aucune scène forte ne vient en effet donner à cette histoire sa dimension cinématographique.

L'originalité de *Karnaval* (1999), de Thomas Vincent est d'être entièrement tourné pendant le carnaval de Dunkerque. Mais, à l'inverse du principe de François Truffaut selon lequel il faut accorder à tout personnage une scène dans laquelle il puisse se justifier, Vincent s'ingénie au contraire à déprécier les siens : le mari brûle vif un chien, sa femme le trompe à qui mieux mieux et l'arabe vole une voiture. Bref, le cinéaste ne défend pas ses héros qui, du coup, ne sont que des incarnations antipathiques de la « beaufitude », même si l'interprétation de Sylvie Testud parvient de temps en temps à inverser un peu la tendance. Sans doute veut-on nous signifier que ces désagréments sont causés par le défoulement de la fête. Mais il aurait fallu alors que mise en scène et dramaturgie se jouent là, dans cette vulgarité baignée de bière qui fait perdre la tête et bouillir les sens d'êtres frustes sans jugeote. Vincent préfère le grotesque, la foule et l'image touristique.

Le monde rural et la province

Aller voir – et montrer – ce qui se passe hors de Paris n'aboutit pas obligatoirement dans le Nord et nous avons vu[1] que *Nénette et Boni* était précisément situé à Marseille. Mais trop de cinéastes, attirés par les aides au cinéma que débloquent aujourd'hui les Conseils Régionaux (et même Généraux) pour aider à la diffusion des images de leurs territoires, se contentent de délocaliser en province des scénarios pensés et écrits à Paris. Hélas rarement, le cinéma peut pourtant s'intéresser au monde rural, c'est-à-dire aux gens qui vivent à la campagne et pas uniquement à la beauté des paysages visités en week-end à la belle saison. Patricia Mazuy situe ainsi son premier long métrage dans une ferme picarde en pleins travaux agricoles. *Peaux de vaches* (1989) s'attache à l'irruption perturbatrice d'un frère qui vient de purger dix ans de prison pour un incendie criminel dont il n'est pas responsable. Le film met le personnage en position de démolir le petit monde familial bâti sur cette énorme injustice et la réalisatrice enregistre le mouvement produit par la scène primitive provoquant l'attachement de l'un (le mari) et au contraire le désintérêt des autres (le frère,

1. Voir ci-dessus, note p. 90.

la belle-sœur) à la terre. De son côté *Dis-moi que je rêve* (1998), de Claude Mourieras, est une farce paysanne virant au drame rural pour s'achever en fable utopiste qui met mal à l'aise et a certainement été réalisé pour cela en ajoutant à la description d'un milieu peu vu, les comportements de deux handicapés mentaux. Le début est savoureux car le handicapé léger est amoureusement protégé dans une famille qui, sans lui, éclaterait violemment dans les égoïsmes de chacun ; ensuite il sert de révélateur à tous les dysfonctionnements sociaux comme à la méchanceté humaine résultant des peurs – et donc des rejets – que provoquent toujours les déséquilibres mentaux. Le regard de Mourieras fait naître de vraies émotions et des rires sans arrière-pensée sur ce sujet délicat. Aussi est-il dommage qu'un coup de force scénaristique vienne bousculer ce beau mouvement : lorsque l'attardé mental dépasse les bornes du socialement correct, Mourieras fait en effet sortir de l'institution où les parents le laissaient végéter un malade beaucoup plus atteint qui bave et se fait dessous. Était-ce absolument nécessaire pour s'ajouter à un père, communiste inébranlable et cosmonaute frustré communiquant avec les frères russes au passage de la station Mir au-dessus de sa ferme, et un fils qui ne s'entend vraiment bien qu'avec la grosse vache marron qu'il a prise pour confidente ?

Mais il peut être intéressant aussi de revisiter à l'inverse l'image traditionnelle de la province, terre de calme et de poésie comme dans *Eau douce* (1997), de Marie Vermillard, séduisante œuvre vagabonde placée sous le signe de l'eau, c'est-à-dire, forcément, de Renoir et des émois sylvestres ou *Méfie-toi de l'eau qui dort* (1996), envoûtant triptyque de Jacques Deschamps saisissant l'homme dans ses rapports à la femme, à la nature et à la mort, aussi bien dès l'enfance qu'en pleine maturité puis dans sa vieillesse.La rivière et les animaux creusent le réalisme jusqu'aux confins du fantastique, chaque épisode se chargeant de ce que charrient les histoires précédentes. Ainsi l'instinct devient désir puis passion, mais à la fin la nature paraît avoir triomphé de l'homme probablement emporté par ses propres rêves.

Plus qu'hier, moins que demain (1998), de Laurent Achard offre une peinture touchante de l'essence même de la province, c'est-à-dire de son temps et de son espace, de ses habitants, de ses paysages, de sa douceur mortifère, tour à tour séduisante et répulsive, émolliente ou poussant à la fuite. Aucun pittoresque : on ne reconnaît ni paysage ni accent. Bref, loin de tout régionalisme et avec des interprètes non professionnels, Achard construit une fiction et des personnages où le non-dit et le non-vu sous-tendent une histoire conditionnée par un « secret de famille » à base d'inceste, d'alcoolisme, de passion et de suicide. Pourtant tout pathétique est gommé mais les sentiments sont empoisonnés par les rancœurs, les mal-être et les compromissions, ce qui donne aux comportements humains leur lot de lourdeurs, de blocages, de rêves et de désirs enfouis. Avec simplicité, Achard épouse successivement les points de vue des trois frères et sœurs : Sonia, celle qui est partie à Paris et qui revient quatre ans plus tard un dimanche de fin d'été mal encore remise de sa profonde dépression, Françoise qui ne rêve que de repartir avec sa sœur et son beau-frère et le petit Julien, surtout préoccupé par la fugue de son chien mais qui découvre en 24 heures le monde des adultes avec ses faces cachées et gâchées. Lui, trop petit, restera à la maison avec ses vieux parents (le père réfugié dans la boisson et la mère dans la dureté) : leurs silhouettes le soir se mettant à table vues de l'extérieur dote la dernière image d'une infinie tristesse, celle des nombreuses années qu'il lui faudra pour essayer, lui aussi, de faire sa vie ailleurs.

Le travail en usine

Cinq ans après *La Haine*, *Ressources Humaines*, de Laurent Cantet fait événement en 2000 avec un film situé dans le monde ouvrier au moment de l'application des 35 heures : dans l'usine où son père travaille aux machines, Franck arrive comme cadre-stagiaire au département des ressources humaines où il va participer aux redéploiements horaires qui en découlent. Mais le patron en profite pour faire passer un « plan social » comportant 12 mises à pied dont celle du père. Le sujet est beau parce qu'au conflit social se superpose la relation père-fils, l'opposition des générations débouchant sur la lutte des classes : quoique fier de son savoir-faire, le père a toujours plié devant l'autorité et cette honte d'appartenir à un monde ouvrier vieilli dans la soumission a nourri Franck dans son désir de réussir ses études afin de ne plus être du même côté de la barricade. Le film se construit aussi sur l'idée de celui qui est parti étudier à Paris puis qui revient chez lui, dans sa ville et à la maison de son enfance. Mais lui n'est plus le même là où rien n'a changé, d'où sa recherche d'une identité entre racines et futur pendant que, du côté du père, le bonheur de voir son fils réussir vire au drame. Laurent Cantet a fait interpréter les rôles par des non-professionnels du lieu : le patron est un vrai patron, la déléguée syndicale une ancienne militante à la retraite, le père un ouvrier et tout se situe à l'intérieur d'une usine en fonctionnement. Les manières d'être authentiques de tous ces protagonistes accusent le caractère déjà décalé du jeune Franck (l'excellent Jalil Lespert, seul acteur de la distribution) et conduisant à la scène fondamentale de l'affrontement père-fils : au milieu des ouvriers mis en ébullition par la grève, Franck accuse, enrage, éructe et le père encaisse sans broncher selon son habitude, mais cette fois il est blême de colère rentrée et finit par quitter le travail pour rejoindre la grève, sinon les grévistes. Un long plan silencieux de l'atelier déserté ponctue alors la scène : c'est un peu un parricide symbolique en même temps que le rejet d'une morale obsolète basée sur le culte du travail, le respect de l'ordre et l'obéissance aux nantis. Aussi y a-t-il un vainqueur – le fils –, mais ce n'est pas pour autant une défaite du père. En tous cas le côté humain est privilégié par Laurent Cantet qui ne conceptualise pas et n'explicite jamais par les dialogues. Son film joue des personnalités de ses protagonistes qui, comme ceux de *L'Humanité*, de Bruno Dumont, incarnent l'émotion qui diffuse de chaque séquence. Aussi ne saurait-on dire que le film TRAITE des 35 heures, des manœuvres patronales, des stratégies syndicales et de la place des jeunes dans le monde du travail. Ces ingrédients sociaux sont évidemment au premier plan, mais le film ne constitue pas un de ces discours « fiction de gauche » genre films d'un Bertrand Tavernier tout en se démarquant du populisme consensuel du modèle « social » TV. Pourtant *Ressources Humaines* est une production 100 % télévisée ! C'est donc une voie plutôt neuve qui s'ébauche. Cantet ne délivre aucun message parce qu'il part des personnages et non des idées, de ses sentiments et non des nécessités dramaturgiques. C'est pourquoi le poids du politique dans *Ressources Humaines* peut étonner sans représenter vraiment un RETOUR au cinéma « social » de Louis Daquin, aux plaidoiries d'André Cayatte ou de Constantin Costa-Gavras. En fait l'auteur appréhende le milieu ouvrier un peu comme Émilie Deleuze (*Peau neuve*, 1999), Edwin Baily (*Faut-il aimer Mathilde ?*, 1992), Laëtitia Masson (début d'*En avoir ou pas*, 1995) ou Bruno Dumont (*La Vie de Jésus*, 1997), comme encore *Nadia et les hippopotames* (Dominique Cabrera) et tout le début de *Selon Matthieu* (Xavier Beauvois) avec le père mis au chômage pour avoir fumé une cigarette et les réactions pour le moins contrastées de ses deux fils travaillant dans la même usine, œuvres elles aussi remarquables et que l'on aurait pu étudier ici[1].

En contrepoint de cette présence matérielle de l'usine et de la violence des affrontements, *L'Emploi du temps* (2001) est un film en creux sur l'entreprise – ce qu'on lui donne, ce qu'on attend d'elle – et sur l'impossibilité pour un homme ordinaire de maîtriser sa propre existence quand il perd (ou quitte) son emploi. Dès lors ne reste plus que l'engrenage du mensonge, les pièges de la double vie et les dérives les plus irréversibles. Laurent Cantet fait de Vincent (Aurélien Recoing) un personnage sans qualité ployant sous les pressions sociale, familiale et parentale, incapable d'assumer aux yeux du groupe sa situation de cadre soudain sans travail. Si son errance lui procure au début un certain bien-être, il est vite rattrapé par la peur, l'angoisse, le vertige. Même sa croyance indéfectible en la pérennité de son couple ne lui permet plus d'assumer son double rôle de père et de fils. Ne parvenant plus alors à soutenir le regard de son jeune garçon ni celui de son propre père, Vincent s'abîme dans la recherche pathétique d'une normalité basée sur le statut procuré par le tra-

---

1. Pour *Nadia et les hippopotames* (ou *Retiens la nuit*) voir p. 56-57 et pour *Selon Matthieu*, p. 81.

vail. Mais cet observateur de la vie des autres au travers des vitres de sa voiture-refuge, voit son image déjà un peu flottante, souvent saisie entre chien et loup, devenir tout à fait brumeuse jusqu'à l'impossibilité de s'y reconnaître. La férocité psychologique est à son comble et sa réintégration finale est encore plus inquiétante que la folie ou le meurtre plus ou moins attendus par le spectateur.

Trois huit (Philippe Le Guay, 2001) focalise plus spécifiquement sur les conditions humaines de la vie en usine : le dur travail d'une équipe de nuit dans la chaleur d'un atelier de verrerie, la promiscuité des vestiaires et des douches, le petit microcosme formé par ces hommes toujours les uns sur les autres génèrent littéralement ce scénario de harcèlement, humiliations et brimades de Pierre (ouvrier, mari et père modèle) par Fred (celui qui va tout dérégler par amertume méchante) ; blagues et vexations dégénèrent quand Fred déborde la sphère professionnelle pour pénétrer dans le champ de la vie privée. Le Guay tourne un film uniquement psychologique en plan rapproché – même quand il enregistre des prises de vues d'ensemble – et sa victime frôle souvent l'improbable dramatique. On sait bien pourtant que des cas semblables existent mais le cinéaste ne sait rien faire d'autre que raconter son anecdote et le *happy-end* douceâtre du final où le vilain s'éloigne pour que tout rentre dans l'ordre ne saurait tenir lieu de morale d'une histoire grave qui méritait un autre regard. Le monde des sans abris et des sans travail s'impose également sur les écrans dans *Paria* (Nicolas Klotz, 2001) qui s'ouvre et se ferme sur la ronde nocturne du car d'ATD Quart Monde à la recherche des misères dans les rues de Paris. Les deux personnages auxquels le cinéaste s'attache sont extraits de cette masse de SDF, mais leur galère n'est ni symbolique ni identitaire ou métaphysique : elle est faite de saleté, de vomissures et de sang bien matériels. Le problème est social plus que psychologique et le *happy end* sentimental n'est dû qu'au jeune âge du héros ; peut-être l'amour peut-il encore faire des miracles mais, pour tous les autres, c'est l'enfer sur terre avec la mort au bout comme le montrent quelques scènes très fortes mises en scène avec une atroce précision.

Narcisse dans la cité, la dimension politique du cinéma qui dit « je »

Les films abordant l'aspect social des choses ne sont donc pas aussi rares que certains le pensent car le Narcisse du jeune cinéma français ne se regarde pas complaisamment dans la glace mais bien dans le miroir de la cité et les problèmes spirituels ou/et existentiels des personnages ne sont pas pures spéculations psychologiques ou métaphysiques.

Le miroir de la cité

Si les cinéastes sont bressoniens, c'est au Bresson de *L'Argent* ou du *Diable probablement* qu'ils se réfèrent et non à celui des *Dames du bois de Boulogne* ou du *Journal d'un curé de campagne*. Le monde du travail est même très présent dans les « comédies grises » fort caractéristiques de notre cinéma national : *Vénus Beauté* (Tonie Marshall), *Rien à faire* (Marion Vernoux), *1999 Madeleine* (Laurent Bouhnik), *Karnaval* (Thomas Vincent) ou *Le Bleu des villes* (Stéphane Brizé) en ont apporté la preuve pour la seule année 1999 ainsi que *Ma Petite Entreprise*, comédie sans complaisance sur les problèmes des PME. Malgré quelques situations psychologiques un peu appuyées, Pierre Jolivet sait orchestrer plaisamment un excellent casting, un scénario alerte et des dialogues intelligents, tandis qu'*Extension du domaine de la lutte* (Philippe Harel) suit les désastreuses retombées du libéralisme sauvage dans les mentalités de cadres moyens. Le réalisateur-adaptateur du roman de Michel Houellebecq interprète lui-même le protagoniste en s'identifiant à l'auteur du livre si bien que deux voix *off* commentent l'action à tour de rôle, celle du personnage et celle d'un narrateur qui l'appelle « notre héros » ! Cette curiosité de récit dynamise ce film plat, plutôt ennuyeux qui comporte par contre deux ruptures de ton inattendues : le cadre dépressif pousse son collègue au meurtre sadique, mais le pauvre bougre échoue et meurt en voiture : le héros est devenu cette fois totalement ignoble. Pourtant, après une cure sévère, il décide de s'inscrire à un cours de danse de salon. Ce post-scriptum ajouté au roman signifie-t-il qu'il veut enfin essayer de guérir de sa haine du genre humain ? *Extension du domaine de la lutte* montre ce qu'il advient à ceux qui adoptent « la loi du marché », économique et sexuelle. Le vide existentiel traqué au corps, dans l'angoisse, le stupre et le sordide par les films les plus désespérés du jeune cinéma est ici placé comme sous le microscope du consultant en sciences sociales. C'est fort décapant mais manque de chair et de sang.

Sur un registre certes moins pamphlétaire, les premiers et seconds longs métrages des années quatre-vingt-dix filment l'enfance bafouée (*Le Fils du requin*, Agnès Merlet, 1993 ou *Y aura-t-il de la neige à Noël ?,* Sandrine Veysset, 1996), la violence sociale (*Sélect Hôtel*, Laurent Bouhnik, 1996 ou *Ni d'Ève ni d'Adam*, Jean-Paul Civeyrac, 1996), la vie dans les foyers de réinsertion (*Lila Lili*, Marie Vermillard, 1999), le chômage du Nord (*La Vie de Jésus*, Bruno Dumont, 1997), la galère des jeunes (*La Vie rêvée des anges*, Éric Zonca, 1998 ou *À Vendre*, Laëtitia Masson, 1998), le refus de la maturité (*Comment je me suis disputé,* Arnaud Desplechin, 1996 ou *Rien sur Robert*, Pascal Bonitzer, 1999), l'errance sexuelle (*Sabine*, Philippe Faucon, 1992) ou l'exaspération des sens (*L'Ennui*, Cédric Kahn, 1999), La dépression urbaine (*Les Gens normaux n'ont rien d'exceptionnel*, Laurence Ferreira-Barbosa, 1994 ; *Demain et encore demain*, Dominique Cabrera, 1998 ou *Petits Arrangements avec les morts*, Pascale Ferran, 1994), l'impossible retour à la campagne (*Chacun pour soi*, Bruno Bontzolakis, 1998), le souvenir de la Shoah (*Voyages*, Emmanuel Finkiel, 1999 ; *La Mémoire est-elle soluble dans l'eau ?*, Charles Najman, 1996 ou *Un Spécialiste*, Rony Brauman et Eyal Sivan, 1999) et – partout, toujours – la solitude affective, l'individualisme intellectuel, la précarité professionnelle génératrice de doute identitaire dont Olivier Assayas fait depuis ses débuts avec *Désordre* (1986) la matière quasi unique de son œuvre.

Ainsi ce cinéma que l'on définit volontiers par son « je » exacerbé présente en réalité le tableau « politique » saisissant d'une France délabrée économiquement, humainement et moralement. Certes l'image n'est pas au premier degré comme chez Bertrand Tavernier, Robert Guédiguian, Mathieu Kassovitz ou les cinéastes beurs. Mais elle n'en est que plus dérangeante car le spectateur sent émotionnellement qu'il ne s'agit plus seulement de crise de régime ou/et de société (dont on peut toujours espérer se sortir un jour en changeant de gouvernement ou de parti au pouvoir) mais bien de crise existentielle, donc à la fois spécifiquement française au niveau des détails et assez généralisable pour s'incarner esthétiquement sous le regard d'artistes écorchés vifs. Avant-hier Eustache ou Bresson, hier encore Téchiné, Pialat ou Godard ont su trouver en eux-mêmes l'essence de ce que d'autres préféraient montrer de l'extérieur par une analyse précise de leur environnement. De nos jours, les deux courants continuent à coexister, la vérité de *Ressources Humaines* nous fournissant fort à propos l'occasion de rappeler la justesse d'*En avoir ou pas* ou de *La Vie de Jésus*, prototypes de tout un jeune cinéma qui n'ignore pas les réalités sociales.

L'idée – bien sûr à prendre d'avantage au figuré qu'au sens propre – selon laquelle le cinéma social serait en plans larges tandis que le film psychologique cadrerait plutôt en plans rapprochés réducteurs est donc fausse car *La Vie rêvée des anges* propose une vision sociale au moins aussi pénétrante que *Ça commence aujourd'hui*. La vérité est que Zonca montre des individus tandis que Tavernier expose une situation. Chez Zonca, tout passe par les personnages alors que Tavernier peint des protagonistes qui servent son propos. L'humain, le vivant, la vérité des êtres est du côté de Zonca. L'exposé, l'explication, le débat citoyen du côté de Tavernier. Ces deux types de cinéma ne sont pas vraiment complémentaires mais plutôt opposés. L'un se sert du cinéma (au mieux comme preuve, au pire comme introduction ou illustration d'une controverse d'idées), l'autre le sert, c'est-à-dire lui fait confiance en lui apportant de la matière (des intrigues, des personnages issus de lieux et de milieux jadis privilégiés par le cinéma social mais justement aujourd'hui regardés, dramatisés autrement).

Le cinéma de crise d'Éric Zonca ou de Bruno Dumont refuse de cantonner de façon paternaliste, voire un peu méprisante, les jeunes des banlieues défavorisées dans les problème sociaux, réservant amour et métaphysique aux classes bourgeoises. Chez ces cinéastes, l'homme – surtout marginal, paumé ou misérable – ne vit pas que de pain et c'est même parce que justement ses conditions de vie sont lamentables qu'il se demande ce qu'il fait sur terre, pourquoi la morale avantage les riches et à quoi sert de rendre le bien pour le mal. Les structures familiales seulement répressives, l'amour tromperie, le sexe argent, le bonheur pour une heure au bout de la seringue sont des essais de réponse à la fois à sa situation quotidienne (le social) et à son questionnement intérieur. Il n'y a donc pas d'un côté la société et de l'autre l'individu pensant, mais un être souffrant qui va et vient de sa réflexion à l'action comme de lui aux autres.

Pour Francis Vanoye, nombre de films portent en particulier « témoignage de phénomènes de déliaison sociale : troubles identitaires, décompositions familiales, instabilités professionnelles, difficultés d'intégration, exclusions /…/. La représentation de la déliaison semble bien avoir pour corollaires la description nostalgique des attachements, ainsi que la dramatisation des détachements. Les distensions et les ruptures des liens sociaux vont de pair avec la réaffirmation – fut-elle désenchantée, voire désespérée – du besoin de lien familial, affectif, amoureux ». Aussi ces solitudes, ces dérives, conduisent-elles à un attachement « souvent décrit de manière très physique, très corporel, comme s'il manifestait un instinct, un élan vital »[1]. On pense bien sûr aux transgressions violentes, aux attaques radicales contre la famille (chez François Ozon, aussi bien *Regarde la mer* que *Sitcom*) ou aux tabous de la filiation (*Sinon, oui*, de Claire Simon). Car si le politique ou le social demeurent généralement sur ce terrain, le psycho-métaphysique ne saurait signifier l'existentiel sans s'ancrer en premier lieu sur le social et le politique. C'est pourquoi on ne doit pas s'étonner du manifeste dit « appel des 59 » prônant la désobéissance civique en faveur des sans-papiers immigrés rédigé en janvier 1997 justement à l'initiative des jeunes cinéastes français. Il ne faisait que diffuser en clair dans le langage de la communication médiatique ce qui sous-tend l'expression esthétique de leurs films.

Il y a longtemps que l'on sait en effet lire dans *Le Rouge et le noir* ou/et *Les Souvenirs de Casanova* un tableau passionnant de la société des XVIIIe et XIXe siècles mais on a encore l'habitude au cinéma de réserver un sort particulier aux peintures « réalistes », Tavernier incarnant alors volontiers quelque puissant Courbet face aux impressionnistes du cinéma intimiste. Il est pourtant loin d'être certain que les films du premier « apprennent » mieux et plus que ceux des seconds. De toutes manières, le cinéma n'est ni un institut de sondages ni la tribune d'une idéologie politique. Et pourtant, s'il ne saurait livrer les résultats d'une enquête sociale ni proposer un programme de gouvernement, bref si on ne

1. F. Vanoye, *Le Jeune cinéma français*, coll. « 128 », Hors Série 1998, éd. Nathan.

peut lui demander ni un diagnostic ni une thérapie car ce n'est pas non plus un examen médical, un film peut offrir autre chose, c'est-à-dire sans doute beaucoup plus, si l'auteur est un authentique artiste. N'oublions pas en effet que tous les théoriciens de l'art font de l'esthétique un véritable instrument de connaissance, celle des sens, complémentaire – et donc quelque part indissociable – de celle de l'esprit. Il y a par conséquent un véritable savoir à retirer de la vision de *Selon Matthieu* ou de *L'Humanité*.

L'Autre côté de la mer (1997) est aussi un bel exemple d'un cinéma œuvrant sur tous les fronts de l'identitaire par sa rencontre d'un vieux « pied noir » resté en Algérie et d'un jeune beur médecin bien ancré dans la société bourgeoise française. Dominique Cabrera multiplie les personnages autour de ces deux hommes qui ne se sentent bientôt plus à l'aise ni d'un côté ni de l'autre de la Méditerranée. Plus ou moins discordante, une polyphonie s'installe alors, avec ses poussées instinctives, ses retours de raison, ses joies et ses angoisses. Chacun se sent étranger à l'intérieur de lui-même, vit avec ses fantômes (le faux emmuré en 1962) ses traumas (l'enterrement du père de Tarek) et ses souvenirs de soufis (pieds nus, à fond de cale, en HLM) ou d'émigrés européens (le grand-père de Montero noyé lors du naufrage de sa barque de pêcheur). Les paroles s'échangent mais ne résolvent pas grand chose. La trahison, l'exploitation des faibles est de tous les camps et pourtant la chaleur passe. L'horreur de l'Algérie d'aujourd'hui rejoint celle d'hier. Dominique Cabrera en fixe les stigmates de l'autre côté de la mer mais les allers et retours attisent les plaies contre les volontés de paix et de chaleur humaine dans le beau flou d'un titre à double entrée. Ce film qui remue toute une mémoire familiale (la cinéaste a été rapatriée d'Algérie avec ses parents en 1962) constitue aussi une approche émouvante de la vieillesse qui atteint un homme tout à coup las et fragilisé devant une oliveraie provençale ou l'écho atténué du terrorisme algérien (les informations télévisées annonçant l'assassinat du chanteur de raï Cheb Hasni).

Mémoire, hérédité, filiation

Ces trois notions ne sont pas des thèmes naturels aux jeunes cinéastes. Pourtant, alors que l'on croyait « épuisé » par le film somme de Claude Lanzmann le douloureux souvenir des camps de la mort *(Shoa*, 1985), l'approche de la question est renouvelée par trois premiers longs métrages de la fin des années quatre-vingt-dix. En 1999, Rony Brauman (président de Médecins Sans Frontières de 1982 à 1994) et Eyal Sivan (cinéaste documentaire israëlien) réalisent *Un Spécialiste, portrait d'un criminel moderne* inspiré d'Hannah Arendt « Eichmann à Jérusalem, rapport sur la banalité du mal » et monté exclusivement à partir de l'énorme fonds d'archives vidéo enregistrées lors du procès Eichmann, en 1961. Certes le parti-pris consistant à laisser hors champ toute l'horreur de l'holocauste pour ne retenir que les problèmes de transports que devait régler spécifiquement le nazi provoque une gêne certaine. Mais cette analyse implacable d'un petit fonctionnaire de l'horreur constitue une idée de cinéma qui n'enlève rien aux informations sur les crimes d'Eichmann tout en fournissant un point de vue à la fois sur les mécanismes de la shoa et sur l'idéologie qui a permis ces crimes. À la fin du film en effet, les cinéastes apportent la preuve qu'Eichmann avait bel et bien vu toutes les atrocités perpétrées et que ces révélations n'avaient nullement modifié son zèle à faire fonctionner le mieux possible la machine de mort.

Le ton de la *Mémoire est-elle soluble dans l'eau* (1996) est tout autre. En filmant sa mère, réchappée des camps et bénéficiant depuis la Libération d'une cure thermale à Évian tous les deux ans payée par l'État allemand en réparation du préjudice subi, Charles Najman suscite un étrange malaise, d'autant plus qu'au milieu des authentiques curistes d'un genre très particulier, le cinéaste ajoute un acteur jouant le rôle d'un jeune dépressif pour brouiller les données autobiographiques et casser le moule classique du documentaire sur les souvenirs de l'extermination nazi. Le film bénéficie de l'extraordinaire énergie vitale de Solange qui chante, danse et joue de sa séduction sans pourtant avoir oublié le moindre détail de son calvaire et de celui de ses compagnons. Ce numéro d'une totale sincérité force à la fois une profonde estime et une admiration émue.

Voyages (Emmanuel Finkiel, 1999) adopte pour sa part un style de fiction minimale très proche du documentaire et une structure hardie en trois volets construits chacun autour des trajectoires de personnages féminins âgés : en Pologne, lors d'un pèlerinage aux camps de concentration, à Paris avec le retour possible d'un père perdu depuis 50 ans, à Tel Aviv enfin où une Russe de 85 ans, animée par sa culture et sa langue (le yiddish pratiquement oublié de tous), rencontre par hasard la protagoniste du premier récit. *Voyages* fourmille de détails infimes qui font sens par la magie de la mise en scène, l'art du portrait brossé en deux plans et trois phrases, une maîtrise de l'allusif, des correspondances ténues tour à tour thématiques ou esthétiques. Finkiel joue de l'intime sur le front de l'Histoire comme du présent sur la trame du passé. Tout est méticuleusement composé mais semble pris sur le vif, si ce n'était l'image magistralement éclairée, profondément juste dans sa durée et son cadre. Paradoxalement la très vieille Véra, la plus fragile, démunie et solitaire, se révèle la plus positive – heureuse ? – alors que Riwka, bourgeoise aisée de Tel Aviv, est terriblement souffrante. L'exil est au cœur de ces destins brisés, matérialisé par une polyphonie de langues qui se chevauchent et de paysages anonymes (de l'hiver neigeux de la campagne polonaise à la grouillante métropole israélienne fichée entre mer et désert). Film de visages, de mouvements lents (la vieillesse), de souvenirs à la fois lancinants et enfouis, de rapports entre dit et non-dit, montré et caché,

Voyages travaille des émotions intenses mais retenues, douloureuses certes mais aussi apaisées car curieusement la mort ne semble pas l'issue redoutée de ces fins de vies comme si, ayant déjà tellement frappé dans le passé, elle ne pouvait plus aujourd'hui faire peur à ces personnes déplacées dont le souci est surtout de trouver le lieu pour y terminer leurs jours.

Le lien avec le passé – familial comme historique – est au cœur de *L'Histoire ancienne* (Orson Miret, 2000) qui commence avec la mort d'un vieil homme, ancien grand Résistant dont les trois enfants vont se trouver confrontés à un héritage à la fois biologique, éthique et symbolique. En fait, cette incinération amorce un travail de deuil paroxysmique et ce père, qu'aucun ne voyait plus guère, devient soudainement plus présent mort que vivant. Le devoir de mémoire vis-à-vis d'une page d'histoire nationale dont le souvenir continue à peser sur la vie du pays se mêle aux aigreurs, souvenirs et règlements de compte familiaux. Ici aucun petit arrangement possible avec la mort. Pris chacun dans l'entrelacs de leurs existences personnelles, ils sont bousculés, déséquilibrés dans un quotidien éclaté. Il y aura ruptures, violence, changement de vies. Guy, le plus autarcique, sera le plus troublé. Il ressent sa brouille avec son père comme une angoisse insupportable, provoquant des agissements imprévisibles, et cela jusqu'au drame, aux fuites devant les engagements sentimentaux et au choix du terrorisme. Dans les zones d'ombres révélées par le choc, les opacités psychologiques tournent à la névrose. La mise en scène se fait chaotique et lacunaire, entre réel et imaginaire, initiant une narration qui n'hésite pas à amorcer de fausses pistes (le père a-t-il été vraiment un héros ?), composant le puzzle de mini-séquences bien séparées par des noirs profonds. Tout à coup, la raideur se lézarde et l'émotion éclate quand Guy et sa mère se mettent à fredonner une chanson de Jean Ferrat. Mais très vite le trouble gagne et submerge la vieille dame qui ne peut plus se maîtriser et quitte la pièce. Superbe, aussi, le visage de l'ancien résistant (Serge Martin) que le jeune historien rencontre au cimetière ; question d'attitude et de regard, comme pour les deux frères et la sœur : rigueur teigneuse de Guy (Yann Goven), fatigue lourde de Fabien (Olivier Gourmet), débâcle chez Danielle (Brigitte Catillon). Guy dépassera la ligne des convictions auxquelles s'accrochent les deux autres et perdra l'équilibre, se sentant devenir le fantôme de son père, vampirisé par cette figure trop longtemps refusée. La première séquence se situe au niveau de la vérité historique avec ses documents visionnés au service cinématographique des armées ; la dernière est en pleine problématique du passage de relais entre générations. Mais de l'une à l'autre, c'est la vie et ses blessures, domaine de l'intime et de la fiction, détresse du vide, culpabilité d'une disparition définitive sans réconciliation préalable. Il n'est pas impossible de voir en outre dans *L'Histoire ancienne* la métaphore d'une lourde succession cinématographique que doit assumer la génération quatre-vingt dix des nouveaux cinéastes : que faire avec le patrimoine Nouvelle

Vague, les figures des « grands disparus » (Bresson, Truffaut, Eustache) et l'ombre pesante d'un Godard de plus en plus statufié.

Pour parler d'émigration et de racisme, Rachid Bouchareb emprunte également les voies de la filiation, de l'hérédité et de la descendance dans *Little Sénégal* (2001) qui montre le vieil Alloune – guide à l'ancienne Maison des Esclaves de l'île de Gorée au large de Dakar – partant en Amérique suivre la généalogie de ses ancêtres déportés en esclavage il y a deux siècles. Au cœur de Harlem où les Afro-Américains n'ont qu'indifférence, violence ou mépris pour les nouveaux émigrants Africains, Alloune recherche ses lointains cousins pour leur parler de famille, de terre et de racines. Mais les conflits entre les deux communautés rendent toutes retrouvailles impossibles comme Alloune s'en rend compte, même dans les rapports individuels de couple ou de génération. Personnage extraordinaire qui irradie une force d'amour, une dignité et une grandeur d'âme imposant le respect, Alloune n'aboutira pourtant finalement qu'à devoir ramener au pays le corps de son neveu assassiné. Mais Sotigui Kouyaté (révélé au théâtre par Peter Brook, en 1985) incarne Alloune avec une conviction si ardente que les terribles tensions de la vie quotidienne se déréalisent progressivement face à l'humanité d'une démarche dont la vérité est de l'ordre magique de la croyance.

La Traversée (2001) est un documentaire de Sébastien Lifshitz qui filme un fils recherchant aux États-Unis un père qu'il n'a jamais connu, mais ce fils est Stéphane Bouquet, son ami et scénariste de tous ses films précédents, ce qui donne un beau récit contant en creux une relation homosexuelle et en clair une question de filiation : « Sébastien cherche mon père, je l'accompagne » dit à un moment Stéphane Bouquet exprimant l'ambiguïté de cet étrange voyage où le réel est saisi comme une fiction (avec une caméra 16 mm au gros objectif panoramique : tout le contraire de la discrétion de la DV attendue) et où le dispositif aboutit à la rencontre avec le père qui ne sera pas filmée mais seulement racontée avec retenue par le fils. À ce moment Lifshitz s'efface et Bouquet s'expose, le premier renonçant à ses préoccupations dramaturgiques et le second à son écriture littéraire d'un commentaire très composé. Mais ces contraintes que chacun impose à l'autre font tout l'intérêt de cette originale tentative de concilier deux sujets qui ont chacun à faire avec l'édification d'une identité dans laquelle aucune dimension de l'individu ne serait sacrifiée.C'est également la démarche documentaire que choisit Frédéric Videau, lui aussi à mie-vie, pour faire un film sur le rapport avec son père. Mais décidé à lui demander pourquoi il ne l'aimait pas, c'est le cinéaste qui en viendra à lui dire lui-même qu'il l'aime ! Pourtant si *Le Fils de Jean-Claude Videau* (2001) finit bien par un plan des deux hommes parlant dix minutes côte à côte comme ils ne l'avaient jamais fait auparavant, ce n'est pas si simple, l'émotion que dégage ce film court et vif provenant d'un exercice forcé de la parole entre naïvetés un peu puériles et cure psychanalytique autour d'une suspicion d'homosexualité non accomplie. Structurant le nœud de thérapie autobiographique dans une composition très élaborée, *Le Fils de Jean-Claude Videau* sait respecter les raisons de chacun et brosser en creux le portrait d'une classe ouvrière saisie côté privé le long de l'axe filiation paternité parcouru dans les deux sens.

On ne peut pas dire par contre que le face à face ait vraiment lieu dans *Le Pornographe* (Bertrand Bonello, 2001), mais il y a néanmoins rapprochement malgré les opacités que l'auteur excelle à cerner (déjà dans son premier long métrage pour creuser le désamour d'un jeune couple : *Quelque chose d'organique*, 1998). *Le Pornographe* cisèle en effet le portrait d'un cinéaste en père abandonné, époux démissionnaire et réalisateur de « films de cul » dépossédé de son œuvre. Cela fait beaucoup, surtout si l'on ajoute en contrepoint le retour du fils qui se cherche entre le front du refus et le choix de fonder une famille sur fond de campagne printanière ! Le fait que Jean-Pierre Léaud incarne le personnage vieillissant aurait pu constituer un handicap supplémentaire, mais se révèle assez vite au contraire comme le coup de génie qui brouille les pistes en distribuant le sens autrement qu'au niveau strictement scénaristique : aussi le montrer à la fois démolir son couple et construire seul sa maison, tout en écrivant son journal comme le curé de campagne de Bresson, instaure un véritable chaos narratif qui écarte toute ombre de psychologisme. C'est dans ces contradictions, ces mouvements inaboutis (Jacques Laurent reprenant les chemins du X et son fils frayant le sien tout en revenant partiellement vers son père), cette manière de prendre souvent les choses et les gens à revers dans des cadrages inattendus, que s'impose un film aux rythmes musicaux, tour à tour tendu, sordide, ironique et bouleversant. Il est intéressant que ce cinéaste d'à peine une trentaine d'années (Bertrand Bonello est né en 1968) filme du côté de la paternité plutôt que de la filiation : Joseph (Jérémie Rénier) rompt en effet avec son groupuscule révolutionnaire muré dans un impressionnant silence d'impuissance et la jeunesse est surtout montrée avec ses impasses radicales. Inversement le père connaît son chemin de Damas sur un parcours qui annonçait pourtant le renoncement à toute dignité.

Fables populaires, néo-humanisme et intégration sociale

Marseille et Robert Guédiguian

Robert Guédiguian est un cas : né en 1953, réalisant son premier long métrage salué dans le courant régionaliste en 1980 (*Dernier Été*, co-réal. Frank Le Wita), il est aussitôt oublié quoiqu'il continue de tourner régulièrement, avant d'être redécouvert quinze ans plus tard par la critique en 1995 (*À la vie à la mort*) puis adopté par le public avec *Marius et Jeannette* (1997), ce qui en fait paradoxalement le plus connu – avec Arnaud Desplechin de sept ans son cadet

– des réalisateurs de la génération quatre-vingt dix ! « Monté » à Paris pour faire du cinéma mais redescendant à Marseille pour y tourner chacun de ses films dans les quartiers de son enfance avec les mêmes acteurs qui incarnent la thématique du groupe nourrissant son œuvre, Guédiguian parvient à préserver une place à l'utopie dans l'univers réaliste du monde du travail. Ses films sont des comédies ou des drames passionnés et populistes, c'est-à-dire chauds et justes avec le parler et le vécu d'ouvriers du Midi pleins de relief. *À la vie à la mort* marque à la fois le fond du gouffre et le sommet de l'œuvre du cinéaste. Désespéré mais ardent, le film s'organise autour du cabaret « Le perroquet bleu » qui s'appauvrit puis ferme tandis que le clan, lui, n'arrête pas de s'enrichir de tous les inadaptés de la terre, ouvriers au chômage ou vieux aux jambes raides ! Le soleil et la vie prennent pourtant encore le dessus, au-delà du vieillissement et même de la mort du « cocu » s'effaçant pour laisser l'assurance-vie à l'enfant qui est dans le ventre de sa femme. Mélo flamboyant entre Marcel Pagnol et Ken Loach avec ses coups de force scénaristiques (la jeune junkee et le petit beur reviennent à la « famille », mais comment parler de réinsertion chez ces marginaux dépourvus !), son accent de Marseille, son background politique cisaillé par les échecs de ses loosers, *À la vie à la mort* résonne aussi d'éclats de rire et s'illumine de rédemptions inattendues (la vente de la grosse Mercedes, l'ancien légionnaire jouant les Saint Bernard).

Guédiguian sous-titre *Marius et Jeannette* (1997) un « conte de l'Estaque ». Il nous faut donc admettre, non seulement le côté rose, mais aussi la schématisation. Certes, mais restent les clichés : la vie dans la courette les uns sur les autres, les cris, les discussions sur la vraie recette de l'aïoli (avec du fenouil), la bagarre à coups de poulpes… On a l'impression d'écouter Yves Montand quand il en remettait sur l'accent marseillais qu'il avait tellement travaillé à faire disparaître qu'il n'en faisait plus que la caricature quand il essayait de le retrouver ! Par bonheur, il y a le milieu ouvrier amical, les sentiments forts, l'histoire simple de la course au bonheur toujours recommencée la peur au ventre. On a l'impression que les figurants du cinéma des régions viennent chez Guédiguian jouer les premiers rôles ou plutôt que le cinéaste zoome sur eux pour saisir la richesse humaine de ce microcosme où ne manque même pas le donneur de leçons en forme de vieux sage, c'est-à-dire d'instituteur à la retraite. Tout y pointe son nez : le politique (FN, PC, CGT…), le social (chômage et conditions de travail), le religieux (le petit musulman) et bien sûr les secrets douloureux enfouis sous la gouaille de l'une ou le silence de l'autre avec la même difficulté à croire à sa propre valeur. On est emporté par le rire et les larmes mêlés, l'émotion et le défilé des générations, l'individualisme des uns et le militantisme des autres filmés dans un langage d'une grande simplicité. Quant au lyrisme, il occupe la bande son avec les accents de Vivaldi.

La déception est d'autant plus vive devant *À la place du cœur* (1998). Si l'on ne savait pas que le tournage en était déjà achevé au moment où *Marius et Jeannette* sortait en salles, on dirait en effet que le cinéaste paraît dangereusement séduit par l'esthétique NNAE (Nouvelles Normes Art et Essai), c'est-à-dire la simplification et l'affadissement d'un style ayant atteint une belle maîtrise dans le film précédent et se figeant dans la crainte de changer la recette qui avait abouti à une si bonne réception. Or il est évident que l'immobilisme est impossible en art : qui n'avance pas recule et cela Guédiguian le sait bien. Aussi *À la place du cœur* travaille-t-il deux écarts : pour la première fois l'auteur adapte un roman et l'intrigue change de quartier puisqu'elle se déroule près du domaine portuaire et de la cathédrale (sans parler, en plus, du voyage à Sarajevo). Mais ces mini déplacements se font au détriment des personnages : où est passée la vitalité et l'amitié orageuse des paumés d'*À la vie à la mort* (1995) comme la charge de rêve et d'émotions naïves de Marius et de Jeannette qui permettaient à ces êtres de triompher de l'âpreté d'un quotidien hostile ?

Les petits défauts à peine perceptibles dans les œuvres passées (manichéisme, caractère édifiant, guimauve et langue de bois) ont ici tout envahi. On voit bien ce qu'aurait pu montrer le film : deux ouvriers fatigués, démissionnaires, fragilisés par la crise économique, vont être réveillés par les difficultés que connaissent leurs enfants, le combat contre le racisme ravivant chez eux la fougue qu'ils avaient mise hier dans la lutte des classes. Mais ce beau sujet ne figure qu'en filigrane d'un récit d'une pesanteur pénible où des comédiens non dirigés (Ariane Ascaride en fait trop, Jean-Pierre Darroussin pas assez et Gérard Meylan rien du tout) pataugent dans un scénario écartelé auquel une voix off lénifiante ne parvient pas à donner de cohésion. Des portraits outranciers (le flic aux yeux bleus, la punaise de bénitier…) se marient mal aux marionnettes sans épaisseur (le jeune couple) sur fond d'un no man's land étrangement vidé de ses habitants et d'un récit sans nuance (les amoureux étant purs et sans l'ombre d'un doute, tout est joué dès la première séquence). Seuls les souvenirs du reste de l'œuvre de Guédiguian peuvent combler chez les cinéphiles les vides, c'est-à-dire creuser les psychologies sommaires, densifier le contexte social et donner un peu de vigueur à l'ébauche d'intrigue. *À l'attaque* (1999) est plus culotté car en déconstruisant son « fonds de commerce » des petites gens de l'Estaque à l'occasion de l'écriture d'un scénario (le film reprend l'idée de *La Fête à Henriette*, de Julien Duvivier), Guédiguian exerce un humour critique sur sa propre création qui, s'il dénonce le manichéisme de sa dramaturgie du conflit, souligne aussi la force de son univers. Il résiste en effet à l'intrigue faiblarde et au fait que situations et personnages ont déjà été vus, en mieux, auparavant si bien que ce déballage reste finalement plaisant !

Changement de registre avec *La Ville est tranquille* (2000) au titre cruel : c'est un film de groupe… mais sans groupe. On peut dire que la famille et la ville existent encore, quoiqu'aussi problématiques l'une que l'autre. Mais finie la solidarité de certaines des fables populaires précédentes : chacun est seul et Dieu n'y est pour personne. Règnent le vide, la peur, l'horreur. Ainsi Mère Courage (Ariane Ascaride), déboussolée par la souffrance épouvantable de sa fille, se prostitue pour lui payer sa drogue jusqu'à ce qu'elle lui administre elle-même la dose mortelle. Tout s'embrouille dans un monde absurde où la misère sexuelle répond à la déroute des idéologies. Seule la musique joue une autre partition : elle a redonné espoir au délinquant noir dans sa prison (mais il sera tué par des colleurs d'affiches FN) ; elle permet à des handicapés cérébraux de reprendre contact avec le réel (mais leur animatrice subit un calvaire conjugal) et le petit pianiste prodige, Géorgien immigré, enchante tous les publics… pourtant le trio de déménageurs qui lui livrent à la fin son instrument puis le regardent jouer avec ravissement sont les tueurs du jeune noir. Alors ? Réconciliation autour de l'espoir que représente toujours l'enfance ou dans dix ans le Géorgien sera-t-il à son tour lynché par les racistes ? Chaque situation est fouillée jusque dans ses contradictions, et la complexité des personnages permet des évolutions pertinentes. Ainsi le patron du petit bistrot désert (Gérard Meyland) se mue peu à peu en tueur tragique et dealer d'occasion, mais il se suicide froidement au milieu de la foule. Cette montée en puissance du personnage est dramatiquement d'autant plus marquée que celui incarné par Jean-Pierre Darroussin se délite inversement en parallèle (ils ont la même voiture), comme s'il ne tenait pas la distance, comme s'il n'était pas de taille pour une histoire si dure. Farouche dans sa condamnation globale, Guédiguian est plein de compassion pour ses créatures broyées par des destins trop lourds, d'où l'épouvantable itinéraire de Michèle dont le cinéaste sait rendre émouvantes les erreurs prises dans la spirale du malheur. *La Ville est tranquille* est un film topologique : des montées et des descentes, des terrasses et des intérieurs, des nœuds routiers et des images pittoresques pourries par la métropole tentaculaire. Même la retraite est peuplée d'angoisses. Et c'est brusquement une image superbe de Michèle et Gérard, amoureux en scooter dans *Dernier Été* il y a vingt ans : Quelle terrible malchance s'est acharnée depuis sur ces personnages ? Dans cette humanité décomposée, les chutes sont fatales et les déchéances inévitables, dans le style tragique (Gérard), naturaliste (Michèle) ou comédie amère (Paul le taxi), et quelques mains tendues ne suffiront pas à retenir ceux qui tombent. Ce sont d'ailleurs les mêmes mains (de Michèle) qui écaillent le poisson, administrent la drogue, préparent les biberons et font les gestes de l'amour tarifé. Sans repères, ni valeurs ou croyances, les générations s'entremêlent sans véritables liens ni transmission de quoi que ce soit. Le monde du travail des années cinquante est mort et rien ne l'a remplacé.

L'humanisme exigeant de Manuel Poirier

Autre figure majeure du jeune cinéma, Manuel Poirier veut d'abord voir le monde à sa porte en situant ses trois premiers longs métrages dans la Normandie profonde où il habite. C'est l'univers des petites gens, surtout jeunes et mal dans leurs peaux, observés prioritairement du côté des attachements sentimentaux, professionnels et régionaux, cinéma du quotidien où l'imaginaire voyage davantage que les corps. Ainsi *La Petite Amie d'Antonio* (1992) n'est pas bien : elle a mal à l'autre, sa mère, et s'enfonce dans une dangereuse dépression agressive. Mais Claudie est bien entourée, par Antonio bien sûr, mais aussi sa copine de l'hôpital qui pourrait être une sœur et son beau-père apaisant. Pourtant la crise guette et les affrontements sont fréquents même si la virée de copains vers le grand large termine le film sur une belle ouverture à cette angoissante recherche de communication.... *À la campagne* (1995) examine des personnages beaucoup plus loin de l'adolescence et dont le passé pèse fortement sur leurs engagements et leurs désirs. C'est un beau film triste illuminé par les caractères de Judith Henry et Benoît Régent qui interprètent les deux parisiens ayant choisi Brionne alors que tous les autres protagonistes sont d'authentiques habitants recrutés sur place. Mais ils ne sont pas là pour les mêmes raisons et le couple ne pourra pas se souder dans cette campagne trop regardée par ces personnes fragilisées et un peu immatures comme un rêve écologiste. Tout est vrai, émouvant et gris à l'image du temps normand qui, avec l'herbe et les animaux, joue son rôle dans la déprime brossée avec une extrême pudeur. Logiquement, quand Lila quitte Benoît, le film bascule et l'imaginaire vient alors battre le réel en brèche dans l'esprit de l'homme fou de douleur parce qu'il n'a pas su retenir la jeune femme. *Marion* (1996) s'attache ensuite à une fillette de dix ans que se disputent ses parents, modestes ouvriers, et de riches parisiens sans enfants occupant tous les week-ends leur résidence secondaire. En fait, la famille de Marion est elle aussi venue de la ville pour s'installer à la campagne où le père, maçon, retape leur vaste maison « à restaurer ». D'un côté, il y a le premier degré de l'homme qui hurle son ras-le-bol du haut de l'échafaudage d'où il réhabilite les fameux colombages des façades normandes ; de l'autre, le couple de parisiens toujours doux et décalé par rapport à une dure réalité qui pousse les pauvres à trafiquer leur compteur EDF. Marie-France Pisier rend son personnage émouvant parce que sa frustration de maternité la rend malheureuse jusqu'à la folie avec ses raideurs de grande bourgeoise toujours en représentation, être à la fois désemparé et inquiétant que l'on croit d'abord menacé mais qui se révèlera au contraire fort menaçant au cours d'un repas d'une retenue exemplaire mais aux enjeux finalement terribles. Face aux difficultés d'existence du travailleur dans la France d'aujourd'hui, s'insinuent les courants de l'argent et ce qu'il permet : essayer de s'approprier l'enfant d'un autre.

Manuel Poirier semble un peu moins inspiré quand il s'éloigne, même si c'est d'abord pour la Bretagne toute proche où Paco le Catalan et Nino le Russe essayent de faire de l'auto-stop. En fait, le film se présente plaisamment comme un faux *road-movie* car les deux compères ne se déplacent que dans un rayon d'une vingtaine de kilomètres à peine autour d'une petite agglomération sans le moindre charme ! Comme il se doit, des rencontres plus ou moins cocasses ponctuent les « étapes » de leur quasi immobilité et les caractères se précisent. Mais la durée (2 h 10) est mal gérée. Pourtant, quoique répétitif (chaque séquence gagnerait à être raccourcie et certaines n'auraient pas dû être conservées), *Western* reste dynamique malgré la grisaille, la solitude et les déceptions. Conté pianissimo, le film traverse le vide d'intrigues en creux et de personnages de tous les jours, seulement un peu lâchés à l'écart de ce qui bouge et fait du bruit. Puis tout à coup un portait plus enlevé ou un épisode plein d'humour viennent épicer cette longue errance des exclus qui se termine en conte de Noël : une femme, des tas d'enfants d'origines indéterminées et deux nouveaux pères putatifs ! Totalement décentré, *Te Quiero* (2001) est un film impressionniste plein de touches fugaces suivant la dérive à Lima au Pérou d'un jeune couple qui a fui la France et cherche à vendre un diamant pour survivre. Manquent donc les deux ingrédients qui assuraient l'intensité de ses films précédents : une psychologie forte et un arrière-plan social solide remplacés ici par des variations sur des sentiments incertains et une lenteur décorative dans la description des paysages. Souhaitons que cette pause nourrie de joliesses un peu fades ne constitue qu'un interlude dans une œuvre par ailleurs plus conséquente.

La représentation black-beur

L'idée de retour du social dans le jeune cinéma français nous incitant à infléchir quelque peu l'approche esthétique vers une vision sociologique du contenu des films, attardons-nous à une des composantes essentielles de la société actuelle qui est sa dimension pluri-ethnique. Qu'en est-il donc à l'écran de la représentation black et beur, en considérant à la fois le regard des cinéastes d'origine maghrébine et celui des autres dans la mesure où le courant beur a maintenant vingt ans et ne constitue plus un ensemble à part du reste du cinéma. C'est pourquoi nous avons déjà évoqué par exemple *À la place du cœur*, de Robert Guédiguian[1], *L'Autre côté de la mer*[2], de Dominique Cabrera ou *La Haine*, de Mathieu Kassovitz[3] qui devraient sans cela trouver leur place ici. L'Arabe fait

1. Voir ci-dessus, p. 133.
2. Voir ci-dessus, p. 127.
3. Voir ci-dessus, p. 116.

en tous cas désormais partie du paysage cinématgraphique français, qu'il soit chômeur voulant participer à la création d'un nouveau parti politique (*Vive la République*, Éric Rochant, 1997), Marocain étudiant en France et employé sans papiers à la Brasserie où tous les copains se croisent (*Nos Vies heureuses*, Jacques Maillot, 1999) ou jolie Maghrébine dont tombe amoureux le romantique sous-chef de gare (*D'Amour et d'eau salée*, Edwin Baily, 1996). *Les Histoires d'amour finissent mal en général* (Anne Fontaine, 1992) réserve pour sa part à Zina la beurette le rôle décisif, hésitant entre Slim, chauffeur de taxi arabe qui poursuit ses études pour devenir avocat et Frédéric, jeune acteur inadapté mais justement plein de fantaisie. Comédie aussi, mais trop réduite à des pitreries, *Le Ciel, les oiseaux et... ta mère* (Djamel Bensalah, 1999) montre de jeunes beurs de Saint Denis traquant les vacancières à Biarritz.

Si l'acteur Zinedine Soualem est le brave garçon un peu niais de *Chacun cherche son chat* (Cédric Klapisch, 1996) qui aide la craquante Chloé mais est immédiatement remis à sa place s'il veut pousser son avantage, Roschdy Zem incarne par contre des personnages généralement mieux considérés par les filles, même si Alice (Sandrine Kiberlain) choisit Bruno l'autarcique (*En avoir ou pas*, Laëtitia Masson, 1995) et si Hélène (Dominique Blanc) ne quitte finalement pas Orly Sud avec lui (*Stand by*, Roch Stephanik, 2000). Mais Roschdy Zem est le compagnon d'Élodie Bouchez, jeune zonarde en cavale de *Louise 2* (Siegfried, 1999), a épousé une institutrice (Géraldine Pailhas) dans *La Parenthèse enchantée* (Michel Spinoza, 2000), et se trouve « prof. de gym » (mari de Zabou) dans *Ma Petite entreprise* (Pierre Jolivet, 1999). Dans le style film de jeunes, souriant, pauvret et sympathique, la beurette Saliha réussit astucieusement son intégration en conjuguant le mythe de Roméo et Juliette avec un riche fils de famille sur une île déserte à la morte saison (*Le Cri de Tarzan*, Thomas Bardinet, 1995), tandis que dans le genre sinistre Ahmed (Zinedine Soualem), gardien de nuit et étudiant, séduit Sandrine qui s'adonne à la prostitution la plus dégradante (*Le Rocher d'Acapulco*, Laurent Tuel, 1995) ; Thomas Gilou passant quant à lui du foyer d'immigrés Africains (*Blak Mic-Mac*, 1986) aux Arabes des cités de Garges, dans la banlieue Nord de Paris (*Raï*, 1994).

Le couple mixte peut être aussi homosexuel, passionné et heureux. Dans *Drôle de Félix* (Olivier Ducastel et Jacques Martineau, 2000), Félix (Sami Bouajila) et Xo (Pierre-Loup Rajot) n'arrêtent pas en effet de s'embrasser à pleine bouche au cours de leur *road movie* enchanteur vers Marseille, ce qui n'interdit pas à Félix d'autres rencontres malgré les contraintes médicamenteuses très lourdes de sa trithérapie par laquelle il lutte contre l'avancée du Sida. En fait, cette image d'un beur atteint du sida, homosexuel, beau, jeune, bon et optimiste est moins contestataire qu'il n'y paraît car pour des images comme celle du crime raciste dont Félix est témoin à Rouen et qui, souterrainement, l'obsèdent pour le rattraper dramatiquement dans un hôtel du midi, trop d'histoires de cerf volant, de pêche à la ligne et de vieille dame qui se fait porter le cabas des commissions s'engluent dans une guimauve prétendument enchantée.

En filmant de l'intérieur des groupes d'immigrés, Karim Dridi ou Malik Chibane fictionnalisent une base documentaire réaliste. *Pigalle* (K. Dridi, 1994) plonge quelques noirs et beurs dans une pittoresque communauté de marginaux et *Bye-bye* (K. Dridi, 1995) mêle étude de mœurs et trame policière dans les milieux multiraciaux et interlopes du trafic de drogue à Marseille. *Hexagone* (M. Chibane, 1994) observe un groupe de jeunes, garçons et filles, pris entre métier, ANPE, *deal* et petits larcins dans la cité de Goussainville près de Paris. Avec *Douce France* (1995), Malik Chibane croise les regards à partir d'une mixité amicale notamment celle de Moussa et Jean-Luc. Surtout émergent trois beaux portraits de jeunes femmes : Souad énergique et émancipée, sa sœur Farida curieusement féministe, étudiante mais portant pourtant le tchador et une Touareg fraîchement arrivée du désert pour épouser Moussa selon la tradition familiale. Entre le café de Moussa et le bureau d'avocat installé par Jean-Luc – le seul non beur de la bande – dans l'arrière salle grâce au produit d'un hold-up miraculeusement récupéré, évolue tout un petit monde brassé dans un espace social et culturel malmené par des identités rarement bien assumées. À la fin en tous cas, la mariée s'enfuit grâce à la complicité des deux sœurs et Farida, qui a découvert par hasard dans les toilettes de l'aéroport l'hypocrisie de riches Saoudiennes, jette son voile en regagnant Saint Denis et sans doute Moussa qui lui faisait des avances avant que n'arrive la Touareg imposée par la famille ! Toujours souriant mais finalement assez triste, *La Faute à Voltaire* (Abdellatif Kechiche, 2001) dénonce l'utopie d'une société pluriethnique au pays des droits de l'Homme en suivant les pérégrinations de Jallel depuis ses débuts encourageants, ses émerveillements, jusqu'à sa dégringolade de trahisons en foyer SDF et service psychiatrique. Finalement, Jallel sera bel et bien expulsé. Mais en 1998, le premier long métrage de Bourlem Guerdjou délaisse ces explorations de l'état présent des choses pour faire un retour historique aux origines. Film dur et obstiné sur la première génération des immigrés qui s'installent dans les bidonvilles de France alors que l'Algérie conquiert son indépendance, *Vivre au Paradis* s'attache en somme à ceux qui ont fait le (mauvais ?) choix de la France au pire moment (1960-1962). Yamina Benguigui aborde quant à elle dans le beau mélodrame *Inch'Allah Dimanche* (2001) le sort des femmes algériennes transplantées en France à l'occasion de la loi du « regroupement familial » de 1973 et enfermées par leurs époux dans un isolement tragique qu'il faudra briser.

Ainsi les Maghrébins sont présents à l'écran de la comédie au drame, du film de divertissement au cinéma d'auteur, des premiers rôles à la figuration. Mais les personnages incarnés sont plutôt fragiles. Certes ils ne sont pas les seuls à connaître des difficultés de toutes sortes, à endurer la solitude, les petits boulots, les conditions de logement désastreuses, à ne pas assumer leur identité, toujours oubliés quand ils ne sont pas rejetés, transparents quand on ne les prend pas à parti. Indiscutablement le cinéma ne les montre pas du côté des vainqueurs ou des gâtés par l'existence et s'ils sont toujours mis en scène avec chaleur sans misérabilisme, ils ne sauraient donner envie ni constituer des héros susceptibles de faire rêver le spectateur. Aussi les croise-t-on plutôt dans le jeune cinéma d'auteur dont la noirceur métaphysique et sociologique convient à leurs crises psychologiques, leurs ratées relationnelles ou leurs échecs amoureux, toujours révélateurs.

Deux forts bons films sont caractéristiques de ces tendances. S'attachant à un groupe de sous-prolétaires du Nord, Christian Vincent hésite entre Ken Loach et Jean Eustache dans la dérive morose de *Sauve-moi* (2000) qui accroche à de longues séquences critiques (le recouvrement des dettes dans les HLM) des appels de violence dérangeants (la folle incartade de Marc lors de la sortie entre copains) ou une brutale dramatisation du scénario (la mort du patron ripoux de la société de gardiennage) dont le fil rouge est constitué par l'amorce d'une relation amoureuse entre Mehdi le beur et Agatha la roumaine en position de « couple vedette ». À *Vincent, François, Paul et les autres*, de Claude Sautet (les cadres moyens des années 1970) répondent donc ces Mehdi, Agatha, Cécile, Marc, Willy et les autres avec l'incontournable Roschdy Zem en place de Gérard Depardieu. Les temps ont changé : ce qui est intéressant se déroule aujourd'hui dans cette tranche sociale périphérique et non plus au centre de la petite bourgeoisie. Le style aussi a bougé : le réel est saisi comme à la dérobée et n'est plus plombé par les phrases définitives prononcées dans les jardins des résidences secondaires. Quant au récit, il est à peine ébauché car rien, dans ces existences à vau-l'eau, ne peut servir à construire un destin dramaturgique. Dès lors, Christian Vincent demeure en position interrogative : il n'a pas de vision du monde à proposer mais plutôt une sympathie à faire partager.

Construire un film autour d'un personnage beur conduit donc le cinéaste à modifier sa pratique comme son esthétique car ce nouveau « héros » fait éclater les cadres du récit au même titre que les conventions psychologiques : autrement dit il FAIT sa place à l'écran au lieu de la trouver, bousculant les modèles et pesant sur le devenir du cinéma. Avec audace Philippe Faucon filme de l'intérieur de la sphère privée d'une famille arabe dans une cité marseillaise l'existence au quotidien de *Samia*, beurette en classe de 3e, adolescente aux allures de gamine mais prématurément mûrie par la dureté des rapports humains : « Ils ne nous aiment pas nous, mais ils aiment nos sœurs et ils ne choisissent que les plus belles ! » commentent deux jeunes Maghrébins au passage d'un couple « mixte » formé par une très jolie arabe aux talons hauts et mini-jupe aguichante accompagnée d'un jeune « Français de souche ». Amère constatation émise avec l'autodérision crâne et triste souvent de mise chez les beurs les plus intégrés. Mais il y a aussi les autres, dominés par les pulsions archaïques des liens de sang. Ce lourd contexte de vengeance et de rivalités ethniques, Samia le vit chez elle avec un père malade, un grand frère fou de Dieu et surtout tyran de ménage, la sœur aînée fuyant la maison avec un Français et les plus jeunes encore soumises à une mère qui panse les plaies mais accepte les violences machistes. Rebelle et délicieusement piquante à la fois (extraodinaire Lynda Benahouda), Samia est un personnage complexe dépassant sa fonction de regard pour acquérir une authentique existence personnelle : vive, attentive, consciente de son charme, elle attend son heure mais sait déjà qu'il lui faudra obtenir durement son autonomie en se battant sur tous les fronts. Rompant avec la vision douceâtre du consensus mou du « cinéma de gauche » confronté au problème, Philippe Faucon souligne l'irréductible racisme ambiant (scène de l'arrêt de bus) mais dénonce tout autant les comportements d'un frère ignoble et de parents coupables qui – sous prétexte de religion et de respect des traditions – ravagent la jeunesse des filles en leur barrant tout accès au bonheur par l'amour. Il y a bien sûr beaucoup de Suzanne (Sandrine Bonnaire, *À nos amours*) dans Samia et, comme Maurice Pialat, Philippe Faucon ne retient que les éclats cinglants d'écorchés vifs saisis sous le soleil, la violence et l'exubérance du midi. *Samia* (2000) est un film court, sec, sous tension, d'une beauté fulgurante.

Féminité et Féminisme

On peut situer précisément l'offensive féminine dans la réalisation cinématographique en 1986, année où, pour la première fois, plusieurs longs métrages tournés par des femmes sont présentés aux « Perspectives du cinéma français » du festival de Cannes tandis que, la même année, la promotion entrant à la FEMIS compte autant de filles que de garçons. Or c'est justement à ce moment, nous l'avons vu, que se manifestent les prémices d'un jeune cinéma dont la composante féminine sera donc importante. C'est pourquoi nous ne saurions réserver une place spécifique au cinéma des femmes, pas plus que nous ne l'avons fait pour le cinéma des beurs ou des homosexuels. En effet, notre approche esthétique n'est pas celle des *gender studies*, avant tout parce que la situation française n'est pas celle des États-Unis et que nous voulons étudier les films sans nous préoccuper du sexe ou de la couleur de la peau de leurs auteurs. Qu'il y ait aujourd'hui autant de femmes cinéastes que de femmes écrivains ou peintres confère évidemment une nouveauté non négligeable à la génération quatre-vingt dix par rapport au cinéma très (trop ?) masculin des décennies précédentes, mais c'est un phénomène irréversible et l'originalité va par conséquent s'estomper rapidement. De plus, les jeunes femmes qui réalisent leur premier long métrage depuis une dizaine d'années arrivent après la bataille du féminisme, le militantisme cinématographique en la matière n'ayant d'ailleurs pas été très actif en France dans les années soixante-dix et quatre-vingt. Il n'en reste pas moins que quelques cinéastes privilégient actuellement davantage certains personnages que d'autres ; c'est pourquoi nous voulons insister ici sur des portraits remarquables de femmes et sur un intérêt particulier porté aux émois de l'adolescence ou au désir féminin. Mais ce ne sont pas pour autant des « films de femme » car nous récusons l'existence de ce genre cinématographique. Ce sont par contre des études de femmes conçues par des femmes dont le regard donne des œuvres personnelles au ton parfois éloigné de celui des cinéastes masculins. Il n'y a pas une spécificité générique (et moins encore génétique) des cinéastes femmes, mais des auteurs femmes à l'individualité très forte comme Noémie Lvovsky, Claire Simon, Laëtitia Masson, Pascale Ferran, Claire Denis…

Portraits de femmes

Ou Sandrine Veysset dont le premier film dégage une énergie peu commune et ignore complètement sujets, contextes et atmosphère de la majorité des œuvres actuelles. C'est de la terre qu'il est question dans *Y-aura-t-il de la neige à Noël ?* (1996) où l'auteur compose des images presque toujours un peu surexposées, comme blanchies par le temps des souvenirs ravivés dans un scénario largement autobiographique. Avec un style naturaliste sans fioritures, l'auteur s'attache dans un Midi hostile aux travaux forcés de sept gosses secoués par les rigueurs du ciel et de la terre, du soleil de plomb aux pluies diluviennes, de la poussière sèche de l'été à la boue hivernale avec, en prime, la neige transformant ce qui aurait pu n'être qu'un misérable suicide au gaz en fabuleux conte de Nouvel An. Mais il y a surtout une mère dispensatrice d'un amour farouche face à la vie et d'une résistance opiniâtre à l'ignoble amant, père et patron, haïssable, brutal, peut-être même incestueux. Certes, chacun garde – hors champ – ses obscurités, mais à l'intérieur du cadre de cette ferme où ne règne que l'argent et l'exploitation des plus faibles, c'est la force du bloc des huit contre la tyrannie d'un seul. Jaloux d'une chaleur qu'il ne saurait ni susciter ni partager, l'homme ne sait ni donner ni recevoir. Lui est vide, le groupe en face de lui plein de richesse et l'émotion finale d'une grande intensité. Il est dommage que le second film, *Victor… pendant qu'il est trop tard* (1998) n'offre par contre qu'une reprise calquée sur le premier, car tout ce qui était idées de cinéma est devenu cliché : prostituée triste au lieu de mère courage, gamin seul dans les rues au lieu des sept enfants au travail, sordide expressionniste en place du labeur acharné au soleil et plus aucune ambiguïté dans la neige finale qui ne saurait évidemment avoir la même signification tombant sur la minable fête foraine d'une petite ville du Nord qu'enveloppant dans le Midi une nuit de

Noël d'abord programmée pour être la dernière. Mais sans doute était-il un peu inévitable, après un premier film-cri, naïf pourrait-on dire par référence à la peinture du même nom, que le second se recale sur des modèles plus patrimoniaux afin que Sandrine Veysset trouve ses marques dans un cinéma d'auteur pour cinéphiles, dans la mesure où l'on ne saurait provoquer tous les deux ans une rupture aussi radicale que *Y-aura-t-il de la neige à Noël ?* Dans *Martha... Martha* (2001), troisième portrait de mère, la jeune femme ne sait pas élever sa petite Lise parce qu'elle a eu elle-même son enfance massacrée par quelque terrible secret de famille dont Sandrine Veysset choisit de ne rien livrer au spectateur. Emportée dans la spirale sans fin d'une noirceur abominable, Martha sombre donc sous les yeux impuissants de son admirable compagnon de misère, de pluie, de déchéance et de terreur. C'est un monde sans grâce ni rémission.

Le soleil du midi baigne par contre *Sinon, oui* (1997) où Claire Simon filme un fait-divers quelque part inconvenant (une jeune femme simule pendant neuf mois une grossesse puis vole un bébé dans une maternité), mais la cinéaste tourne agressivement cette fiction comme du reportage parce que la critique avait sans doute trop dit que son premier long métrage *Coûte que coûte* (1995) fictionnalisait un documentaire sur la faillite d'une sympathique petite entreprise de plats cuisinés pour en faire « un polar commercial /.../, une histoire de tous les jours, dramatique et comique »[1]. Le début de *Sinon, oui* brouille les points de vue du mari (dans un style vidéo bas de gamme) et de la femme (idée inquiétante de la voiture roulant tout à coup sans phare en pleine nuit), mélange les personnages filmés à 10 centimètres dans le noir ou en contre-jour et sature la bande son d'un saxophone insoutenable. Il faudra beaucoup de temps pour que se calme cette hystérie du filmage et que s'installe une réelle fascination pour cette histoire troublante, nourrie d'un grand nombre de détails pertinents. On finit même par accepter ces parti-pris de récit mais sans les approuver pour autant car il n'est pas sûr qu'ils jouent en faveur des personnages.

Dominique Cabrera se sert malheureusement de la même caméra tempétueuse pour exprimer la terrible panique qui saisit Christelle (Maryline Canto) quelques semaines après la naissance de son troisième enfant (le baby-blues des psychiatres). Pourtant *Le Lait de la tendresse humaine* (2001) est un film généreux dans lequel l'amour et la solidarité circulent au gré des rencontres entre des êtres bouleversés. Si la présence de la jeune femme retranchée trois jours chez la voisine de palier alors que les siens la cherchent partout constitue une situation scénaristique totalement incroyable, la cinéaste sait fouiller les psychologies et manier avec bonheur des symboles forts (ainsi la dynamique des fluides,

1. Selon les mots de la cinéaste.

de l'eau-liquide amniotique qui inonde l'appartement au lait maternel recueilli dans deux soucoupes en passant par les larmes baignant les visages et la surface du lac où le père et le fils désemparés se retrouvent en faisant des ricochets). D'autres couples sont ébranlés au passage par l'onde de choc (la voisine divorcée et son amant marié, le copain chômeur trompant son épouse stérile, la sœur enceinte et agressive surprotégée par un époux docile et des parents chaleureux) pour donner un écho tour à tour amer et apaisant au séisme qui atteint cette cellule familiale brutalement mise en danger.

À ces films à la dramaturgie étouffante et aux vérités perturbantes, on peut opposer la petite musique de *Lila Lili* (1999), de Marie Vermillard. Quoique situé dans un foyer pour jeunes femmes en difficulté, *Lila Lili* est en effet un film léger et touchant. Le temps d'une grossesse Micheline, solitaire et butée, rayonne étrangement du physique rare d'Alexia Monduit au visage d'une grande pureté encadré d'une étonnante chevelure d'ébène qu'elle a du mal à discipliner. Asexuée par un habillement baba cool style cas social en perdition, prétendument douée pour le hand ball mais maintenue sur la touche par son état, elle est regard plus qu'actrice de sa propre existence, mais ce retour biologique sur elle-même ne l'empêche pas de fédérer tout un univers de personnages dans un mélange acteurs-non acteurs et une hétérogénéité esthétique étonnante. Car Micheline s'épanouit à mesure que grossit son ventre et ses hurlements juste avant l'accouchement, perdue avec un inconnu au bord d'un champ d'épandage dans l'attente du SAMU, sont plus cosmiques que tragiques. Souffrance certes, mais ce sont les douleurs d'une naissance, donc d'un espoir et surtout d'une volonté d'assumer la continuité de l'espèce humaine.

Pour composer ce portrait fait de nombreux traits juxtaposés, Marie Vermillard éclate son récit, passant sèchement d'une caméra subjective aux mouvements désordonnés (la visite à sa grand-mère hospitalisée) à l'enregistrement classique en champs-contre champs d'un dialogue savoureux rigoureusement écrit (scènes avec Antoine Chappey), comme d'une séquence ample et conviviale (l'après-midi au bord du canal) à des moments fugaces, volés autant à l'intrigue qu'aux personnages. Il fallait une grande justesse de ton pour réunir tant de moments disparates, appuyer sans arrêt la fiction sur le documentaire et vivifier celui-ci par l'imaginaire. Une véritable morale de cinéaste met en scène avec une belle évidence la constitution possible d'une nouvelle génération pluriraciale et à dominante féminine venue des marges sociales pour investir le cœur d'une collectivité désertée par ses propres membres. *Lila Lili* recentre l'image de ceux qui vivent et qui aiment. Laissés pour compte des médias comme de la croissance économique, aussi étrangers à l'Euro qu'aux politiques écologiques, ces gens sortent des institutions d'assistance comme les rescapés d'une catastrophe nucléaire pour réinvestir la planète. Rien de plus normal car eux seuls ont l'énergie nécessaire à la survie : à la fois la force et la faiblesse, la violence et la sensibilité aux autres, le recul décalé mais aussi l'envie de vivre, comme Micheline la renfermée et Nadège l'extravertie, la fille sans homme (mais enceinte) et celle qui les attire tous.

Depuis 1986 (*Coup de pied à la lune*), alternativement sur le grand ou le petit écran, Catherine Corsini peint des personnages volontaires mais dont les aléas de la vie rabattent souvent les espérances et cassent les révoltes. Ainsi Viviane à laquelle Nathalie Richard prête son dynamisme, éclaire dans *Les Amoureux* (1989) l'étroitesse d'une toute petite ville des Ardennes où elle sait jouer de son corps pour survivre dans un monde vulgaire aux côtés d'un frère plus jeune aux tendances homosexuelles pour lequel elle nourrit une tendresse aux limites de l'inceste. Avec *La Nouvelle Ève* (1999) film au titre sans doute trop ambitieux, Catherine Corsini connaît un vrai succès public grâce à sa jeune célibataire fière de l'être préférant ses aventures amoureuses à l'existence rangée des couples de son entourage. Karin Viard dote le personnage de son fameux « tempérament » d'actrice rehaussé par la photographie de couleurs pimpantes qui maintiennent le film dans le ton de la comédie. Le début brasse d'ailleurs quelques banalités puis les personnages se creusent et les relations s'humanisent. Bien sûr Catherine Corsini accule bientôt Camille à ses limites. Sa superbe tombe et les complications apparaissent dès qu'elle s'attaque à un homme marié cadre local du PS ! Cette manière de filmer du côté de celle qui veut à tous prix détruire un ménage pour se prouver qu'elle existe est assez audacieux, mais il est regrettable que tout cet anticonformisme finisse dans la norme d'un couple classique. Aussi *La Nouvelle Ève* est-il un film « air du temps » auquel manque un regard exigeant. De même, son face à face entre deux anciennes amies d'adolescence autour d'une pièce de théâtre qu'est en train de préparer celle qui est devenue comédienne (Emmanuelle Béart) est certes habile mais cette *Répétition* (2001) laisse trop de potentialités du sujet inexploitées.

Dès son premier long métrage – et encore avec Karin Viard – Solveig Anspach séduit aussi le public par une belle idée de film : la lutte dans le corps d'Emma entre la vie (elle est enceinte) et la mort (le cancer du sein). *Haut les cœurs !* est souvent au niveau de cette force scénaristique, même si quelques maladresses anecdotiques provoquent des chutes de tension dramatique par une utilisation minimaliste des possibilités du langage cinématographique. Mais l'inspiration autobiographique donne aux réactions du couple face aux étapes parallèles de la maladie et de l'attente de l'enfant une violence bouleversante et une rigueur alarmante. Le parcours d'Emma jusqu'au final suspendu dans le blanc de la chambre stérile où le cinéma parle enfin à la place des personnages est dévoré par l'irrationnel d'une tumeur invisible s'acharnant contre l'épanouissement naturel de la grossesse. Retenu, avec même parfois le recul de l'humour qui permet de ne pas sombrer, le film tient la distance entre ces deux pôles.

Mais si ces portraits de femmes frémissent d'une vérité profonde, certaines cinéastes savent aussi s'attaquer avec bonheur à l'univers masculin. Ainsi, bien qu'Émilie Deleuze se débrouille assez mal de l'imaginaire de son héros comme du plat réalisme du couple qui se défait, *Peau neuve* excelle par contre à décrire l'opacité comportementale d'Alain, trentenaire quittant Paris et son travail dans la vidéo pour effectuer un stage de conducteur d'engins de chantier, ainsi qu'à rendre crédible son attachement à Manu (étonnant Martial Di Fonzo Bo), personnage psychologiquement fragile et inapte à tout travail d'une certaine complexité. Entre amitié virile et homosexualité, sur la frange de l'autisme, l'auteur compose une belle figure double de crise identitaire sur fond de chômage. Pascale Ferran, elle aussi, s'intéresse à la nature humaine plus qu'aux spécificités masculines ou féminines et *Petits Arrangements avec les morts* (1994) se présente comme une comédie inquiétante sur le travail de deuil présentée sous forme d'un insolite triptyque déséquilibré centré sur trois protagonistes : un frère, une sœur, et un enfant de dix ans totalement étranger à la famille. Entre ces destins qui ont tous à voir avec la mort d'un être cher, la construction d'un splendide château de sable, poursuivie tous les jours à midi grâce à l'obsession d'un homme de 45 ans, vient suggérer le travail du temps et la lutte contre l'éphémère. Tous les êtres sont à double face, publique certes, mais aussi individuelle et intime. L'insolite de la narration est encore accusé par le mélange des genres, du cocasse à l'angoisse, l'agencement du psychisme des personnages assurant la cohérence interne d'une œuvre qui touche à l'essence du jeune cinéma d'aujourd'hui sans en rencontrer le moindre cliché. Quant à *L'Âge des possibles* (1995), nous avons vu[1] qu'après la mise à plat des données psychosociologiques des dix jeunes personnages, Pascale Ferran recompose des destins plus ou moins croisés dans un projet unanimiste d'où ne ressort aucun portrait féminin plus particulier.

Les filles en fuite de Laëtitia Masson

Inversement son triptyque sur une fille à la dérive et en fuite chaque fois interprétée par Sandrine Kiberlain, fait de Laëtitia Masson une talentueuse portraitiste des aspirations féminines (mais les hommes ne sont pas pour autant sacrifiés). *En avoir ou pas* (1995) conte la quête du bonheur par Alice qui saura tirer Bruno de sa sinistrose poisseuse par une lucidité impertinente consistant à regarder l'autre plus que soi-même. Au début Alice révoltée quitte l'usine de poisson de Boulogne pour courir derrière ses rêves d'enfant, puis ce sont bientôt les désillusions à Lyon : elle ne sera pas chanteuse mais serveuse et celui

1. Voir ci-dessus, p. 46.

qu'elle aime est encore plus désespéré. Le drame est proche : heureusement la « girafe fatiguée », comme se définit elle-même Alice, allie à son âme romantique un esprit solidement pragmatique. Alors, pourquoi ne pas se poser là et faire avec, en s'adonnant passionnément à un amour sans doute quelconque mais unique et qui constituera en fait la seule vraie chance de la vie des deux jeunes gens ? Il est vrai que ce genre de décision « raisonnable » peut être à un certain moment effrayante et France Robert s'enfuit au début d'*À vendre* (1998) le jour même de son mariage, pour vivre aux dépens des hommes auxquels elle monnaye ses charmes tandis que Luigi est payé quant à lui pour la retrouver et la ramener à son mari. Curieuse poursuite, double parcours de Marseille à New York, qui dessine peu à peu la figure d'une héroïne fascinante et déconcertante, elle-même mal assurée malgré ses décisions provocantes. Le récit, désarticulé entre *flash-back*, enquêtes, errances et brusques accélérations fictionnelles, joue des ruptures interrogatives mais l'identité de France Robert échappe à ses poursuivants comme aux spectateurs de ce film surprenant.

Dans *Love me* (2000), le portrait se lézarde encore davantage car la jeune femme qui arrive à l'aéroport a tout oublié – pas de nom, pas de papiers, plus aucun souvenir – et un puzzle vertigineux tente de se reconstituer entre imaginaire et réalité (France Amérique, hier et aujourd'hui) : Salomé Stévenin joue Gabrielle Rose à 15 ans, Sandrine Kiberlain à 20 ans… et les deux filles se rencontrent plusieurs fois à l'intérieur des mêmes plans ! Mais le film superpose aussi le sordide et le glamour (Johnny Hallyday lui-même entre le vrai – « Love me tender » – et le faux Elvis-Lennox) dans des rêves de midinettes nourris de mythes à quatre sous qui ne tiennent la route qu'à force de foi, de culte et de religion : la croix est partout, pendue aux murs et aux cous des femmes ! Quand la tension se fait trop forte l'amnésique tombe en syncope pour quitter les lieux et le temps de l'impasse ; elle se réveille ailleurs et autrement, jusqu'à ce que le canapé du psychanalyste apporte quelques éclaircissements (forcément décevants) doublés d'un *happy end* au rose aussi désuet que les tenues de l'héroïne. Personnage-Protée Sandrine Kiberlain sauve le spectacle, mais la pertinence du portrait se dissout dans les jeux formalistes de miroirs.

L'agressivité adolescente

Nous avons vu dans *Les Vacances* et *La Puce* (Emmanuelle Bercot, 1999)[1] deux portraits acides de jeunes adolescentes prises dans les contradictions de leurs pulsions et mauvaises humeurs. Avec *Les Filles ne savent pas nager* (Anne-Sophie Birot, 2000) la fille des villes (Lisa la rouquine) et celle de la

---

1. Voir ci-dessus, p. 20.

mer (Gwen qui habite en Bretagne) ont à peu près le même âge et vivent à distance une grande amitié épistolaire, ne se rencontrant que l'été. Mais chacune fantasme sur l'autre et ment sur elle-même pour transcender des existences familiales difficiles (la crise de la pêche pour l'une, la mort du père pour l'autre). En place du montage parallèle classique, la cinéaste présente d'abord la vie de Gwen puis celle de Lise en deux blocs diégétiquement contemporains mais cinématographiquement successifs. Le troisième volet marque leurs retrouvailles tant attendues. Hélas mûries, Lise par un deuil décalé et Gwen par la fréquentation des garçons, les amies ne se comprennent plus. Ce tableau tout en vivacité, en douleurs et en élans irrépressibles est malheureusement gâché à la fin par un paroxysme scénaristique totalement déplacé dans ce contexte (le père de Gwen se tuant dans l'escalier alors qu'il venait de s'arrêter in extremis de violer Lise).

Deux très jeunes filles de 13 et 16 ans racontent l'histoire de *Peau d'homme, cœur de bête* (Hélène Angel, 2000) dont l'auteur déclare avoir imaginé la dernière séquence dès les débuts de l'écriture du scénario. De fait, la puissance lyrique des images de ces deux gamines se précipitant pour aller hurler au bord du précipice avec toute la force de leur énergie vitale est proprement stupéfiante. Mais pour parvenir à ce dénouement cosmique, la ligne dramatique a dû trancher dans le vif les liens du sang d'une fratrie empoisonnée par des secrets de famille touchant à l'Œdipe comme au parricide. L'histoire, d'ailleurs, avait commencé avec Christelle et Aurélie qui en assurent le récit en voix *off*. Mais certains ressorts de la tragédie leur échappent et ce conflit d'adultes dont elles devraient être préservées les dépasse, leur père Francky (Serge Riaboukine) comme leurs oncles Coco (Bernard Blancon) et le jeune Alex (Pascal Cervo) gardant leur opacité et même leur mystère. Aussi disjonctent-elles de leur côté dans le conte fantastique, transformant par leur imaginaire la brute, le fou sanguinaire et l'immature en ogres qui les dévorent... Mais en fait, elles sont encore au-dessous de la terrible vérité. Avec un vrai sens de l'équilibre esthétique, la cinéaste alterne la violence bestiale et la fragilité psychologique la plus touchante. Cette famille retranchée dans les montagnes des Alpes du Sud qui ont donné les personnages de Giono et abrité la ferme sanglante des Dominici cache sous les rapports filiaux et les banquets amicaux en l'honneur des vieilles institutrices, la haine et l'horreur.

Le film évite les dangers du naturalisme comme de la crudité. Pour montrer peu, il n'en est que plus inquiétant mais la peur qu'il communique est sourde, activée par de brusques accès de fureur pour s'installer ensuite de manière lancinante pendant les pauses qui ne peuvent qu'annoncer la tempête. Point aveugle de la narration, le secret englouti empoisonne trois générations et constitue le centre d'amples séquences se développant en lentes circonvolutions autour d'un vide qui aspire l'existence de tous. Avec le retour du père disparu

(Francky) en même temps que du fils prodigue (Coco), non seulement dans la maison de famille mais aussi dans la communauté villageoise, le récit n'en finit pas de régler son compte à l'absence de la femme chez ces hommes qui n'ont qu'une mère et deux filles. Des cages à strip-tease aux viols au fond des bois, derrière les séries de portes fermées de l'étroit couloir de la demeure, la misère sexuelle fait ses ravages. L'abri est un piège où la mort rode et le doux dingue qui dialogue avec son double dans ses cauchemars abat son poing en plein visage de la mère. Il faudra donc que le moins affirmé des trois tue le psychopathe meurtrier pour que le troisième qui est en train d'émerger lentement de sa conscience naufragée pense à prendre ses deux filles pour fuir loin du cercle maudit. L'expulsion de la colère finale par les cris libérateurs de celles qui ont peut-être fini de souffrir marque-t-elle une nouvelle naissance ? Rarement un premier long métrage aura brossé des portraits aussi poignants des traumatismes de l'adolescence. Une curiosité pour clore ce sujet : *Du Poil sous les roses* (2000), d'Agnès Obadia et Jean-Julien Chervier qui ont réalisé chacun deux moyens métrages juxtaposés, le premier centré sur Roudoudou, fille de 14 ans, le second sur Romain, garçon d'un an plus âgé, mais les deux volets sont inégaux et les clichés dominent.

Les confessions sexuelles

Avec rudesse, filmé sans recul ni usage de tout ce qui ressort du langage, de l'art du récit ou de la composition esthétique, *À ma sœur !* (2001) explore également le comportement des adolescentes mais exclusivement côté sexe, et son auteur Catherine Breillat n'est plus une jeune cinéaste. Elle a pourtant donné avec *Parfait Amour !* (1996) le départ d'une sorte de sous-genre du cinéma de l'intime qu'ont illustré plusieurs réalisatrices et que l'on pourrait appeler la confession sexuelle, à savoir l'étude du désir féminin et le renversement des rapports d'âge, de condition sociale et de pouvoir à l'intérieur des couples basés essentiellement sur une passion physique. Ainsi, après un beau premier long métrage évoquant la fin de l'Algérie Française vécue par trois sœurs « pieds noirs » aux destinées tragiques mais contées sur le ton de la comédie (*Outre-mer,* 1990), l'actrice Brigitte Roüan raconte l'aventure de la femme de la quarantaine face au jeune homme de 20 ans en rassemblant tous les clichés du couple bourgeois « branché », des milieux de l'édition et de la passion physique sauvage. On ne peut croire un seul instant dans ce *Post Coïtum animal triste* (1997) à ce dragueur impénitent qui donne dans l'humanitaire ni à cette chef d'édition qui se laisse renifler derrière les rayons de livres par le premier venu et se confirme dans l'image suivante comme une folle de sexe. D'autres films du même genre suivront (*Si je t'aime... prends garde à toi*, Jeanne Labrune, 1998) qui, en vertu du droit à la jouissance, tombent parfois dans la pure indécence pornographique exhibitionniste (*Romance*, Catherine Breillat, 1999). En fait les plus jeunes cinéastes n'ont plus ces préoccupations et préfèrent affirmer leur « moi » avec la belle insolence de ceux qui ont quelque chose à dire.

C'est pourquoi deux films à peine peuvent se réclamer en 2000 du « modèle » *Romance*. *Baise-moi* est le premier long métrage de Virginie Despentes, écrivain « trash », et Coralie Trinh Thi, actrice de X, jouant les rebelles. Classé X par le Conseil d'État désavouant début juillet la ministre de la culture qui avait laissé sortir le film fin juin 2000 hors du circuit spécialisé, le film est davantage un événement politique qu'une œuvre artistique. Aussitôt défini comme « punk » par son association sexe et violence (« Sang contre sperme »[1]), farouchement anti-mâle, *Baise-moi* explore le répugnant avec une brutalité pas toujours bien maîtrisée qui se retourne plus d'une fois contre le projet prétendument libertaire. Le deuxième film – *La Mécanique des femmes* – est celui d'un homme, Jérôme de Missolz. Pari « impossible » que cette adaptation du « roman » homonyme de Louis Calaferte composé de quatre-cents morceaux de textes décrivant la jouissance des femmes et leur terrible exigence sexuelle. La mise en scène est seule en charge d'unifier ce patchwork de plongées en plein stupre qui deviennent très vite affreusement répétitives. L'ambition du réalisateur est évidente, mais la voix *off* ponctuant chaque vignette (et qui commence toujours par « elle écrit… ») n'empêche pas les images de n'être que celles d'un vulgaire porno, Christine Boisson faisant pitié face au monolithique Rémi Martin réduit au silence. Il est décidément difficile de sortir du X tout en visitant les zones les plus hard de « l'appel de la chair », comme on disait, justement, avant le X.

Pour terminer sur le cinéma des femmes, il faudrait signaler en outre les nouvelles comédiennes apparues depuis quinze ans. En fait, la relève s'annonce dès Leos Carax avec Mireille Perrier (*Boy Meets Girl*, 1984) mais démarre plus précisément quelques années plus tard chez Éric Rochant (à nouveau Mireille Perrier dans *Un Monde sans pitié*, 1989) et Christian Vincent qui découvre Judith Henry (*La Discrète*, 1990) puis Isabelle Carré (*Beau fixe*, 1992). Depuis les jeunes actrices sont pratiquement aussi nombreuses que les cinéastes de la génération 90 : Valéria Bruni-Tédeschi (*Oublie-moi*, N. Lvovsky, 1995), Romane Bohringer (*Les Nuits fauves*, C. Collard, 1991), Karine Viard (*Hauts les cœurs !*, S. Anspach, 2000), Sandrine Kiberlain (les trois premiers films de Laëtitia Masson, 1995-1999), Jeanne Balibar (*J'ai horreur de l'amour*, Laurence Ferreira-Barbosa, 1996), Élodie Bouchez et Natacha Régnier (*La Vie rêvée des anges*, Éric Zonca, 1998), Marianne Denicourt et Emmanuelle Devos (*Comment je me*

1. Comme l'écrit Olivier Joyard dans *Les Cahiers du cinéma*, n° 548, juillet-août 2000.

suis disputé…, Arnaud Desplechin, 1999), Sylvie Testud (*Karnaval*, Thomas Vincent, 1999), Sophie Guillemin (*L'Ennui*, Cédric Kahn, 1998), Caroline Ducey (*Trop de bonheur*, Cédric Kahn, 1994), Hélène Fillières (*Aïe*, Sophie Fillières, 2000), Marie Gillain (*Laissons Lucie faire*, Emmanuel Mouret, 1999), Isild Le Besco (*Les Filles ne savent pas nager*, A.S. Birot, 2000) auxquelles il faudrait ajouter au moins Charlotte Gainsbourg, Judith Godrèche, Laurence Cote, Virginie Ledoyen ou Géraldine Pailhas révélées chez d'autres cinéastes (Claude Miller, Jacques Doillon, Jacques Rivette, Benoît Jacquot) mais qui travaillent également avec les jeunes cinéastes. En outre il faut dire que l'on pourrait citer tout autant de comédiens : Mathieu Amalric, Hippolyte Girardot, Emmanuel Salinger, Denis Podalydès, Charles Berling…

Les genres revisités et les aléas du classicisme

Situations et psychologie

Trop de premiers longs métrages d'aujourd'hui se réduisent à des situations et à de la psychologie, mais sans cinéma, parce qu'ils sont réalisés par des jeunes qui ont appris le métier en regardant les téléfilms de *prime time*. Souvent, ce type de film est basé sur une idée de scénario tout à fait valable : Solange, la « pervenche » de Tours, s'ennuie avec Patrick, employé à la morgue et qui bricole leur futur pavillon de banlieue. À la fin du film, elle a laissé ses PV et son mari pour chanter dans des tournées bas de gamme de maisons de retraite, mais elle est heureuse (*Le Bleu des villes*, Stéphane Brizé, 1999). Pour sauver son fils dans le coma, sa mère – prostituée de luxe – enlève un vieux prêtre pour l'obliger à venir prier avec elle et exiger qu'il fasse un miracle (*Lise et André*, Denis Dercourt, 2000). Éric est un adolescent renfermé qui épie les voisins par la fenêtre. Ses perpétuels affrontements chez lui avec son beau-père finiront mal, mais il pénètrera réellement dans l'existence du couple d'en face qui l'initiera à l'amour (*Faites comme si (je) n'étais pas là*, Olivier Jahan, 2000). Hélas aucune de ces trois idées ne devient une véritable histoire de cinéma et surtout nul regard n'approfondit ces données par un traitemnet esthétique susceptible d'en révéler les potentialités. Ainsi le film d'Olivier Jahan reprend l'argument d'*Une Histoire d'amour*, de Kristof Kieslowski, mais là où l'auteur polonais allait jusqu'au bout de ce lien étrange entre deux êtres (le voyeur, l'épiée), Jahan psycho-sociologise et pimente en faisant intervenir des personnages attendus, stéréotypés, qui éparpillent l'attention et noient le thème – les tourments de l'adolescence chez un personnage a priori guère sympathique – dans l'univers fade et rassurant du sitcom. *Le Bleu des villes* pèche pour sa part par sa narration convenue, pauvrette, sur des personnages transparents ; un film RMI, un peu cafardeux et sourire en parapluie qui ne compte qu'une seule belle scène, la dernière. À partir d'elle en effet, un vrai film pouvait commencer car l'intéressant était cette femme et non les problèmes de couple. Tout devait donc être raconté à partir de Solange. Sans point du vue, le film s'enlise dans la banalité. *Lise et André* s'appuie sur le concept dramatique de la rencontre de deux êtres totalement différents dans des conditions exceptionnelles qui leur permettront, finalement, de s'apprécier. Le caractère totalement farfelu de ce face à face (mais avec, en arrière plan, le petit Bastien, pour lequel tout se joue) était un atout car le film ressemble davantage à un mélo populaire aux caractères simples et émotions fortes du cinéma des années cinquante qu'à la soupe tiède du téléfilm, ce qui en fait un produit insolite (avec cette gravité au premier degré seulement tempérée de quelques traits d'humour) dans le paysage du jeune cinéma français. Denis Dercourt possède donc, lui, des qualités réelles de scénariste (ici dans une tonalité très différente de ses deux premiers longs métrages passés complètement inaperçus : *Le Déménagement*, 1996 et *Les Cachetonneurs*, 1998) mais sa mise en scène en creux est incapable de donner une vraie dimension, ni au misanthrope désenchanté déjà au seuil de la mort et à la diablesse à l'opiniâtreté salvatrice, ni à l'idée de foi comme énergie vitale qui aurait pu constituer un prodigieux sujet. Rien ne diffuse, ne prend de l'ampleur. Tout est rabattu vers le sens minimum et le fait que *Lise et André* ait été tourné dans la même région que *Sous le soleil de Satan* ne saurait suffire à lui conférer l'intensité de l'adaptation de Pialat. Dans le domaine de la comédie de mœurs c'est aussi la frilosité du regard qui gâche les potentialités de *Nettoyage à sec* (1997), d'Anne Fontaine. Pour filmer la déviance d'un petit couple français typique saisi par l'attrait de l'inconnu sexuel, la cinéaste choisit en effet une transparence sans émotion car il ne suffit pas de couper le dernier tiers de chaque scène pour donner le vertige. Certes le symbolisme se cache à chaque coin de ce pressing de Belfort, mais la forme dramatique trop lisse dessert les troubles échappées suggérées par le scénario. Pourtant chaque tournant du récit met un instant mal à l'aise parce que les comportements semblent alors à côté du convenu, mais c'est pour revenir à tout coup rapidement aux chemins balisés. En somme, il aurait fallu accepter un vrai risque esthétique, à l'image de celui – moral – que prennent les personnages. Ces quatre films sont donc emblématiques d'une des faiblesses endémiques guettant le jeune cinéma : un manque de références et finalement d'ambition puisque ces films ne cherchent qu'à distraire avec des personnages et une histoire pas trop compliquée, sans aucun souci d'art, de beauté, d'expression, d'évasion…

Polar ou thriller

À l'opposé, pourrait-on presque dire, du « modèle télé », le cinéma de genre offre une alternative en s'arrimant à la pérennité du patrimoine cinématographique, essentiellement français et américain : polar ou thriller ? C'est la première question, mais elle peut être conjuguée à une relecture, travaillant aux marges des règles dramatiques et des personnages consacrés, d'un genre évolutif, ouvert à toutes les influences. *Assassin(s)* (1997), sccond long métrage de Mathieu Kassovitz, adopte donc le schéma classique du polar (un vieux tueur à gages et son jeune successeur) pour dénoncer la violence aveugle de la société d'aujourd'hui qui dériverait essentiellement d'une télévision crétinisante omniprésente dans tous les plans. Malheureusement le film ne trouve vraiment sa couleur qu'avec l'intervention d'un gosse de 14 ans, Mehdi, qui fait froid dans le dos. Auparavant, il faut subir l'initiation sans surprise de Max, jeune niais (Mathieu Kassovitz lui-même) par un mentor grimaçant (Michel Serrault) pendant près de 90 minutes filmées avec complaisance et force zooms avant destinés à essayer de lester ce vide de quelque pesanteur métaphysique. Mais la dernière demi-heure est plus réussie, mélangeant le brio de la mise en scène (belle séquence de bavures du premier contrat rempli in extremis par Max et Mehdi), l'humour saignant de la parodie (le sitcom « Hélène et les garçons » tournant au viol) et l'approfondissement des caractères : Wagner s'enfonce dans la déliquescence physique tandis que Mehdi vire au tueur fou. Certes subsistent trop de facilités dans une réalisation pompeuse, mais le culot fait passer bien des maladresses et même certains excès rageurs de la « démonstration ». Au cours des *Rivières pourpres* (2001), deux policiers (Jean Reno, Vincent Cassel) et deux enquêtes se rejoignent dans une histoire quasi fantastique d'eugénisme, de secte fascisante et de crimes affreux (tortures, rituels, fanatisme…). Nuit, pluie, glaciers et avalanches dotent ce scénario un peu foutraque d'une dimension cosmique au filmage souvent réussi mais que Mathieu Kassovitz mine systématiquement par un humour de séries télévisées (le combat de Kung-fu, l'intervention des gendarmes…). Le spectateur est donc maintenu à l'extérieur de l'intrigue comme à distance des personnages dont aucun n'est traité à fond et le réalisateur s'éloigne de film en film davantage d'un cinéma d'expression. Reste un produit spectaculaire « à la française », juste équivalent du *Cinquième Élément* (1997), lui, « à l'américaine », tout aussi vain que l'exercice de Luc Besson.

Auteur et metteur en scène de la jeune génération du théâtre, Xavier Durringer cherche de son côté sa voie à l'écran et après avoir rassemblé toutes les conventions du nouveau cinéma dans son premier long métrage (*La Nage indienne*), il donne avec *J'irai au paradis car l'enfer est ici* (1997) dans le policier sadique, sanguinolent, animé par quelques crétins ataviques manipulés à coups d'effets d'éclairage et de montage. Curieusement le protagoniste se mue un quart d'heure avant la fin en nouveau Saint François d'Assise, enfonçant par là les limites du ridicule.

Inversement à cette surenchère, Nicole Garcia compose un univers particulier en mélangeant des ingrédients venus de quelques tendances très prégnantes du cinéma national. Après *Un Week-end sur deux* (1990) à l'héroïne inconséquente (Nathalie Baye) assez typique des crises identitaires du cinéma d'auteur, l'ancienne comédienne s'applique en effet à creuser la veine psychologique majoritaire de la Nouvelle Qualité Française en y insérant des personnages de polar un peu décalés, obligés de renoncer à leurs automatismes pour s'adapter à des milieux pour eux inhabituels. Dans une Nice hivernale vidée et plombée, *Le Fils préféré* (1995) raconte une recherche d'argent qui tourne à l'examen de conscience de Jean-Paul (excellent Gérard Lanvin), piégé par son existence de petites arnaques et de drogue, aux abois de la mi-vie quand il se retrouve plongé dans la fratrie de son enfance et les rapports au père. *Place Vendôme* (1998) souffre par contre de l'académisme d'une mise en scène glacée qui ne saurait sauver le scénario de quelques erreurs assez lourdes (liées au rôle de Jean-Pierre Bacri). Pourtant le personnage cassé de Marianne – Catherine Deneuve – existe vraiment, errant dans le monde labyrinthique des diamantaires que son alcoolisme a mis à distance. De la tristesse et du désarroi au retour de la force vitale, Marianne a un double, la jeune vendeuse arriviste qui va vivre à peu près les mêmes choses, et cette belle idée soutient habilement l'attention en donnant une réelle profondeur à la structure dramatique.

À peu près dans ce créneau, la surprise de l'année 2000 aura été l'excellent accueil public fait à *Harry, un ami qui vous veut du bien*, second long métrage d'un réalisateur au parcours un peu atypique. Dominik Moll vient en effet de Baden-Baden (père Allemand, mère Française) puis fait un passage à New York pour approfondir la culture américaine qu'il adore. À l'IDHEC à la fin des années quatre-vingt, il sympathise avec Vincent Dietschy, Thomas Bardinet, Laurent Cantet et Gilles Marchand qui, tous ensemble, forment en 1990 le collectif de production *Sérénade*. Ils réalisent une dizaine de courts métrages puis Dominik Moll, le premier, se lance dans le long avec déjà G. Marchand au scénario. Mais *Intimité* (1992) passe inaperçu. Moll travaille ensuite plus de deux ans sur un projet ambitieux (drame en huis clos sur un cargo plein de déchets toxiques) qui n'aboutit pas. Bien maîtrisé, *Harry, un ami qui vous veut du bien* s'inscrit dans la mouvance des films de Chabrol et donc, par cette filiation, dans la descendance hitchockienne. Certes les meilleurs films de Chabrol bénéficient d'une narration réglée un cran au-dessus, de caractères davantage fouillés, d'une mise en scène plus belle (et pas seulement talentueuse), de déchirures, décrochages et glissements vers des noirceurs bien épaisses. C'est cela qui manque au film de Moll : de la force, des pertes d'équilibres, au lieu d'un récit trop lisse qui évite soigneusement les risques. Tout est un peu sage, le suspense habile mais étroit, le final assez vite prévisible, mal servi par une psychologie sommaire de comédie. Aussi, lorsque le scénario vire au drame, le film s'effiloche et manque de consistance. Mais c'est un film plaisant qui installe un climat de connivence, un beau produit en cousinage d'inspiration avec le travail de Pierre Salvadori ou le meilleur de Jacques Audiard, en réaction contre l'intimisme angoissé des films de la désespérance existentielle. Moins original mais habile, *Scènes de crimes* (Frédéric Schoendoerffer, 2000) est un thriller qui se dédramatise en portraits – finalement tragiques – de deux policiers ordinaires.

Le détournement du genre est d'une autre puissance avec le mythique et maléfique *Roberto Succo* (2001) pour lequel Cédric Kahn écarte l'adaptation de la pièce exacerbée et mortifère de Bernard-Marie Koltès et privilégie le livre-enquête de Pascale Froment à laquelle il demande encore (dans la phase de scénarisation) une complète remise à plat de la traque du fou meurtrier. Ce retour aux faits-divers donne toute sa place à la complexité du réel en éloignant la starification de la légende : ce n'est pas *Bonnie and Clyde* mais un parcours désordonné, comme si l'imprévisible et l'opacité du personnage obligeaient le cinéaste à adopter une sorte d'absence de point de vue très inconfortable pour le spectateur. Cédric Kahn rejette la plupart des codes du polar en accumulant des morceaux d'existence sans chercher à reconstruire le puzzle. On sent bien la force d'une course à la mort fournissant la colonne vertébrale d'un récit éclaté, mais jamais une construction psychologique du personnage ou une pédagogie éclairante du travail policier.

Par contre, le film s'attache aux victimes qui volent souvent la vedette à Succo : la jeune lycéenne, l'institutrice suisse, l'étudiante en médecine, le trio final des filles de la boîte de nuit apportent successivement de l'intérieur des voitures lancées à toute allure quelques bribes de regards possibles là où on attendait une vision cohérente de l'auteur ; quand il n'y a plus ces témoins relais pour donner quelque densité à ses actions impulsive, l'homme n'est plus qu'un méchant guignol haranguant la foule depuis le toit de sa prison. Ses propres efforts pour troquer son masque de *Serial Killer* contre celui d'un terroriste politique sont en effet alors dérisoires, ce qui n'empêche pas Cédric Kahn de filmer son cadavre étouffé dans sa cellule (suicide ?) avec un sens certain du tragique pour faire de cette mort un signe aussi fort que celui de l'exécution à Toulon du gendarme blessé dans l'escalier dont Succo éclate la tête à bout portant et en gros plan.

En ne montrant en direct que ce seul meurtre – alors que pour les autres la caméra arrive toujours après, avec les gendarmes, au moment des opérations légistes – l'auteur choisit le point de vue du constat crépusculaire, quand la nuit transforme le preneur d'otages en monstre sanguinaire contre lequel la rationalité policière est impuissante. En fait, seul l'acharnement obsessionnel d'un enquêteur plus secret et mystérieux que les autres parviendra à resserrer l'étau autour de ce visage au regard revolver, Kahn pointant l'établissement progressif du portrait-robot et la recension des armes comme étapes décisives de l'avancée de la recherche. Après Caroline Ducey dans *Trop de bonheur* et Sophie Guillemin dans *L'Ennui*, Stephano Cassetti rejoint les découvertes prodigieuses d'interprètes qui fondent littéralement à eux seuls la pertinence d'un film. L'auteur parvient pourtant à contrebalancer sa violente présence magnétique, sa vitesse et son délire par l'édification du procès-verbal de son passage : chemin de l'horreur fixé à base de photos, de traces, de restes et d'absences, absurdité terne de la « vraie » vie, d'une pesante normalité vide mise à mal par les dérèglements éprouvants d'un dément que l'on sent comme le pur produit d'un monde qui va à sa perte dans la splendeur d'une nature magnifiée par un cinéaste pervers.

Si le polar (psychologique ou non) a toujours été, avec la comédie, le genre français le plus prospère, ce n'est pas le cas du fantastique, même quand Éric Rochant trouve de belles images pour illustrer un scénario peu inventif de Gérard Brach : dans *Anna Oz* (1996) la petite correctrice de photographies à Paris rêve d'aventures à Venise dans un mystérieux palais luxueux et baroque, mais c'est peut-être celle de la cité des Doges qui rêve qu'elle est à Paris. Seule une étrangeté douce est au rendez-vous là où on attendait quelques sulfureux prolongements au fantastique du regard de Val Lewton.

Si *Un Jeu d'enfant* (Laurent Tuel, 2001) reste un peu trop sur les marges, *Trouble Every Day* (Claire Denis, 2001) enfonce par contre tous les poncifs d'un genre abordé avec sérieux et respect. Shane l'américain (Vincent Gallo) et Cloé la française (Béatrice Dalle) sont deux âmes malheureuses en proie à des pulsions sexuelles et animales qui combinent cannibalisme et vampirisme dans un Paris nocturne somptueusement filmé par Agnès Godard. Claire Denis ajoute une mise en scène majestueuse, liturgique, et la grandiose musique de The Tindersticks pour faire de *Trouble Every Day*, à l'image de ses deux monstres, un grand film malade – cinéma d'auteur tendance gore – un peu dans la lignée de Ferrara, Lynch ou Cronenberg. Comme dans *J'ai pas sommeil* (1994), on tourne autour du mal, de l'atroce plutôt que de l'horreur. Mais cette fois la cinéaste va jusqu'au bout du cauchemar : Cloé dévore le visage du jeune homme, Shane le sexe de la femme de chambre, ces débordements de chairs arrachées se jouant par des mouvements de haut en bas (le garçon monte les escaliers vers sa mort, Shane descend aux sous-sols de l'hôtel pour la donner) afin que la sauvagerie pénètre à la fois la banalité du monde moderne (grands hôtels, laboratoires, Paris pour voyage de noces) comme l'inquiétude pavillonnaire des années cinquante (atmosphère à la Franju), mais en maintenant toujours la poésie à distance par la beauté glacée du filmage. Tout est plastique, esthétisé avec violence : ainsi la scène de dévoration est suivie par l'errance de Cloé ensanglantée le long d'un mur lui aussi plein de sang et qui ressemble alors à quelque terrible tableau abstrait comme si Claire Denis avait décidé de faire l'économie du sens et de l'intrigue pour rester dans l'horreur inexplicable de sensations purement auditives et visuelles.

Le film de jeunes

Dans la seconde moitié de la décennie, après *Les Roseaux sauvages,* d'André Téchiné et *L'Âge des possibles*, de Pascale Ferran, le « film de jeunes » s'impose par contre comme un genre nouveau, riche de potentialités mais aussi de facilités. Ainsi l'acteur du film de Téchiné Gaël Morel signe-t-il à 23 ans *À toute vitesse* (1996) en reprenant le couple vedette Élodie Bouchez/Stéphane Rideau, mais aussi des personnages identiques en proie aux mêmes hésitations homosexuelles pour filmer encore dans la région de l'Ouest des situations outrées, des dialogues pesants et des scènes répétitives. Manque en fait l'essentiel de la jeunesse – sa fragilité, ses doutes – et ne reste dès lors qu'une vitalité sans objet qui aboutit, fort artificiellement, à la mort.

L'avantage du genre « film de jeunes » est qu'il constitue une auberge espagnole ouverte à tous les vents. *Marie Baie des anges* (Manuel Pradal, 1997) situe ainsi ses amours adolescentes entre un petit voleur et une fille de 14 ans sur les bords de la Méditerranée sous le signe de réminiscences cinématographiques : les marins comme au début d'*À nos amours* (M. Pialat, 1983) plutôt que dans *Lola* (J. Demy, 1960), des bandes de voyous (*De Bruit et de fureur*, J. Cl. Brisseau, 1987), une idylle dans une île (*Un Été avec Monika*, I. Bergman, 1952)... Orso et Marie, une petite frappe à la recherche d'un pistolet et une émule de Lolita, s'essayent au scénario de *Bonnie and Clyde* (Arthur Penn, 1968) sur la Côte d'Azur ; elle en mourra. Mais on pense aussi à Leos Carax et aux *Innocents* (A. Téchiné, 1987) pour le perpétuel passage du réalisme au mythe, le récit très réaliste étant rythmé par le retour cyclique de la légende des requins (les anges de la baie) confrontée aux tensions physiques et sensuelles de scènes violentes traitées de façon maniériste en larges mouvements davantage musicaux que dramatiques. *Clubbed to Death* (Yolande Zauberman, 1996) recycle pour sa part les clichés d'un Réalisme Poétique vidé de sens dans un Technoland de la drogue traversé par une Alice – Élodie Bouchez, encore – au sourire ravageur mais pourtant sans aucun effet sur une population de junkees morts vivants, silhouettes floues, abîmées, sinistres.

À côté de ces œuvres abordant de front la détresse des jeunes existent aussi des films posant un regard en diagonale sur des réalités détournées : ailleurs, dans une autre tranche d'âge ou à travers le filtre de l'étrange. Ainsi *Tokyo eyes* (Jean-Pierre Limosin, 1998) emprunte les chemins de traverse d'une ville telle que le cinéaste a dû la découvrir avec ravissement. Deux adolescents branchés techno, vidéo, vitesse et virtuel sous toutes ses formes vont y vivre une *love story* moderne bien qu'on parte au début sur une histoire de *serial killer*. Mais tout est jeu et le pistolet est trafiqué pour tirer à côté comme les grosses lunettes de myope faites pour y voir trouble et non clair ! Film complètement loufoque donc, mais la petite shampouineuse en minijupe est ravissante et le récit léger, brillant, joli, sympathique.

Le renouvellement du « roman d'apprentissage » consistait déjà dans *Les Roseaux sauvages* (1994) à l'introduction de l'homosexualité. *Presque rien* (Sébastien Lifshitz, 2000) fait de même en contant un premier amour adolescent de vacances entre deux garçons – l'un renfermé, l'autre sensuel et exubérant – sur fond de vies familiales décevantes. Le premier se retrouvera solitaire avec son amertume. C'est lui qui raconte en *flash-back* un peu trop formaliste cette chronique délicate et finement menée, si l'on oublie quelques gros plans de sexes destinés à faire moderne.

C'est aussi pour donner une impulsion nouvelle au tableau de mœurs qu'O. Ducastel et J. Martineau prennent pour héros de *Drôle de Félix* (2000)[1] un arabe homosexuel, chômeur, malade du Sida et heureux (Sami Bouajila) lancé sur la route de Dieppe à Marseille à la recherche symbolique du père. Mais trop d'épisodes hédonistes se veulent tellement édifiants que le prosélytisme le plus lourd prend souvent le pas sur l'analyse psycho-sociale. N'empêche que le besoin de refondre le genre est en effet nécessaire. Certains s'y attellent en poussant jusqu'à la folie le traumatisme que peut subir le provincial « montant » à la capitale, autre grand classique du rite de passage à l'âge adulte. Ainsi, fraîchement arrivé à Paris, le jeune protagoniste des *Aveux de l'innocent* (1996), de Jean-Pierre Améris ne trouve qu'exclusion et indifférence. Interprété par Bruno Putzulu qui semble toujours vivre un rêve éveillé et assure à lui seul la crédibilité du personnage, Serge Perrin croit sortir du gouffre par la notoriété en s'accusant du crime horrible d'un taximan qu'il n'a pas commis. Entre deux repas de famille (première et dernière scène), le film procède par touches pointillistes, insistant sur le moment fatal de ce choix aberrant. Quelque part inconcevable est aussi l'amour qui naît entre un cancéreux cinquantenaire en phase terminale et une jeune bénévole dans la clinique de soins palliatifs de *C'est la vie* (2001). Mais la finesse de touche de J.-P. Ameris évite la plupart des pièges du star-system (Jacques Dutronc – Sandrine Bonnaire) pour conjuguer vérité des êtres et sens de l'existence en privilégiant la dignité à la pudeur afin de travailler l'émotion.

L'inconscient menaçant de François Ozon

Mais c'est certainement François Ozon qui, dans sa courte et déjà prolifique filmographie, s'attaque avec le plus de constance au film psychologique. Il ne s'agit plus alors d'en proposer de simples variations plus ou moins personnali-

1. Que nous avons déjà abordé ci-dessus, p. 137.

sées, mais bien de faire dériver carrément le genre vers les rivages tortueux d'un inconscient menaçant. Après *Une Robe d'été*, court métrage jouant avec audace la carte de l'indécision sexuelle sur l'air du *Bang-Bang* de Sheila, Ozon réalise avec *Regarde la mer* (1997), un film dans l'csprit de Roman Polanski travaillant l'attente du danger dans la douceur feutrée d'une sensibilité salée et ensoleillée qui fait monter le désir de la jeune femme tandis qu'est mis parallèlement de plus en plus en danger son bébé, laissé seul ou aux « bons soins » d'une routarde aux goûts vampiriques qui hante les rayons viande et couches-culottes des supermarchés sur l'air du « Panis angelicus » de César Franck. Quelques détails scatologiques apportent un contrepoint glauque aux images de bicyclette, de corps alanguis et de petits déjeuners au soleil jusqu'à ce qu'on se retrouve dans une histoire de meurtre. En fait, la jeunesse n'est plus ici à prendre qu'en tant qu'objet d'une approche de la sensualité féminine au niveau de la chair ardente de Sasha Hails. Par contre, si pasticher le filmage plat, les personnages et les aventures stéréotypées de feuilleton TV peut être une bonne idée, *Sitcom* (1998) n'est dans l'ensemble qu'un agrégat mal agencé de nombreuses influences : *Ma vie en rose*, d'Alain Berliner (pour l'homosexualité du jeune garçon), *Possession*, d'Andrzej Zulawski (le rat géant), et bien sûr *Théorème,* de Pier-Paolo Pasolini. Or la satire ne peut s'exercer que sur une matière riche alors que *Sitcom* n'est qu'un canular un peu mince.

Une autre influence est celle d'Almodovar que l'on retrouve dans *Gouttes d'eau sur pierres brûlantes* (1999), adaptation d'une pièce de jeunesse de R.W. Fassbinder, très sèche, systématique, mais traversée de traits d'humour féroce. Les situations audacieuses sont soulignées par un style agressif et le sexe fait exploser couple, famille, sentiments. Ozon provoque par l'insistance des marques du théâtre : cartons (acte I, II), huis-clos, dialogues percutants assénés en lourds champs-contre-champs. Tout concourt à souligner l'épouvantable médiocrité humaine : on commande ou on rampe, on copule, on trahit, on meurt. Le jeune Frantz ne vaut pas mieux que le vieux Léopold (prodigieux Bernard Giraudeau) mais, plus faible, il sera brisé par la dureté terrifiante des rapports humains : chacun souffre des plus forts et écrase les plus désarmés. La structure elle-même décalque les relations bourgeoises conventionnelles : un couple homosexuel attire et démolit deux femmes, Véra la transexuelle et Anna la gamine qui trompe allègrement son « fiancé », une légère distance étant fournie par l'époque, l'Allemagne des années soixante-dix.

Mais Ozon sait aussi prendre les choses à revers, et en douceur. Loin de ce jeu de massacre, *Sous le sable* (2001) sape les fondements de l'existence en déséquilibrant le bonheur tranquille d'une femme comblée, brutalement confrontée au vide : Marie (Charlotte Rampling) refuse la mort de Jean, son époux disparu, glissant peu à peu de la dépression à la folie par un mouvement lent mais irréversible comme en témoignent les quelques accrocs à cette mollesse fatale (éclats avec sa belle-mère, à la morgue devant le cadavre décomposé, au lit avec Vincent son amant). Ozon excelle à créer des tensions à partir des choses les plus quotidiennes, maintenant une attente née d'une fascination du banal qui tourne à l'obsession morbide : Marie trompe un mort qu'elle veut de toutes forces maintenir vivant. Ozon n'hésite pas à matérialiser l'imaginaire de Marie par les apparitions du défunt (Bruno Cremer) comme dans le beau plan de son corps en robe rouge exploré par deux mains – celle de Jean, l'autre de Vincent – filmé en plongée directement perpendiculaire. Cette négation de la mort n'est d'ailleurs pas seulement celle de l'autre mais plus intimement de la mort en tant qu'aboutissement de toute vie, peur du néant en somme chez cette belle femme vieillissante dont la silhouette chétive répond dans la seconde partie du film à la présence massive de Jean au début. Ozon est toujours entre psychologisme et fantastique, déréalisant la normalité des relations mondaines ou professionnelles afin d'y mieux faire pénétrer les signes de dérèglements. L'eau, qui avait ravi son époux sur l'Atlantique, rend à Marie son fantôme sorti de Seine dans une atmosphère de pénombre hitchcokienne. À l'impossible travail de deuil causé par une absence – celle de la scène de la noyade, hors champ pour Marie comme pour le spectateur – répond la réincarnation créée par la puissance du regard qui rappelle littéralement le mort. Mais si Marie parvient à faire exister son univers mental à l'intérieur de l'appartement, le monde des autres (dans la rue, à l'université ou chez des amis) qui inclut la réalité de la mort de Jean grignote progressivement son imaginaire (chez le docteur ou la pharmacienne, avec la carte bleue bloquée ou l'étudiant maître nageur, à la piscine...). Dès lors, la plage et son défaut d'image vampirise Marie qui y revient à la fin : c'est là que Jean a disparu ; c'est là où elle s'enfonce définitivement dans sa folie en marchant vers l'autre monde. Malmené par les rudesses de *Sitcom* ou *Gouttes d'eau sur pierres brûlantes*, le tableau de mœurs est ainsi circonvenu avec aisance dans *Regarde la mer* ou *Sous le sable* qui minent le genre et le régénèrent à la fois en renonçant à la transparence et à la logique psychologique pour privilégier le doute, l'inconfort et les sables mouvants de psychismes hors normes dérangeant l'ordonnancement que l'on aurait pu croire inébranlable du réel.

Les films en costumes

Mais la relecture des genres consiste aussi à revenir à des types de films négligés par le cinéma d'auteur, soit parce que réservés au pur cinéma commercial de divertissement grand public par leurs budgets prohibitifs, soit qu'une inflation télévisée de réalisations médiocres les aient dévalués. Tel est en particulier le cas du « film en costumes » en 2000-2001 qui, à côté des grosses machines dirigées par des réalisateurs confirmés – *Astérix et Obélix contre César*, de Claude Zidi, *Jeanne d'Arc*, de Luc Besson, *Vercingétorix*, de Jacques Dorfmann… – a permis également à quelques jeunes cinéastes de se mesurer à un cinéma populaire et spectaculaire. Dès 1985, Éric Barbier avait initié le projet du *Brasier* (terminé en 1990) traitant en mélodrame flamboyant un épisode de la guerre ouvrière des années trente concernant les immigrés polonais dans les houillères du Nord. La balance entre scènes intimistes et vaste fresque historique bouscule l'intrigue amoureuse constamment interrompue, reprise en plein lyrisme social, pour se briser aussitôt dans le tintamarre assourdissant d'un travail infernal. La force du sujet impose un souffle épique rythmant les mouvements de foule et les scènes grandioses sans sacrifier l'émotion et l'intelligence des propos. Sans vedette et avec sous-titres pour les dialogues des protagonistes polonais, le beau film de Barbier ne jouait pas la facilité. De fait, *Le Brasier* n'eut aucun succès, mais dans le même genre, *Germinal* (1993, Claude Berri) fit un triomphe alors que l'échec des *Amants du Pont Neuf* (Leos Carax, 1993) autre superproduction (mais non historique) réalisée par un jeune cinéaste, semblait confirmer aux décideurs de la profession que les gros budgets devaient être réservés aux vétérans !

Mais la volonté opiniâtre de quelques cinéastes de la génération quatre-vingt dix parvient à imposer plusieurs années après, au tournant du millénaire, des projets aussi ambitieux qu'*Artemisia* (Agnès Merlet, 1997), *Saint Cyr* (Patricia Mazuy, 2000) et *Les Destinées sentimentales* (Olivier Assayas, 2000) menés à bien après de longs efforts, tandis que, dans les courants qui se présentaient d'entrée comme plus directement populaires, se montaient aussi *Peut-être* (comédie, Cédric Klapisch, 1999) et *Le Pacte des Loups* (action romanesque et historique, Christophe Gans, 2001). Le public allait d'ailleurs rectifier quelque peu les prévisions, boudant *Artemisia* et *Peut-être* mais assurant le succès des trois autres. Il est vrai que le second long métrage d'Agnès Merlet écrase les personnages dans les pompes du « film à costumes ». L'adolescence d'Artemisia Gentileschi, première femme peintre à l'orée du XVIIe siècle, constituait pourtant un beau sujet touffu (les chemins de la création à une époque de mutation de la peinture, féminisme, rapport au père, éveil à la sexualité, complexité de la société péninsulaire, rôle de l'église…), pris dans le décor particulièrement spectaculaire de l'Italie post-Renaissance. Mais Valentina Cervi n'a pas l'envergure du personnage qu'elle incarne et rien ne passe par la mise en scène ni par le regard de la cinéaste qui ne produit qu'un travail appliqué. Quant à la comédie de science fiction de Cédric Klapisch, elle se résume au développement paresseux de l'affiche publicitaire montrant quelques hauts d'immeubles parisiens qui dépassent d'un désert de sable squattés par de nombreux nomades, donnée sur laquelle se greffe le thème du voyage dans le temps mené avec une légèreté assez plaisante.

Dans un autre genre, le premier long métrage de Christophe Gans, ancien critique à *Starfix*, n'est pas non plus un grand film mais il a du rythme (certes chaotique), de la diversité (chaque scène est traitée dans un style différent à grands coups de références cinéphiliques) et l'habileté de reprendre la célèbre légende de la bête du Gévaudan qui a déjà fourni avec succès le thème de nombreux récits. Proposant une relecture délirante de l'Histoire, Gans insiste sur le grand spectacle et le visuel à tous prix, finissant par lasser à force de surenchère.

Inégaux mais à divers points de vue passionnants, *Saint Cyr* (Mazuy) et *Les Destinées sentimentales* (Assayas) frayent ou renouvellent d'autres voies. Attrayant et lucide le premier évite le romanesque convenu des sagas télévisées ou grands films d'époque mais laisse passer des fautes de construction et de scénario. Ainsi la transformation d'une Madame de Maintenon d'abord dynamique et généreuse pour ses filles en une vieille dame uniquement préoccupée de son statut se fait trop brusquement. De même, on comprend mal comment les élèves deviennent tout à coup futiles et exclusivement intéressées par l'amour et l'argent devant la concupiscence des nobles sans qu'on ait vu venir le changement. Mais on est séduit par les beaux caractères antagonistes d'Anne et Lucie, les deux filles suivies sur une décennie, qui sous-tendent un film aux belles idées (les autruches, les langues régionales parlées au début, l'abbé fou de Dieu, les représentations de Racine d'abord la sensuelle *Iphigénie* puis la religieuse *Esther...*) soulevant des questions d'intolérance et d'intelligence, de féminisme, de soumission à la misère sur terre au nom d'un paradis promis dans l'au-delà. En fait la demeure pourrit d'humidité dans ses marais et les filles meurent poitrinaires, si bien que les espoirs du début qui semblaient déjà éclairés par la future philosophie des Lumières s'enlisent progressivement aux fins fonds d'un règne de malheurs qui n'ouvre que sur le vide.

La première adaptation des *Destinées sentimentales* (d'après le roman de Jacques Chardonne, écrivain célèbre d'avant-guerre, un peu oublié depuis du fait, entre autres, de son choix de la collaboration pendant la guerre) date de 1995, après cinq longs métrages formant un bloc compact au style et à la thématique très personnels. Mais il ne peut s'agir que d'une production très lourde et le montage financier s'éternise. Pendant que le projet avance peu à peu, Olivier Assayas diversifie ses sources d'inspiration (*Irma Vep, Hou Hsiao-Hsien*, *Fin Août début septembre*) et parvient à tourner cette saga qui raconte, durant les trente premières années du XXe siècle, le destin de trois personnages étudiés par rapport à un groupe – familial et professionnel – lui-même suivi en fonction de l'avancée de l'Histoire. En fait, fortement constitués au début, ces milieux se désagrègent à mesure que les événements agissent sur eux, si bien que les individualités se dissolvent à leur tour dans un devenir commun jusqu'à en perdre leur statut de héros. À cette structure qui dépersonnalise la progression dramatique, Assayas ajoute une mise en scène anonyme, s'attachant pour chaque scène, point par point, à trouver la meilleure manière de montrer les choses au lieu d'imposer un regard unificateur[1].

Le défi créatif du cinéaste consiste donc à replonger dans les vieilles recettes de la Qualité Française des années cinquante – et des feuilletons télévisés d'aujourd'hui car ce sont les mêmes – pour retravailler chaque détail tout en suggérant avec finesse l'aspect métaphorique de l'intrigue : cette fabrique de porcelaine « à l'ancienne » lancée à l'assaut de la concurrence des nouveaux produits usinés ne figure-t-elle pas en effet le cinéma d'auteur face à la production télévisée standardisée ? Chaque cliché (le grand bal ou la déclaration de guerre) se trouve ainsi doté d'un fort coefficient de déjà vu, ce qui épuise moins le réel qu'il ne l'enrichit par la superposition du poids de toute cette médiation. Par là irréalisées plutôt que banalisées, ces scènes ne parviennent jamais à s'arracher vraiment au passé pour imposer un « présent cinématographique » assez puissant, si bien que l'œuvre se referme et s'immobilise parallèlement au passage du temps, c'est-à-dire à la marche vers la mort. Ce film sur le passé n'est donc pas retour à la jeunesse mais retient d'abord ce qui était déjà vieux hier. C'est pourquoi ni religion, ni sentiment, ni travail ne peuvent aller contre l'envahissement inexorable du néant. Les sautes d'un temps à la fois inéluctable (par son issue) et imprévisible (par ses nombreuses façons de piéger le destin) auront par conséquent toujours raison des entreprises humaines de cette bourgeoisie à la rigueur protestante.

Le personnage de Jean est original par son existence construite en triptyque à partir de trois engagements successifs : la foi (il est pasteur), l'amour-passion puis l'action patronale qui le fait adhérer corps et âme au destin de l'usine. Mais cette seconde partie de sa vie constitue-t-elle vraiment son combat le plus sincère ? Sans doute pas, d'où l'intérêt de cet être profondément anti-conventionnel dont la vérité était probablement à chercher dans ses attachements amoureux. On comprend donc mal pourquoi, au lieu de le laisser tirer tout le film à lui, Assayas choisit de le noyer dans le contexte – aussi bien humain qu'historique – qui, lui, est au contraire d'un académisme suranné. Jamais le cinéaste ne commence les séquences sur Jean, préférant débuter – comme dans tous les téléfilms à épisodes – par un gros plan des choses (les cuves de Cognac ou les fours à porcelaine) pour panneauter ensuite sur la « reconstitution historique » (les vendangeurs ou les ouvriers de Limoges) avant de rejoindre classiquement l'intrigue par un dialogue en intérieurs (généralement précédé d'une coupe pesante). L'autorité de Jean comme le caractère entier de sa première épouse y perdent à chaque coup tout dynamisme et le couple se trouve happé par la mollesse du récit au lieu de l'investir pour y imposer leurs déstabilisantes présences.

1. O. Assayas le déclare lui-même aux *Cahiers du cinéma* , n° 548, juillet-août 2000.

Autre erreur, le casting. Certes Antoinette Boulat qui l'a effectué est actuellement très en vue dans le métier, mais si ses petites jeunes filles de *Saint Cyr* sont habilement choisies, à la fois hors de tout pittoresque et loin des graines de stars ou de mannequins pour défilés de mode adolescente, les deux ou trois panoramas de fidèles des offices du pasteur des *Destinées sentimentales* ne sont qu'accumulations de trognes caractéristiques : le Mocky Circus n'est pas loin ; chaque protagoniste est marqué, inattendu, déconcertant selon les normes d'un néo-académisme du détail révélateur. Et tout le film est à l'avenant, parti-pris inverse de la banale beauté des figures de tous les jours des non-professionnels normands dans *Moi Pierre Rivière...* (R. Allio, 1975). Il ne s'agit d'ailleurs pas d'une question de réalisme mais, plus gravement, de vérité. À quoi bon sélectionner des visages réels s'ils sont tels qu'on les croirait façonnés par des heures de maquillage ? Ceux du film d'Assayas font plus vrai que nature et, là encore, ils volent la vedette à Charles Berling et Isabelle Huppert parce qu'ils portent inscrits sur ces masques des appels de fiction propres à se substituer aux intermittences du cœur que les interprètes des personnages principaux s'ingénient – fort légitimement – à intérioriser. Chaque figurant surjoue une absence de personnage, détournant le spectateur des héros effacés auxquels il est déjà difficile d'adhérer. C'était un peu la gageure de cette adaptation et le fait qu'elle n'ait pas été tenue discrédite l'ensemble de l'entreprise. Mais Assayas cherche à dégager le film d'auteur des usages qui ont tendance à en faire un des genres les plus contraignants qui soit. Par là son œuvre pose les questions essentielles au cinéma d'aujourd'hui et à sa survie de demain : quels films et pour quels publics ? Bien sûr il n'y a pas de réponse ; seulement une interrogation, mais aucun cinéaste ne peut se dispenser désormais de l'avoir toujours bien vivante à l'esprit.

Conclusion

Il faut bien s'attendre à ce qu'un grand nombre des jeunes cinéastes cités dans cet ouvrage ne tiennent pas les promesses de leurs premiers films. Mais l'intérêt des œuvres recensées ici n'en demeurera pas moins fort, et aussi cette propension des procédures d'aides sélectives à favoriser une remarquable qualité de nombreux premiers longs métrages. Malheureusement le système économique auquel les nouveaux auteurs doivent ensuite s'intégrer n'avantage guère l'art cinématographique. Encouragés dans les voies de l'exigence et de la rigueur à leurs débuts (essentiellement par l'Avance sur Recette en amont et le circuit Art et Essai en aval de la réalisation), les metteurs en scène devront ensuite lutter au contraire contre les tentations de la facilité et du commerce démagogique qui régente une grande part de la production française et de son financement venu des télévisions. C'est au second ou troisième long métrage que tout se joue et que le cinéaste va se trouver amené à choisir, soit les genres et castings porteurs, soit l'expression ambitieuse d'un regard d'auteur, c'est-à-dire de servir le système ou de s'en servir, de poursuivre dans le domaine de l'art ou de dévier vers l'industrie. Le cinéma a un coût, mais le prix de l'indépendance est ailleurs.

Les médias n'ont ni le goût ni le temps de s'intéresser aux jeunes talents. Le cinéma est fragile mais eux veulent tout de suite qu'on leur indique les génies de demain. Le scandale des *Nuits Fauves* leur convient ; pas la finesse d'*Esther Kahn ;* le « plein la vue » de Besson, Beineix et Carax mais pas la fraîcheur des *Petites*, de Noémie Lvovsky ou le soleil noir du *Sombre*, de Philippe Grandrieux. Les qualités en creux, l'art du renoncement et de l'approfondissement jusqu'au vertige de la psychologie humaine ne les interpellent pas et ils veulent du rythme, de la vitesse, du sexe. La lenteur leur fait peur, la réflexion provoque la fuite, ils ont le jugement gâté et ne sont plus à la recherche de la beauté ; quant à l'intelligence, elle ne fait pas débat : ne brillant dans aucun domaine, pourquoi diable irait-on la chercher dans le jeune cinéma français ? Ils sentent confusément qu'il n'y a pas d'audience assurée de ce côté là. Alors ils préfèrent ne pas aller y voir et condamnent sans connaître.

Ils ont tort, mais le grand public qui suit leurs chroniques télévisées ou dans la grande presse n'est donc plus en mesure de rencontrer le jeune cinéma d'auteur. Quand par le plus grand des hasards il découvre *Y-aura-t-il de la neige à Noël ?* ou *Le Fabuleux destin d'Amélie Poulain*, il aime mais n'a aucun repère pour replacer ces œuvres dans le continuum de la production française et les succès de ces OVNI restent sans conséquences sur la possible reconnaissance de l'identité du nouveau cinéma. Ce volume prouve pourtant qu'il existe et emprunte d'autres chemins que ceux du 7e Art d'hier ou de la télévision d'aujourd'hui. Mais le système de production fait du commerce au nom de l'art en défendant l'exception culturelle à partir des films de Claude Berri et l'on fête le centenaire du cinéma en laissant le libéralisme et la concurrence du marché étouffer les auteurs de demain. Travail patrimonial, accès des jeunes à l'expression et soutien à la création doivent pourtant aller de pair, le nouveau cinéma occupant le cœur de ce dispositif du cinéma en tant qu'art.

Nous avons exploré la diversité, mais aussi montré l'unité de ce jeune ou nouveau cinéma qui règne actuellement sans partage dans le circuit d'Art et d'Essai mais qui a du mal à pénétrer la grande distribution. En se colletant aux genres et au grand spectacle, en créant de beaux personnages pour une talentueuse nouvelle génération de comédiens et en réactivant avec plus de complexité le psychologisme comme le réalisme social, les jeunes cinéastes montrent que l'expression autarcique d'un moi exacerbé ne constitue plus qu'une part minoritaire de ce nouveau cinéma, même si c'est souvent dans ce courant que se réalisent quelques unes des œuvres paradoxalement les plus neuves. L'idée que ces films sont difficiles ou ennuyeux est donc fausse, mais s'inscrit bien dans la tendance « mas media » pour laquelle l'intelligence est un handicap et la culture une maladie : voir « Qui veut gagner des millions ? » et « Loft Story » qui feront certainement de 2001 une date à marquer d'une pierre noire dans l'histoire de la télévision française.

Nous sommes évidemment conscients d'avoir cité beaucoup de titres et de noms que ne connaissent pas (encore) des lecteurs qui aiment pourtant le cinéma et y vont régulièrement sans pour autant suivre de très près l'actualité de la production nationale. Ils auront pourtant reconnu certainement au passage des films et des cinéastes qui avaient retenu leur intérêt. Notre espoir est qu'ils en déduisent que les autres leur auraient procuré autant de plaisir, car tout n'est pas perdu : ces films passent plusieurs fois à la télévision – Canal Plus, Arte, France 3 –, ce qui permet de les enregistrer. De plus, ces lecteurs peuvent guetter les films suivants de ces auteurs. Il est évident en effet que lorsqu'auront cessé de tourner les grands réalisateurs dont nous avons rappelé l'importance dans notre premier chapitre (chapitre 1 : Les Quarantièmes Rugissants) c'est cette nouvelle génération qui représentera à elle seule l'ensemble du cinéma d'auteur. Alors on se souviendra qu'*Hiroshima mon amour* avait été accusé en 1960 de tuer le cinéma avant que *On connaît la chanson* du même Alain Resnais ne rencontre un véritable succès populaire en 1997. Il nous paraît personnellement dangereux de se laisser guider par une conception patchwork de la cinéphilie : l'année Wong Kar-Wai après celle Takeshi Kitano, après David Lynch, Abbas Kiarostami et les autres, tous passionnants certes mais jamais replacés sérieusement dans la durée et le contexte. Notre entreprise a visé au contraire à suivre de près le cinéma français dans son évolution et pas seulement quelques auteurs pour deux ou trois films. Nous pensons que l'étudiant, l'amateur, le cinéphile, ont besoin de cette base solide pour déterminer leur recherche comme pour trouver leur plaisir. Certes il n'est pas possible en développant un tel projet de faire taire nos goûts personnels. Mais en les indiquant d'entrée – le jeune cinéma d'auteur – nous avons à la fois déterminé notre domaine et fixé nos limites. Ainsi défriché, le terrain découvre ses richesses dans lesquelles nous avons opéré des regroupements par courants, tendances, styles, thématiques ou dominantes, les index permettant de retrouver les renseignements filmographiques (chaque cinéaste avec ses films). De cette manière ce récit descriptif de l'histoire esthétique de ces dix dernières années constitue la suite logique de notre *50 ans de Cinéma Français* qu'il prolonge tout en donnant plus d'ampleur à cette période récente parce que nous n'avons pas encore le recul nécessaire pour affirmer que telle voie se révélera plus fructueuse qu'une autre ou que dans dix ans tel cinéaste se sera imposé alors que d'autres auront déçu. La pratique de l'histoire immédiate implique une certaine prise de risque que nous devons assumer.

Bibliographie

Ouvrages sur le jeune cinéma français des années 1990

Claude-Marie TRÉMOIS, *Les Enfants de la liberté : le jeune cinéma français des années 90*, Paris, Seuil, 1997.

Christophe CHAUVILLE (sous la direction de), *Dictionnaire du jeune cinéma français, les réalisateurs*, Paris, Scope, 1998.

Michel MARIE (sous la direction de), *Le jeune cinéma français*, Paris, Nathan/Canal Plus, 1998.

Études d'ensemble publiées en revues ou chapitres de livres concernant le jeune cinéma français des années 1990

J. ZIMMER (sous la direction de) : « Dictionnaire des cinéastes français des années 80 », *Le Mensuel du Cinéma*, n° 2 (janvier 1993), n° 3 (février 1993), n° 4 (mars 1993).

Collectif « Nouveau Cinéma français : les cinéastes (Hervé Le Roux, Laurence Ferreira-Barbosa...) et les acteurs », *Cahiers du cinéma*, n° 473, nov. 1993.

Collectif « Tous les garçons et les filles de leur âge », *Cahiers du cinéma,* n° 481, juin 1994 et n° 485, novembre 1994.

G. GARCIA, *250 cinéastes européens d'aujourd'hui*, Paris, Europictures, 1994.

L. CRETON, *Économie du cinéma. Perspectives stratégiques*, Nathan cinéma, 1995, 3e éd. 2001.

F. STRAUSS, « Génération IDHEC », *Cahiers du cinéma*, n° 491, mai 1995.

P. HODGSON, « L'argent du cinéma français », *Cahiers du cinéma,* n° 489, mars 1995.

Ph. OLIVIER, *Le Film policier français contemporain*, coll. « 7e Art », Paris, Cerf, 1996.

R. PRÉDAL, *50 ans de cinéma français*, Coll. « Réf. », Paris, Nathan, 1996.

N. NÉZICK, « Nouvelle nouvelle vague ? » et D. SERCEAU, « Entretien avec Judith Cahen » in « L'auteur au risque du narcissisme », *Contre Bande,* n° 2, 1996.

A. DE BAECQUE, A. DESPLECHIN, T. JOUSSE, *Le Retour du cinéma*, coll. « Questions de Société », Paris, Hachette, 1996.

Collectif, « 40 jeunes comédiens français des années 90 », *Positif*, n° 435, mai 1997.

« Les producteurs français » (dirigé par R. Prédal), *CinémAction* n° 88, 1998, entretiens avec Christophe Rossignon, Pascal Caucheteux, Maurice Bernart...).

Entretien avec Agnès Godard : « Technique de la Lumière », *Cahiers du cinéma,* n° 538, septembre 1999.

« Où va le cinéma français : comment naissent les films ? » enquête, *Cahiers du cinéma* n° 544, mars 2000.

Collectif, « Arte, le cinéma et le numérique », *Positif*, n° 472, juin 2000.

Mini-dossiers monographiques (texte et entretien) sur des jeunes cinéastes

Olivier ASSAYAS, *Cahiers du cinéma,* n° 532, février 1999 et n° 548, juillet-août 2000.

Jacques AUDIARD, *Positif,* n° 403, septembre 1994 et n° 423, mai 1996.

Xavier BEAUVOIS, *Positif,* n° 372, février 1992.
Cahiers du cinéma, n° 498, janvier 1996.

Pascal BONITZER, *Cahiers du Cinéma* n° 506, octobre 1996 et n° 533, mars 1999.

Dominique CABRERA, *Positif,* n° 470, avril 2000.

Judith CAHEN, *Cahiers du cinéma*, n° 496, novembre 1995.

Laurent CANTET, *Positif,* n° 489, novembre 2001.

Cyril COLLARD, *Cahiers du cinéma,* n° 460, octobre 1992.

Claire DENIS, *Cahiers du cinéma,* n° 479-480, mai 1994 et n° 545, avril 2000.

Arnaud DESPLECHIN, *Positif,* n° 377, juin 1992 et n° 476, octobre 2000.
Cahiers du cinéma, n° 457, juin 1992 et n° 503, janvier 1996.

Bruno DUMONT, *Positif,* n° 465, novembre 1999
Les Dahlias sont rouges (sur *L'Humanité*) par Arlette Farge,.La Pionnière, 2000.

François DUPEYRON, *Cahiers du cinéma* n° 445, juin 1991.
Positif, n° 488, octobre 2001.

Pascale FERRAN, *Cahiers du Cinéma*, n° 484, octobre 1994.
Positif, n° 404, octobre 1994.

Laurence FERREIRA-BARBOSA, *Positif,* n° 393, novembre 1993.

Emmanuel FINKIEL, *Positif,* n° 464, octobre 1999.

Nicole GARCIA, *Positif* , n° 407, janvier 1995.

Denis GHEERBRANT, *CinémAction* , n° 76 (le Cinéma Direct, années 90), 1995
Positif, n° 481, mars 2001.

Philippe GRANDRIEUX, *Positif,* n° 456, février 1999.

Robert GUÉDIGUIAN, *Cahiers du cinéma,* n° 495, octobre 1995 et n° 518, novembre 1997.
Positif , n° 442, décembre 1997 et n° 479, janvier 2001.

Philippe HAREL, *Positif,* n° 440, octobre 1997.

Éric HEUMAN, *Positif,* n° 435, mai 1997.

Jean-Pierre JEUNET, *Positif,* n° 364, juin 1991.

Cédric KAHN, *Positif,* n° 371, janvier 1992, n° 454, décembre 1998 et n° 483, mai 2001.

Mathieu KASSOVITZ, *Positif*, n° 412, juin 1995.
Cahiers du cinéma, n° 492, juin 1995.

Hervé LE ROUX, *Cahiers du cinéma*, n° 511, mars 1997.

Noémie LVOVSKY, *Cahiers du cinéma*, n° 488, février 1995 et n° 537, juillet-août 1999.
Positif, n° 408, février 1995.

Tonie MARSHALL, *Positif*, n° 398, avril 1994.
Cahiers du cinéma, n° 478, avril 1994.

Laetitia MASSON, *Positif*, n° 451, septembre 1998 et n° 469, mars 2000.

Patricia MAZUY, *Positif*, n° 471, mai 2000.

Agnès MERLET, *Positif*, n° 394, décembre 1993.

Orso MIRET, *Positif*, n° 480, février 2001.

Dominik MOLL, *Positif*, n° 475, septembre 2000.

Claude MOURIERAS, *Positif*, n° 449-450, juillet-août 1998.

Gaspard NOÉ, *Positif*, n° 457, mars 1999.

Manuel POIRIER, *Positif*, n° 437/438, juillet-août 1997.
Cahiers cinéma, n° 511, mars 1997.

Brigitte ROÜAN, *Positif*, n° 439, septembre 1997.

Sandrine VEYSSET, *Positif*, n° 431, janvier 1997.

Christian VINCENT, *Positif*, n° 443, janvier 1998.

Éric ZONCA, *Positif*, n° 451, septembre 1998.

Scénarios-Découpages des films

H. ANGEL, *Peau d'homme, cœur de bête*, Arte/Zéro heure, 2000.

Olivier ASSAYAS, *Fin Août, début septembre*, « Petite Bibliothèque des Cahiers du cinéma », 1998.
Les Destinées Sentimentales, « Petite Bibliothèque des Cahiers du cinéma », 2001.

Bertrand BONELLO, *Le Pornographe*, « Petite Bibliothèque des Cahiers du cinéma », 2001.

Pascal BONITZER, *Rien sur Robert*, « Petite Bibliothèque des Cahiers du cinéma », 1998.

Chistian CARRIÈRE, *Qui plume la lune*, Arte/Zéro heure, 2000.

Laurent CANTET, *Ressources Humaines*, Arte/Zéro heure, 2000.
L'Emploi du temps, « Petite Bibliothèque des Cahiers du cinéma », 2001.

Dominique CABREBRA, *L'Autre côté de la mer*, *L'Avant-scène*, n° 466, novembre 1997.
Retiens la nuit, Arte/Zéro heure, 2000.

Arnaud DESPLECHIN, *Comment je me suis disputé*, Hachette Jeunesse/Arte, 1996.
Esther Kahn, « Petite Bibliothèque des Cahiers du cinéma », 2001

Claire DEVERS, *La Voleuse de Saint Lubin*, Arte/ Zéro heure, 2000.

Olivier DUCASTEL et Jean MARTINEAU, *Jeanne et le garçon formidable*, Hachette Jeunesse/ Arte, 1998.

Bruno DUMONT, *L'Humanité*, Arte/Zéro heure, 2000.

Emmanuel FINKIEL, *Voyages,* Arte/Zéro heure, 1998.

Pascal FERRAN, *Petits arrangements avec les morts*, Hachette Jeunesse/Arte, 1996.
L'Âge des possibles, Hachette Jeunesse/Arte, 1996.

Laurent FERREIRA-BARBOSA, *Les Gens normaux n'ont rien d'exceptionnel*, *L'Avant-Scène*, n° 432, mai 1994.

Nicole GARCIA, *Le Fils préféré*, *L'Avant-Scène* n° 451,avril 1996.

Robert GUÉDIGUIAN, *À la vie à la mort + Marius et Jeannette*, Hachette Jeunesse/Arte, 1997.

Philippe HAREL, *La Femme défendue*, Hachette Jeunesse/Arte, 1997.

Agnès JAOUI, *Le Goût des autres, L'Avant-Scène*, n° 493, été 2000.

Cédric KAHN, *Bar des rails*, *L'Avant-Scène* n° 416, novembre 1992.
L'Ennui, *L'Avant-Scène*, n° 480, mars 1999.

Cédric KLAPISCH, *Chacun cherche son chat*, *L'Avant-Scène*, n° 481, avril 1999.

Mathieu KASSOVITZ, *La Haine*, *Jusqu'ici tout va bien*, Paris, 1995.
Assassin(s), Actes Sud, 1997.

Hervé LE ROUX, *On appelle ça... le printemps*, « Petite Bibliothèque des Cahiers du cinéma », 2001.

Jacques MAILLOT, *Nos Vies heureuses*, Arte/Zéro heure, 2000.

Gérard MOREL, *À toute vitesse*, Hachette Jeunesse/Arte, 1996.

François OZON, *Sous le sable*, L'Arche, 2000.

Bruno PODALYDÈS, *Dieu seul me voit*, Gallimard, coll. « Page Blanche », n° 11, 1998.

Éric ROCHANT, *Vive la République*, *L'Avant-Scène*, n° 470, mars 1998.

Pierre SALVADORI, *Les Apprentis*, Hachette Jeunesse / Arte, 1996.

Christian VINCENT, *La Discrète*, *L'Avant-Scène,* n° 401, avril 1991.
Je ne vois pas ce qu'on me trouve, Actes Sud, 1997.

Sandrine VEYSSET, *Y aura-t-il de la neige à Noël ?*, « Petite Bibliothèque des Cahiers du cinéma », 1998.

Éric ZONCA, *Le Petit voleur*, Arte / Zéro heure, 2000.

Index des noms

W

Z

Index des titres d'œuvres

D

E

Q

R

S

T

U

V

W

Y

Z

11001311 – (I) – (0,8) – OSB080°
C2000 – ACT – Dépôt légal : Avril 2005
Imprimé en France par EMD S.A.S. – 53110 Lassay-les-Châteaux – N° dossier : 13506